Interpretationen

Romane des 20. Jahrhunderts
Band 2

Interpretationen

Romane
des 20. Jahrhunderts

Band 2

H. v. Doderer · *Die Strudlhofstiege*
W. Koeppen · *Tauben im Gras*
A. Andersch · *Sansibar*
M. Frisch · *Homo faber*
G. Grass · *Die Blechtrommel*
U. Johnson · *Mutmassungen über Jakob*
H. Böll · *Ansichten eines Clowns*
S. Lenz · *Deutschstunde*
A. Schmidt · *Zettels Traum*
P. Handke · *Der kurze Brief*

Romane
des 20. Jahrhunderts

Band 2

Philipp Reclam jun. Stuttgart

Universal-Bibliothek Nr. 8809
Alle Rechte vorbehalten
© 1993 Philipp Reclam jun. GmbH & Co., Stuttgart
Gesamtherstellung: Reclam, Ditzingen. Printed in Germany 1997
RECLAM und UNIVERSAL-BIBLIOTHEK sind eingetragene Marken
der Philipp Reclam jun. GmbH & Co., Stuttgart
ISBN 3-15-008809-7

Inhalt

Heimito von Doderer: *Die Strudlhofstiege oder Melzer und die Tiefe der Jahre*

Von Wendelin Schmidt-Dengler

Die Affären

Der Titel ist in gleicher Weise eine Beihilfe zum Verständnis wie zum Mißverständnis: Zunächst scheint er nahezulegen, daß die Handlung des umfänglichen Romans von den räumlichen Gegebenheiten her organisiert ist, an denen sie spielt. Die Strudlhofstiege »zu Wien ist eine Treppen-Anlage, welche die Boltzmanngasse [...] mit der Liechtensteinstraße verbindet« (43 f.)[1], heißt es im Roman am Anfang ebenso beflissen wie auffallend beiläufig, und hinzuzufügen ist, daß, bevor Doderers Roman erschien, diese »Treppen-Anlage« auch guten Kennern Wiens kaum bekannt war. Verständlich sind daher auch die Bedenken des Verlags, der bei der Herstellung des Buches 1951 begründeten Anlaß zur Vermutung hatte, daß dieses Buch als ein Heimatroman nur allzu vertrauter Prägung aufgefaßt werden könnte, und so kam es zu dem zweiten Titel »Melzer und die Tiefe der Jahre«[2], was wiederum die Folgerung ergäbe, in dem Major Melzer die Hauptfigur oder gar den Helden des Romans zu erblicken. Über die Rolle Melzers ist es auch zu schwerwiegenden Differenzen in der Interpretation gekommen, die für die Bestimmung des Romans und der Romanästhetik Doderers von einiger Bedeutung sind und zugleich bezeugen, daß der

---

1 Im Text beziehen sich die Zahlen in runden Klammern auf folgende Ausgabe des Romans: Heimito von Doderer, *Die Strudlhofstiege oder Melzer und die Tiefe der Jahre*, München 1951. Die Paginierung dieser Erstausgabe findet sich auch in den späteren Nachdrucken und in der Taschenbuchausgabe des Romans (dtv 1254).
2 Roswitha Fischer, *Studien zur Entstehungsgeschichte der Strudlhofstiege Heimito von Doderers*, Wien 1975, S. 69.

Fall Doderer und im besonderen seine *Strudlhofstiege* noch
lange nicht als erledigt zu betrachten sind.

»Ein Werk der Erzählungskunst ist es um so mehr, je weniger man durch eine Inhaltsangabe davon eine Vorstellung
geben kann«, notierte Doderer 1966 in seinem *Repertorium*[3],
und jedem, der sich bei der *Strudlhofstiege* in einer Inhaltsangabe versucht, mag es scheinen, als hätte Doderer alles daran
gesetzt, den Beweis dieses Grundsatzes durch die Komposition des Romans zu führen. Und doch scheint dieses Buch
unerhört reich an Inhalten zu sein, an Historchen und Anekdoten, an tragischen wie grotesken Episoden, an Intrigen und
Gegenintrigen, an Berichten von Lebensläufen, an Zustands-
schilderungen und hochdramatischen Ereignissen, die sich
aber, ist man um ihre Rekonstruktion bemüht, als befremd-
lich banal erweisen und – auf den ersten Blick – nur schwer in
ihrem Zusammenhang begreifen lassen. Daß die Qualitäten
des Buches somit jenseits des Inhaltlichen liegen müßten,
zugleich aber auf diese Inhalte nicht verzichtet werden kann,
ist einer der ersten Widersprüche, der sich bei der Befassung
mit diesem Roman einstellt und für eine nicht unbeträchtli-
che Verwirrung unter den Kritikern gesorgt hat.

Melzer hat eine Geschichte, doch scheint diese Geschichte
kaum der Rede wert, würde sie der Autor nicht als Paradigma einer »Menschwerdung« – so einer der zentralen Ter-
mini in Doderers Lebenslehre – hinstellen wollen. Der
Roman setzt mit einer Figur ein, die in Melzers Leben eine
entscheidende Rolle spielt:

> Als Mary K.s Gatte noch lebte [. . .], und sie selbst noch auf
> zwei sehr schönen Beinen ging (das rechte hat ihr, unweit
> ihrer Wohnung, am 21. September 1925 die Straßenbahn
> über dem Knie abgefahren), tauchte ein gewisser Doktor
> Negria auf, ein junger rumänischer Arzt, der hier zu Wien

---

3 Heimito von Doderer, *Repertorium. Ein Begreifbuch von höheren und
   niederen Lebens-Sachen*, hrsg. von Dietrich Weber, München 1966,
   S. 72.

an der berühmten Fakultät sich fortbildete und im Allgemeinen Krankenhaus seine Jahre machte.   (9)

Wie die Strudlhofstiege selbst erscheint auch das zentrale Ereignis des Romans, der Straßenbahnunfall der Mary K., samt genauem Datum nur beiläufig, in Parenthese: In ihr wird das hochdramatische Finale vorweggenommen. Mary K. und Melzer hätten 1910 ein Paar werden können, aber Melzers Inaktivität führte schließlich dazu, daß er von Mary einen Korb bekam, und er sieht sie erst fünfzehn Jahre später, also nach gewaltigen historischen Veränderungen wieder, und zwar just in dem Augenblick, da sie gerade von der Straßenbahn überfahren und ihr das eine Bein »über dem Knie« abgetrennt worden war. Geistesgegenwärtig rettet ihr Melzer das Leben, indem er die Wunde so abbindet, daß Mary nicht verblutet. Das Füllhorn der Zufälle ist dem Autor stets zur Hand: Thea Rokitzer, eine junge, vierundzwanzigjährige Dame, in die Melzer verliebt ist, ist – nicht verabredet – zur Stelle und steht ihm bei. So finden auch die beiden zueinander, und das Buch endet, womit die Komödien auch zu enden pflegen: im Hafen der Ehe.

Melzers Trennung von Mary und die Wiederbegegnung mit ihr unter so bizarren Umständen – das sind die beiden Pfeiler, die die riskante Brückenkonstruktion des Romans zu tragen haben. Melzer selbst fungiert auch als Bindeglied der verschiedenen Gesellschaftsschichten: Einerseits hat er Kontakt zu den großbürgerlichen Kreisen der Familie Stangeler, deren Geschichte vor allem aus der Sicht des jungen Historikers und Sibirienheimkehrers René Stangeler erzählt wird. Renés Schwestern Asta und Etelka sind weitere Repräsentanten dieser Familie; vor allem ist es die Geschichte der Etelka, die ebenso markante Eckpunkte des Romans darstellt. Die Übermittlung der Nachricht von ihrem Selbstmord durch René an Melzer erfolgt unmittelbar vor dem Unfall der Mary K. Um es vereinfacht zu formulieren: Den großbürgerlichen Kreisen ist die Tragödie, und den kleinbür-

gerlichen, in denen Melzer schließlich landet, die Komödie
zugeteilt.

In die Melzer-Handlung ist schließlich noch eine Zwillings-
geschichte eingebettet: Editha Pastré-Schlinger und ihre
Schwester Mimi sehen einander zum Verwechseln ähnlich,
und Editha nutzt dies auch aus, zuletzt zu einem außerordentlich dilettantisch geplanten Zigarettenschmuggel; gegen
diese mit einem ihr unangemessenen Aufwand erzählte
Geschichte wird aus den Reihen der Familie einer jungen
Frau, die einst mit René befreundet war, wirksam oppo-
niert.⁴ Auch wenn der Paula Pichler, geborener Schachl, in
die vertrackten Intrigen noch die Durchblicke fehlen, so tut
sie doch das Richtige, und sie ist es, die zuletzt auch die Fäden
in der Hand hat, um Melzer aus den Umschlingungen der
Schlinger-Pastré, die ihm gar übel mitspielen und seine Stellung im bürgerlichen Beruf als Amtsrat bei der österreichischen Tabakregie für ihre dubiosen Zigarettentransaktionen
mißbrauchen wollte, letztlich zu befreien und der Thea
Rokitzer zuzuführen. Freilich muß bei alledem auch der
Zufall helfend einspringen, um alles zu einem guten Ende zu
bringen.

So viel einmal zu einer ersten Orientierung im reichlich
komplizierten Handlungsgefüge des Romans. Keineswegs
schämt sich Doderer jener Motive, denen so gerne ein Nahe-
verhältnis zur Trivialliteratur nachgesagt wird; im Gegenteil,
er spekuliert mit Grund und Erfolg damit, daß der Leser an
derlei Gefallen findet, ja es scheint fast, als würde er eine
Handlung umso sorgfältiger und lustvoller in Szene setzen,
je banaler und abgegriffener sie in ihrem Endeffekt anmutet.
Die Reduktion auf die oben angedeuteten inhaltlichen
Momente wirkt fast wie ein böswilliges Vorgehen gegen den

---

4 Eine sehr hilfreiche Darstellung der Zusammenhänge dieser Verwechs-
   lungsgeschichte und Schmuggelaffäre findet sich in: Dietrich Weber,
   Heimito von Doderer. Studien zu seinem Romanwerk, München 1963,
   S. 279 f.

Text, und man würde Doderer unrecht tun, würde man die Substanz des Romans mit der Lust am Erzählen solcher Bagatellhandlungen für ausgeschöpft halten.

Die Tiefe der Jahre

Daß es die Komposition ist, die in diesem Werk auch einen hohen Grad an Informationsqualität besitzt, geht vor allem aus den Schlußabschnitten hervor; auf den 21. September hin scheint die ganze Handlungsfülle des Romans fluchtpunktartig ausgerichtet, und es lohnt sich, das Buch nach der ersten Lektüre gerade vom Ende her nochmals zu lesen; mit gutem Grund hat Dietrich Weber aus dieser Sicht formuliert: »Von ihrem Finalpunkt her liest sich die ›Strudlhofstiege‹ als Roman im Grunde nur eines einzigen Tags mit seiner – nun allerdings – weitverzweigten und weit ausholend dargestellten Vorgeschichte und ein paar Ausläufern.«[5] Die Vorgeschichte: Sie reicht zurück in die Zeit vor dem Ersten Weltkrieg, allerdings werden diese Partien oft übergangslos eingeblendet. Die Handlung setzt mit dem oben zitierten Satz – auch dies erfährt man nur beiläufig – im »Nachsommer 1923« (25) ein. Der erste Teil des Romans (9–164) führt aus dieser Zeit zurück in das Jahr 1910, dem Jahr der Begegnung Melzers mit Mary, dann ins Jahr 1911, wo es um einen Tag des Gymnasiasten René Stangeler und um die Einführung seiner Schwester Etelka geht; ein kurzer Einschluß in diesen Rückblenden führt allerdings bereits in die Jahre 1923 und 1925 (84–105), um die Situation Melzers nach dem Krieg zu exponieren: Für ihn hatte, wie für die meisten Helden Doderers, die Katastrophe von 1918 keine drastischen Konsequenzen. Er ist bei der Tabakregie als Amtsrat gut aufgehoben. So wird die Rolle des Militaristen Melzer mit der des Zivilisten Melzer präzise konfrontiert. Der zweite Teil (165–355) setzt

5 Dietrich Weber, *Heimito von Doderer*, München 1987, S. 48.

mit dem Rückblick fort; es sind Melzers Erinnerungen, von
denen offenkundig ausgegangen wird, aber der Erzählfluß
emanzipiert sich zusehends von dieser Perspektive. Unver-
mittelt wird der Leser dann wieder in die Gegenwart von
1925 versetzt: »Melzer fuhr aus seinen Erinnerungen und
warf dabei das Kaffeegeschirr um.« (295) Und von da sind
der dritte (356–558) und vierte Teil (559–909), also weitaus
mehr als die Hälfte des Buches, dem Sommer und Nachsommer 1925 gewidmet; nach den Katastrophen und Lösungen
des 21. September 1925 folgt noch ein kleiner Epilog, vom
Zuschnitt eines heiteren Nachspiels, und die Handlung endet
mit der Verlobung Melzers und Theas am 7. Oktober, unter
einem »Oktoberhimmel [. . .], in welchem ein reifes Gold
stand wie Weinglanz« (909). Die von Doderer – und das gilt
nicht nur für die *Strudlhofstiege* – bevorzugte Jahreszeit ist
der Sommer; und wenn schon auf Grund des Datums nicht
von Sommer die Rede sein kann, dann stellt einfach ein som-
merlicher Tag den Hintergrund bereit, und so scheint das
Wetter über die krassen Veränderungen im Leben der Menschen hinweg für Einheitlichkeit im Atmosphärischen[6] und
zugleich auch für eine Konzentration der diffusen epischen
Materie zu sorgen. »Die Zeit stand. Kein Zug der Absicht
erzeugte einen Fluß in irgendeine Richtung«, heißt es über
einen Tag im Sommer 1911 (277), und der vierte Teil – er
spielt etwa zu Anfang September 1925 (564) – sucht gleichermaßen Zeitlosigkeit ins Bild zu bannen:

> Über der Stadt und ihren weit ausgestreuten Bezirken
> stand auf goldenen Glocken der Spätsommer, noch nicht
> Nachsommer, noch trat der Herbst nicht sichtbar ins
> Spiel.
> Die Windstille war eine so vollkommene, daß eine leich-
> te schwebende Luftgondel, die man sich im schwindeln-
> den Blau etwa genau über der Strudlhofstiege hätte
> denken können, durch Stunden wäre am gleichen Punk-

6 Ebd., S. 46–48.

te dort oben verblieben, ohne abgetrieben zu werden
[...]. (559)

Hinter alledem liegt indes auch eine Absicht, die nicht nur
für das ästhetische, sondern sehr wohl auch für das ideologische Programm Doderers kennzeichnend ist. In diesem
Abschnitt führt der Erzähler den Leser in die Wohnung
Mary K.s, deren Mann Oskar im Februar des Vorjahres
gestorben ist. Emphatisch wird der unveränderte Zustand
beschworen:

> Die lange Zimmerflucht lag, wie sie auch früher gelegen
> hatte.
> Die Möbel standen, wie sie auch früher gestanden
> waren. (559)

Freilich ist die historische Zäsur von 1918 nicht leicht zu til-
gen, aber Doderers auffällige Anstrengung dient eben dazu,
die Konsequenzen solcher großen Umwälzungen im Vergleich zur Konstanz des Alltags als gering erscheinen zu lassen. Zwar haben die Figuren sich in bezug auf ihren Stand
verändert; aus Asta Stangeler ist eine Frau Baurat Haupt
geworden, aus der Etelka Stangeler eine unglückliche Frau
Generalkonsul Grauermann, die eine intensive Liebesbeziehung zu dem ranghöheren ehemaligen Kollegen ihres Mannes Robert Fraunholzer eingegangen ist und, ehe sie diese
hinter sich hat, schon neue eingeht; aus der Editha Pastré eine
mittlerweile bereits wieder geschiedene Frau Schlinger; aus
Renés Freundin Paula Schachl eine mit einem Werkmeister
glücklich verheiratete Frau Pichler. Bei Stangelers hat sich
einiges verändert; die dominierende Persönlichkeit des alten
Baumeisters Stangeler hat sich zum leidenden Greis gewan-
delt. Stangeler, der in den Rückblenden immer als Gymnasi-
ast apostrophiert wurde, ist promovierter Historiker und
brilliert als Kenner der Lokalgeschichte. Seine Braut Grete
Siebenschein kennt Mary K., diese wiederum ist mit Lea
Fraunholzer befreundet, wodurch die Verbindung Marys

zur Familie Stangeler auch noch anders herum – wenngleich auch hier ohne direkten Kontakt – hergestellt wird.

Bemerkenswert ist, daß die große Wirtschaftskrise und vor allem die Inflation kaum Folgen auf den Lebensstil der groß- wie kleinbürgerlichen Schichten zu haben scheint; allenthalben scheinen die Verhältnisse einigermaßen stabil, und selbst der unter chronischem Geldmangel leidende René verfügt im Sommer 1925 durch gerade eingegangene Autorenhonorare über einiges Geld. Behutsam scheint das soziale Konfliktpotential ausgelagert; auch die Verluste an Menschenleben durch den Krieg werden kaum erwähnt. Eine gewichtige Ausnahme ist allerdings festzuhalten: Vor dem Krieg gab es in der Person des Majors Laska ein Leitbild und offenkundigen Vaterersatz für den unsicheren und vor Entscheidungen zurückschreckenden Melzer. Nach dem Krieg findet er in dem schnittigen, saloppen und doch auch einigermaßen dubiosen deutschen Rittmeister Otto von Eulenfeld, der wiederum die Verbindung hinüber zu den Pastré-Zwillingen herstellt, eine Bezugsperson:

> Melzer übertrug ständig, und freilich ohne es zu wissen, seine eigenen Empfindungen und Einschätzungen aus dem Erinnerungsbilde, welches er sehr lebhaft von dem Major Laska besaß, auf Eulenfeld. (97)[7]

So gibt es auch dort, wo die Verluste am schwersten sind, die Neigung, sich anbietende Kompensationen anzunehmen. Problemlos ist der Übergang zum Zivilstand; schwieriger ist es für Melzer, in den Genuß des Zivilverstandes zu kommen. Und dieser Vorgang ist sicher eines der entscheidenden Subthemen des dritten und vierten Teils, wobei die ironi-

---

7 Vgl. dazu Peter Dettmering, »Trennungsangst und Zwillingsphantasie in Doderers Roman *Die Strudlhofstiege*«, in: P. D., *Dichtung und Psychoanalyse*, Bd. 2: *Shakespeare. Goethe. Jean Paul. Doderer*, München 1974, S. 109; und Jacques Le Rider, *Melzer in Heimito von Doderers Roman »Die Strudlhofstiege«. Mémoire de Maîtrise*, Paris 1975 [masch.], S. 61 bis 78.

sche Schicksalsregie es mit sich bringt, daß Melzer seine entscheidende Tat – die Rettung Marys – gerade wieder »als
ein Soldat vieler wechselnder Schlachten« (843) vollbringt.
Melzer wird implizit zur Vorzeigefigur für Doderers Ge-
schichtsauffassung. Entscheidend für dieses Verfahren der
Rückblende, das ja seinen Ausgang meist von Melzer nimmt,
ist die Form, in der der Erste Weltkrieg ausgeblendet wird;
im Zusammenhang damit wird der Unwille des Autors,
vom Kriege zu erzählen, evident und im Kontext auch begründet:

> Melzer hat 1914–1918 so ziemlich mitgemacht, was es
> da mitzumachen gab: Gorlice, Col di Lana, Flitsch-Tol-
> mein . . . Nennbar Unvergeßliches! [. . .] Die Ernte wird
> innerhalb der Welt des legal-organisierten Schreckens
> nicht in den Kern der Person eingebracht, sondern an's
> Kollektiv zurückverteilt. Daher übrigens bei fast allen die
> besondere Neigung zu Erzählungen. (85)

Veränderungen werden zwar ad notam genommen, aber vor
allem die Veränderungen im Alltag; auch Doderer versucht
sich als Lokalhistoriker, und die Einengung auf das Lokale
und das Lokal ist für ihn eine Herausforderung, die es anzunehmen gilt. Repräsentanten dieses Lokalen sind nicht die
Kreise, denen der Autor entstammt; ihre Geschichte ist eben
auch in der Geschichte der Familie Stangeler modifiziert
nacherzählt, und bei einiger Kenntnis der biographischen
Daten gehört nicht viel Phantasie dazu, in René Stangeler so
etwas wie ein Selbstporträt des Autors als Gymnasiasten und
Historiker zu erblicken. Implizit ist in der *Strudlhofstiege*
auch der konsequente Zerfall des Großbürgertums thematisiert, die mit der Autorität des alten Stangeler zusehends zu
zerfallen scheint. Der Kreis um Paula Schachl ist jene Schicht,
in der das, was in der Tiefe der Zeiten liegt, nicht nur aufbe-
wahrt wird, sondern sich auch zu regenerieren vermag. Das
Erbe ist an das Kleinbürgertum delegiert, in dem sich – nach
der Formulierung Doderers – die »Genies in Latenz« (725)

befinden, die weder hüben noch drüben standen, die nicht zu dumm (Thea Rokitzer) und nicht zu klug (Paula Schachl) sein dürfen.[8] Und der pensionierte Amtsrat Zihal formuliert auch diese Österreich-Ideologie und weiß aus dem Zerfall auch noch einen Nutzen zu ziehen:

> Sie wissen, ich war k.k. Beamter mit Leib und Seele, ein winziges Raderl, ein ganz kleiner Schabsel Ihrer Majestät. Sie ist abberufen worden. Vielleicht sollen wir Ihrer derzeit gar nicht bedürfen. Wenn, wer immer, beiseite tritt, sieht man mehr. Der Herrscher ist gewissermaßen anonym geworden [. . .], sozusagen durchsichtig. [. . .] Wenn ich so sagen darf: die Republik ist vielleicht aus einem feineren, weniger sichtbaren Stoff gemacht als die Monarchie.   (733 f.)

In so nobler Abstraktion verschwinden die schrillen Dissonanzen, die den politischen Diskurs der Ersten Republik beherrschten. Geblieben ist das Amt, geblieben ist das Ritual, das sich einer »wirklichen Ordnung« verdankt, von der man »beinah überhaupt nichts merken darf« (733). Der Umgang mit der »Tiefe der Zeiten« ist nicht nur ein Mittel zur Wiedergewinnung des Gewesenen und der Vergangenheit, ein Versuch, den Erinnerungen in der Gegenwart ein angemessenes Wohnrecht zu sichern, es ist dies auch ein handfestes Programm, das der Zeit der Entstehung entspricht und zugleich auch ein Versuch ist, die eigene Haltung der Vergangenheit gegenüber zu legitimieren.

Die Entstehung eines Romans – ein Umweg

Die Schatten zweier anderer Werke Doderers ruhen auf der *Strudlhofstiege*: Einerseits der eines kleineren, freundlichen und bereits 1939 geschriebenen Romans, und zwar *Die*

---

8 Le Rider (Anm. 7) S. 117.

*erleuchteten Fenster oder Die Menschwerdung des Amtsrates
Julius Zihal* (ersch. 1951), andererseits der eines gewaltigen,
1931 begonnenen und 1936/37 aus ästhetischen wie politischen Gründen unterbrochenen Romans mit dem Titel *Die
Dämonen*, der erst 1956 fertiggestellt werden und erscheinen
sollte. Indes war das angesammelte Material so umfassend,
die bereits geleistete Arbeit so groß, daß der Stoff wie die
Problematik den Autor weiterhin nicht losließen. Dieses
Werk sollte den Bruch in der österreichischen Gesellschaft
und als dessen Konsequenz vor allem den Brand des Justizpalastes am 15. Juli 1927 sowie in der Folge die Situation
Österreichs in den dreißiger Jahren darstellen. Doderer war
seit 1933 Mitglied der NSDAP und einige Momente in dem
Konzept waren seiner politischen Einstellung verpflichtet;
die schrittweise Lösung von der Partei begann bei Doderer
nach seiner Übersiedlung ins deutsche Reich, wo er sich bes-
sere Möglichkeiten für seine schriftstellerische Arbeit erhoffte. Nach dem Anschluß von 1938 ließ er sich nicht mehr
als Parteimitglied führen und verließ die Partei; die Folgen
seines Verhaltens in den dreißiger Jahren haben Doderer
lange beschäftigt; er sprach später – 1946 – von seinem »bar-
barische[n] Irrtum«, der ihn »unterhalb die Maße eines
Schriftstellers [...] stürzen ließ«[9]. Doderer fühlte sich im
Schreiben durch das für ihn kaum fortführbare *Dämonen*
Konzept blockiert, und um sich zu befreien, verfaßte er –
bereits unter ermutigendem Kontrakt mit dem C. H. Beck-
Verlag – als eine technische Übung den Roman *Ein Mord den
jeder begeht* (1938) und in der Folge *Die Menschwerdung des*

---

9 Heimito von Doderer, *Tangenten. Tagebuch eines Schriftstellers. 1940
bis 1950*, S. 443. Vgl. dazu Elisabeth C. Hesson, *Twentieth Century
Odyssey – A Study of Heimito von Doderer's »Die Dämonen«*, Columbia 1982; Wendelin Schmidt-Dengler, »Heimito von Doderer: Rückzug
auf die Sprache«, in: *Österreichische Literatur der dreißiger Jahre. Ideologische Verhältnisse. Institutionelle Voraussetzungen. Fallstudien*, hrsg.
von Klaus Amann und Albert Berger, Wien 1985, S. 291–302; Gerald
Stieg, *Frucht des Feuers. Canetti, Doderer, Kraus und der Justizpalastbrand*, Wien 1990, S. 216–227.

Amtsrates Julius Zihal, eine Expertise, die den Wiener Hintergrund von den *Dämonen* übernimmt, zugleich aber bereits einen guten Teil des kleinbürgerlichen Personals der *Strudlhofstiege* vorführt. Allerdings war von diesem Roman weder in inhaltlicher noch formaler Hinsicht die Rede.

Die komplexe Entstehungsgeschichte der *Strudlhofstiege* ist für das Verständnis von Doderers neuer Romankonzeption von zentraler Bedeutung und wurde bereits eingehend untersucht.[10] Daraus geht eindeutig hervor, daß Doderer vom Rande her begann: Weder Mary K. noch Melzer und auch nicht die Anlage der *Strudlhofstiege* sind in den ersten Stadien der Befassung mit der Materie dieses Romans präsent. Ausgangspunkt ist assoziatives, nach den Worten Doderers »unvorgeordnetes« Material: Seine Assoziationen kreisen Ende 1941 (er ist seit 1940 als Offizier der Wehrmacht eingezogen) im französischen Biarritz um ein Haus im Alsergrund, dem 9. Wiener Gemeindebezirk, der auch die wichtigsten Schauplätze für die *Strudlhofstiege* bereitstellte. Nun geht es um das Haus der »Miserowskyschen Zwillinge« in der Porzellangasse, in dem der »kleine E. P.« wohnt, ein Bekannter Doderers; die Beschreibung dieses Hauses, die sich in Doderers Tagebuch findet, hat ihre Entsprechung im Roman (38) und kann füglich als dessen »Epizentrum« angesehen werden.[11] Fünf Monate später – Doderer ist nun in Ryschkowo bei Kursk – wird am 16. Mai 1942 zum ersten Mal der Name Mary K. genannt und der Unfall erwähnt; allerdings ist von einem neuen Roman noch keine Rede. Dies alles könnte sich genau so gut auf die *Dämonen* beziehen.[12]

Zwei Jahre vergehen, und 1944 wird der Etelka-Komplex noch im Zusammenhang mit den *Dämonen* erwähnt, allerdings soll der »Reife-Punkt« ihres Schicksals mit dem Brand des Justizpalastes verbunden werden. Entscheidend ist, daß Doderer von einem Formkonzept ausgeht und sich inner-

10 Vgl. die Studie von Roswitha Fischer (Anm. 2).
11 Ebd., S. 31 f. Vgl. Doderer, *Tangenten* (Anm. 9), S. 106.
12 Fischer (Anm. 2) S. 36; vgl. Doderer, *Tangenten* (Anm. 9), S. 115.

halb dessen die inhaltlichen Momente als verschiebbar erweisen: Der Tod Etelkas wird statt an den Justizpalastbrand an den Unfall der Mary K. herangerückt[13], und am 8. Oktober desselben Jahres findet sich im Tagebuch der Satz, der später zum ersten des Romans wurde[14]; daß er dies werden sollte, war Doderer damals allerdings noch nicht bewußt. Der Eintritt Melzers in den Raum der Imagination des neuen Romans vollzieht sich überhaupt erst gegen Kriegsende im März 1945, und es läßt sich in den Tagebüchern Doderers schön beobachten, wie diese Figur allmählich Konturen gewinnt. Doch ab Kriegsende geht trotz mancher Komplikationen mit dem teilweise verloren geglaubten Manuskript[15] die Niederschrift des Textes zügig voran. Die Lebensbedingungen sind äußerst unangenehm: Doderer verfügte nach der Rückkehr aus der englischen Kriegsgefangenschaft 1946 kaum über ein Einkommen und war auf die Unterstützung durch Freunde und Verwandte angewiesen; zudem hatte er auf Grund der Parteimitgliedschaft Schreibverbot. Doch entsteht das Manuskript in fast ununterbrochener Folge im wesentlichen ohne große Änderungen im Konzept in der Zeit vom 7. Februar 1946 bis zum 20. Juni 1948. Einige wenige, nichtsdestoweniger wichtige Stellen werden erst 1948 bei der Textrevision interpoliert, so z. B. die auf René bzw. auf Melzer bezogenen Partien des ersten Teils (24–46 und 99–105).

Zu erwähnen sind auch die Versuche, den Handlungsverlauf graphisch in Skizzen zu fixieren, womit Doderer den chronologischen Ablauf exakt vorherbestimmen, widerspruchsfrei gestalten und zudem die synchronen Partien in ihrer kompositionellen Zusammengehörigkeit in bezug auf Stimmung und Erzähltempo kontrastieren oder analogisieren wollte. Dies gilt vor allem für das Finale, in dem alle Handlungsstränge miteinander mehrfach verknüpft werden soll-

13 Doderer, *Tangenten* (Anm. 9), S. 239.
14 Fischer (Anm. 2) S. 40.
15 Vgl. ebd., S. 248 f.

ten. Doderer sah in diesen Skizzen so etwas wie ein Apriori
der Form vor dem Inhalt; auf Grundlage dieses dynamischen
Gesamtbildes meinte er, die Form eines Gefäßes zu haben,
das er mit Inhalten nur mehr zu füllen brauchte; die Form, so
legte es Doderer sich zurecht und suggerierte dies auch seinen Interpreten, habe vor dem Inhaltlichen absoluten Vorrang. Die Analyse der Originalskizzen zeigt, daß Doderer
oft solche Skizzen ex post entwarf oder gar »auf Lücke« konstruierte und seine Fahrpläne nicht selten wieder verwarf.
»Aus der Perspektive der Konstruktion gilt für die ›Strudlhofstiege‹ noch nicht jener Satz von der Form als der Entelechie jedes Inhalts, sondern dessen Umkehrung: Inhalt als
Entelechie der Form.«[16]
Die Priorität der Form vor den Inhalten kann in der Weise, in
der Doderer sie sehen wollte, im Lichte der Genese der
Werke nicht aufrecht erhalten werden; doch ist bei der
Gestaltung die höchst angestrengte Bemühung erkennbar,
der Form diese Priorität immer wieder zusichern zu wollen.
Daß neue Inhalte immer wieder einschießen, die das Konzept überlagern, ist eine Erfahrung, die Doderer des öfteren
machen mußte, deren Spuren er aber späterhin sorgsam ver-
wischte und aus dem Hof seiner Theorie verbannt sehen
wollte. Der Wille zur Form garantiert überdies, daß diesem
Werk im Inhaltlichen kaum Spuren jener Situation abzulesen
sind, in der es entstand. Die epische Materie scheint sich
gleichgültig zu Krieg und Nachkrieg und zur prekären öko-
nomischen Situation des Autors zu verhalten. Alles, was
nach einer konkreten politischen Parteinahme oder weltanschaulicher Beeinflussung aussehen könnte, wird ferngehal-
ten. Der Geburtsfehler, an dem die *Dämonen* kranken, soll
penibel gemieden werden.

16 Ebd., S. 303.

Die Affären und ihr Hintergrund

Daß dies so einfach nicht herstellbar war, ist einsichtig. Und selbst die Strudlhofstiege garantiert keineswegs die Unbelangbarkeit durch historische Veränderung voll und ganz. Der Historiker Stangeler erinnert daran, in welch gefährlicher Nähe dieses Bauwerk sich befindet: »Obendrein sind wir hier sozusagen mitten drinnen in der neuesten und unerfreulichsten Geschichte Österreichs«, und meint damit, daß dort einige Häuser dem ehemaligen Außenminister Graf Berchtold gehörten, »welcher den Ausbruch des Krieges von 1914 verschuldet hatte« (493). Und Stangeler belehrt Melzer, indem er resümiert:

> Es gab nie eine europäische Situation, die früher oder später zum Kriege führen mußte. Das sind feierliche Erfindungen von Interessierten, von Berufspolitikern, Generälen, G'schaftlhubern oder Historikern, oder Ausdünstungen jener Leute, denen die Sprache der Zeitungen durch's Hirn schwappt, wie das Spülwasser durch eine Clo-Muschel. Damit bringen sie dann freilich immer alles hinunter. (495)

Orthopraxie in der Politik ergibt sich aus der Resistenz gegen eine Sprache, die die ideologischen Phantasmagorien errichtet; die Sprache der Zeitungen hingegen löscht genau das, was der echte Historiker, der eben keiner Absicht dient, sichern will. Die Nähe von Strudlhofstiege und Palais Berchtold symbolisiert mithin auch die Präsenz der Geschichte und zeigt so an, daß von purer Idyllik sehr wohl keine Rede sein kann.

Es wäre verfehlt, in der Strudlhofstiege nicht mehr sehen zu wollen als eine Anlage, die sinnbildartig die Umwege im Leben des Menschen zu verkörpern hätte. Gewiß ist Doderer in dem emphatischen Hymnus auf die Strudlhofstiege auch auf Sinnstiftung aus, die beweisen will, daß »Dignität und Dekor« (331) selbst in unserem Alltag allenthalben prä-

sent sind, ja daß diese Prinzipien geradezu körperlich erfahr-
bar werden, indem ein »Gang zur Diktion« (331) wird. Indes
in der Strudlhofstiege bloß ein Dingsymbol zu erblicken, das
die Umwegigkeit des Lebens allein veranschaulichen sollte,
würde die komplexe Funktion, die Doderers Raumgestal-
tung hat, allzusehr verflachen. Sie ist das Gegenteil der
»Hühnerleiter formloser Zwecke« (331) und dient somit
wohl auch dazu, das romaninterne Korrelat des Kunstwer-
kes zu sein, dessen sublime Absichtslosigkeit ja mehrfach
durch die perennierende Windstille ihren Ausdruck finden
sollte. Was ein Bauwerk sinnlich repräsentieren kann, das ist
einem Roman auch möglich: Doderers imaginierte Räume
sind prägnanter Ausdruck seines Willens zur Versinnlichung,
der als stärkste Opposition zu jenen für Doderer unechten
Abstraktionen zu gelten hat, die den Menschen irreleiten. In
diesem Sinne ist die programmatische Eroberung des Erzähl-
raumes Wien für sein Werk ab den dreißiger Jahren kennzeichnend. Da geht es allerdings nicht um jene Maxima und
Minima, die sich der Tourismus angelegen sein läßt, sondern
um eine Schule des Sehens, eine Schule der »Apperception«,
wie der einschlägige Terminus Doderers lautet.[17] Seine
Romantheorie gründet – und das ist nicht die Marotte eines
antiquarisch Gebildeten – in der Lehre des Thomas von
Aquin, dessen »analogia entis« für eine positive Diesseits-
erfahrung argumentativ eingesetzt wurde. Doderer bricht
bewußt mit der idealistischen Tradition und versteht den
Romancier als jemanden, »der mit Platons Höhlengleichnis
ebensowenig anzufangen weiß wie mit Kants Ding an sich«
und der »innig die Erkennbarkeit der Schöpfung aus dem,
was sie uns in wechselndem Flusse darbietet, umarmt«. Der
Schriftsteller könne als »geborener Thomist« gelten, für den
es keine Trennung von Innen und Außen gäbe. Es ist also
nicht die von Georg Lukács für den Roman so nachhaltig

---

17 Vgl. Hans Joachim Schröder, *Apperzeption und Vorurteil. Untersuchungen zur Reflexion Heimito von Doderers*, Heidelberg 1976, S. 58
bis 99.

behauptete »transzendentale Obdachlosigkeit«.[18] Doderers
Helden befinden sich vielmehr geborgen in der »analogia
entis«; der *ordo* würde sich eben jenen erschließen, die mit
den »sinnlichen Daten« einen sorgfältigen Umgang pflegten
und sie nicht dem Moloch der Abstraktionen opferten. So
ungefähr läßt sich in Kürze Doderers Programmatik zusam-
menfassen, die man nicht ohne Grund »einen Naturalismus
Phase II«[19] genannt hat, welcher auch dazu diente, den Autor
von den Vorurteilen zu befreien, die sich in den dreißiger Jahren zu gefährlichen Urteilen verhärtet hatten. Inwieweit dieser Prozeß als aufrichtig und vor allem auch als gelungen zu
bezeichnen ist, kann an dieser Stelle in extenso nicht disku-
tiert werden,[20] entscheidend ist die Anstrengung, mit der dieser Versuch als der Versuch eines Schriftstellers unternommen wurde. Daß dabei dem Raum eine entscheidende Funktion zukommen sollte, macht eben die Besonderheit auch der
Erzählkunst Doderers aus. Ungescheut verwendet Doderer
mythologische Metaphern. Die *Strudlhofstiege* kennt ihren
Genius loci, Paula Schachl wird zur Lokalgöttin, zur Dryas
des Alsergrundes. Das »Alsergrunderlebnis« hat Doderer
geradezu zelebriert.[21] Die Geschichten, die nun auf der
Strudlhofstiege sich zutragen, verblassen in ihrer Funktion
und vor allem Sinnhaftigkeit über der Rolle, die das Lokal an
sich hat. Vor allem der Skandal, der sich 1911 auf dieser Stiege
abspielt (240–295), ist nur bedingt Voraussetzung für das

18 Heimito von Doderer, »Grundlagen und Funktion des Romans«, in:
    H. v. D., *Die Wiederkehr der Drachen. Aufsätze. Traktate. Reden*,
    München, 1970, S. 166 f. Vgl. dazu Wendelin Schmidt-Dengler, »›Ana-
    logia entis‹ oder das ›Schweigen unendlicher Räume‹? Die positive
    Theologie Doderers und die negative Bernhards«, in: W. S.-D., *Der
    Übertreibungskünstler. Studien zu Thomas Bernhard*, Wien 1986,
    S. 13–25.
19 Weber, *Studien* (Anm. 4), S. 7.
20 Vgl. die in Anm. 17 genannte Arbeit von H. J. Schröder sowie Anton
    Reininger, *Die Erlösung des Bürgers. Eine ideologiekritische Studie
    zum Werk Heimito von Doderers*, Bonn 1975.
21 Vgl. Engelbert Pfeiffer, *Heimito von Doderers Alsergrund-Erlebnis.
    Biographischer Abriß. Topographie. Interpretation*, Wien 1983.

Inhaltsgerüst des ganzen Romans, mögen dabei auch einige
Hauptfiguren zueinander kommen und miteinander in Verbindung gebracht werden: Die hauptsächlich Betroffenen –
der alte Schmeller, seine Tochter Ingrid und ihr Geliebter
Semski – spielen in der Folge im Roman so gut wie keine
Rolle. Asta Stangeler, ihr Bruder René, Melzer und Paula
Schachl hingegen erhalten in der Gegenwart des Jahres 1925
noch deutlichere Konturen. Mary K. bleibt in diesem Falle so
gut wie ganz draußen. Wichtig scheint indes, daß das erzählerische Arrangement dieses Skandals typologisch dem der
Ereignisse um den Unfall der Mary K. verwandt ist: Es geht
also nicht um stoffliche oder thematische Parallelen, sondern
um die Anordnung durch die Regie des Erzählers, mit deren
Hilfe die Vorgänge miteinander verknüpft werden. Die Erinnerung dieses Skandals ist bei den Figuren vierzehn Jahre
später[22] auch nur mehr als ein zartes Echo vorhanden. Entscheidend ist der Rekurs auf das Bauwerk, doch bezweckt
der Autor damit keine wie immer geartete Wiederholung
von Ereignissen.

> Es hat jede Affär' ihren Hintergrund, ihr Milieu, wie
> man sagt, das Leben ist immer der beste Regisseur: die
> Kulissen stimmen unsagbar gut zu dem, was gespielt
> wird. (146)

Damit wird aber nicht nur auf die soziologische Dimension
der Affären angespielt; auch wenn die einzelnen Räume den
Figuren ihren Platz in der Gesellschaft anzuweisen scheinen,
so ist dies nicht ihre Funktion. Deutlich ist die Kontrastwir-
kung, die durch die Opposition des großbürgerlichen Haushalts der Stangeler vor dem Krieg und des »Schachl-Gärt-
chens« nach dem Kriege erzeugt wird: Daß Stangeler nie in
dieses Idyll kommt, auch wenn für seinen Besuch langwie-
rige Vorbereitungen getroffen werden, gehört zu der subtilen

---

22 Zum Abstand von vierzehn Jahren im Zusammenhang mit der Zahlen-
mystik Hermann Swobodas vgl. Le Rider (Anm. 7) S. 94–99.

Ironie, mit der er bedacht wird: Melzer darf den Raum betreten, für den der Erzähler mit seinen sympathielenkenden Hinweisen optiert. Im Schachl-Gärtchen endet auch der Roman, mit einer Nachfeier zur Verlobung, die gewiß ein ebenso konventionelles wie eindrucksvolles Finale sein soll; der gute Ausgang freilich wird ironisch durch den Erzählerkommentar unterlaufen, der das Paar mit Worten entläßt, die das Scheinhafte auch dieses Idylls sanft bewußt machen:

> Wesentlich bleibt doch, daß die Ehe nie eine Lösung bilden kann, sondern immer nur die Aufstellung eines Problems, unter dessen neues Zeichen das betreffende Paar jetzt tritt [. . .]. (907)

Und Zihal versucht sich zu guter Letzt in einer Definition des Glücks; der Satz, daß der glücklich sei, der vergißt, wird als Banalität aus der Operette abgetan; an seine Stelle tritt eine Definition, die der Beamtensprache abgelauscht ist und eine Aufforderung zur kalkulierten und vorwegnehmenden Bescheidenheit enthält:

> Glücklich ist [. . .] derjenige, dessen Bemessung seiner eigenen Ansprüche hinter einem diesfalls herabgelangten höheren Entscheid so weit zurückbleibt, daß dann naturgemäß ein erheblicher Übergenuß eintritt. (909)

Das Schachl-Gärtchen ist auch der Ort, an dem eine solche Verklärung des Glücks doch für einen Augenblick möglich ist. In diesem Rückzugsraum scheint das Idyll statthaft; die Familie Stangelers bleibt ausgeschlossen, der Garten ist auch der Rückzugsraum aus der Metropole, die gerade in diesen Jahren so grundsätzlichen Wandel in ihrer Identität als Großstadt hatte erfahren müssen.

Daß diese Schlußvision heftiger Kritik exponiert ist, ist einsehbar. Anton Reininger hat von der »Erlösung des Bürgers« in den Romanen Doderers gesprochen; scheint der Ausdruck »Erlösung« problematisch, da Doderer schwerlich ein messianischer Anspruch unterstellt werden kann, so trifft

Reiningers Urteil doch die grundsätzlich eudämonistische Tendenz der Romane Doderers.[23]

Dies erklärt sich auch aus der spezifischen Situation Doderers in der Zeit nach dem Zweiten Weltkrieg. Der schweren Destabilisierung in ethischer, ästhetischer und auch gesellschaftlicher Hinsicht nach dem Zweiten Weltkrieg setzte Doderer ein mit Nachdruck behauptetes Ordnungskonzept entgegen, das sich im komponierten Roman manifestieren sollte. Der Hintergrund, dem er trauen konnte, war das Lokal, die Stadt Wien, so wie er sie sah. Hier konnte er konkret sein und die konkret benannten Örtlichkeiten zu den aufeinander mehrfach bezogenen Punkten eines Kraftfeldes für den Ablauf seiner Aktionen machen. Der Erfolg dieses Romans zu Beginn der fünfziger Jahre schien Doderers Praxis zu bestätigen. Dieses Buch ist nicht ohne Grund für manche Wienbesucher zu einem literarischen Baedeker avanciert. Die Schule des Sehens kann so auch zu einer Schule des Gehens mit »Dignität und Dekor« werden. Daß die Kritik bei dem Historiker Doderer just das Fehlen jener Momente einklagte, die das politische Klima der Ersten Republik in Österreich so nachhaltig bestimmten, darf nicht weiter verwundern; für ihn bleibt entscheidend, was trotz dieser Veränderungen geschah und sich nicht in den Annalen als bemerkenswertes Ereignis findet. *Die Strudlhofstiege* machte Doderer auch Mut, sich an die Fortsetzung der *Dämonen* zu wagen; in diesem Roman sollte es mit dem Brand des Justizpalastes vom 15. Juli 1927 ja noch viel konkreter um die Geschichte Österreichs gehen; ebenso sollte in diesem Roman auch das Netz der Schauplätze in Wien weit über den Alsergrund hinaus ausgedehnt werden.

Die thomistische Diesseitsbejahung und die Intensität, mit der Doderer sich der sinnlichen Daten und der Außenwelt zu versichern suchte, markieren am deutlichsten den Abstand, der ihn von den jüngeren Autoren Österreichs trennt. Als er

23 Vgl. Reininger (Anm. 20) S. 122–128 und Le Rider (Anm. 7) S. 185.

an der Jahreswende von 1951 zu 1952 in dem – verschollenen –
Manuskript eines Romans von Ingeborg Bachmann mit dem
kennzeichnenden Titel *Stadt ohne Namen* las, wird die
Distanz, die er zur Einstellung dieser Generation einnimmt,
evident: »Es hat sich bei den jungen Literaten seit dem Kriege
schon so etwas wie ein ›desperater Stil‹ herausgebildet; neue
Kunstrichtung: Desperatismus.«[24] So zieht Doderer scharf
die Grenzlinie zum Sprach- und Weltverständnis seiner jüngeren Kolleginnen und Kollegen.

Sprach- und Menschwerdung

In den »Genies in Latenz« sollte eben der Desperatismus
überwunden werden. Ihnen sollte das glücken, was den
andern versagt geblieben war. Die Figur, an der dies am deutlichsten emplifiziert werden kann, ist Melzer, der am Ende
unbeschädigt aus alledem hervorgeht. »Hauptsache, ohne die
Hauptsache zu sein« – so hat Dietrich Weber die Geschichte
Melzers bezeichnet.[25] »Was hat nun Melzer eigentlich gelernt?« fragt Reininger und beantwortet die Frage auch
ganz eindeutig: »Nichts anderes als sich zu fügen: seinen
Gefühlen, den konkreten Situationen, die ihm begegnen, den
Aufforderungen zum Handeln, die sich ihm dabei aufdrän-
gen.«[26]
Ob damit sein erfolgreiches Handeln beim Unfall hinläng-
lich charakterisiert ist, scheint zweifelhaft, in jedem Falle aber
ist für Melzer entscheidend, daß er die Rolle, die ihm das
Leben zugedacht hat, annimmt und auch erkennt, daß dies
das Beste ist, was ihm zustoßen kann. Sein Glück ist untrenn-
bar mit seiner geringen Fähigkeit zur elaborierten Reflexion

---

24 Heimito von Doderer, *Commentarii 1951 bis 1956. Tagebücher aus
    dem Nachlaß*, hrsg. von Wendelin Schmidt-Dengler, München 1976,
    S. 89; vgl. ebd., S. 99.
25 Weber, *Doderer* (Anm. 5), S. 48.
26 Reininger (Anm. 20) S. 122.

verbunden. Weber bezeichnet das Resultat des Entwicklungsprozesses, den Melzer durchgemacht hat, als »Selbsterkenntnis und Selbstannahme«[27]. So wird Melzer – um Webers zuvor zitiertes Wort zu variieren – zur Hauptfigur, ohne die Hauptfigur zu sein. Er hat sich entwickelt, doch ist es kaum zutreffend, *Die Strudlhofstiege* deswegen kurzerhand zum Entwicklungsroman zu erklären. Melzer glückte zunächst einmal die Gewinnung des »Zivilverstandes«, dessen etappenweise Entstehung der Roman en passant vermittelt (89 f.).[28] Er hat seine Schule der Apperzeptivität absolviert; er ist seiner Berufung zum »Genie in Latenz« auch gerecht geworden. Das ist aber nicht ausschließlich sein Verdienst; Entscheidendes ist ihm hinzugegeben worden, und daß er zu dem wurde, als welcher er am Ende entlassen werden kann, verdankt er nicht zuletzt auch der Sprache, der er sich bedingungslos anvertraute. Er erfährt, wie wichtig die Sprache für ihn und für Doderer war nach seiner Abwendung vom Nationalsozialismus, die Sprache der Ort, an dem er angetroffen werden wollte, der Ort, der ihm Neutralität zu garantieren schien. Die Sprache wird als eine aktive Potenz verstanden, die nicht zuletzt auch Relevantes für Melzers Glück beiträgt. Da er seine Einsicht in das doppelte Vorhandensein der Editha Pastré der Paula Pichler (vormals Schachl) mitteilt, steigt er in eine neue Sprachsphäre auf, was sofort kommentiert wird:

> Also: unser Melzer ist Zivilist geworden; derlei gibt's überhaupt nur im Zivil-Verstand; aber – er wunderte sich doch über seine eigenen Ausdrücke, die jetzt auch schon außerhalb des Melzerischen ›Denkschlafes‹ Macht gewannen; ja, es war, als zöge ihn die Sprache, die er fand, hinter sich her und in ein neues Leben hinüber: die Sprache stand vor seinem Munde, schwebte voran, und er folgte nach.   (763)

27 Weber, *Doderer* (Anm. 5), S. 51.
28 Vgl. dazu Weber, *Studien* (Anm. 4), S. 89 f.

Mit Melzer geschieht dies, weil es sein Schöpfer so will: Die Erklärung, sei sie psychologischer oder soziologischer Natur, entfällt, es sei denn, man wertet die durch Hermann Swoboda vermittelte Lehre Otto Weiningers von der Genialität als eine hinlängliche Begründung.[29] Und die Einsicht in die Mechanik der Sprache ist es auch, die zu der Einsicht des radikalen Wandels, den Melzer mitgemacht hat, führt: Als er den Abschiedsbrief Etelkas und den Brief jener Frau, mit deren Mann diese ihre letzte Liebesbeziehung eingegangen war, liest, wird ihm bewußt, daß es die Sprache ist, die einen »Raum erstellte, in welchem allein all solche Fragen und Konflikte, ja, einschließlich von Ehebrüchen und Selbstmorden überhaupt möglich wurden« (811). Früher hatte für Melzer nur das Erlebnis seines »Denkschlafes« gezählt, er hatte sich da immer auf den toten Major Laska, den väterlichen Freund, zubewegt; nun stimmt die Richtung: Unmittelbar nach dieser Erfahrung ist es ihm möglich, die entscheidende Tat seines Lebens zu setzen und Mary K. zu retten. Es ist ihm auch möglich, sich selbst, »wie losgebunden vom Pfahle des eigenen Ich« (859)[30] wahrzunehmen. Daß Melzer – nach der Auffassung Anton Reiningers – nicht mehr vollbracht hat als eine Landung in der »bürgerlichen Konvention, die in Doderers Romanen noch einmal von der Aura des Sinnes umgeben ist«,[31] greift offenbar zu kurz.

Eine Lektüre der *Strudlhofstiege*, die Melzer im Zentrum haben will, ist gewiß angebracht; der Autor selbst hat einem solchen Ansatz nicht grundsätzlich widersprochen, jedoch am 1. November 1946 – also noch in der Anfangsphase

---

29 Vgl. zu diesem Komplex: Ulla Lidén, *Der grammatische Tigersprung. Studien zu Heimito von Doderers Sprachterminologie*, Diss. Umeå Stockholm 1990, S. 109; zur »Sprachwerdung« Melzers im besonderen ebd., S. 147 f.

30 Vgl. dazu die Bezugnahme auf diese Stelle in: Peter Handke, *Das Gewicht der Welt. Ein Journal (November 1975 – März 1977)*, Salzburg 1977, S. 229.

31 Reininger (Anm. 17) S. 122.

der Arbeit – davor gewarnt, ihn als die Hauptperson zu bezeichnen:

> Wollte man den Major als Hauptperson oder Helden
> bezeichnen, dann käme mir das so vor, wie man an einem
> Pakete den Spagat, womit es zusammengebunden ist, für
> das Wesentlichste hielte.[32]

Es ist nicht auszuschließen, daß Doderer sein Konzept modi-
fizierte; doch sollte das Bild in jedem Falle ernst genommen
werden. Das Paket, das der Autor schnürt, enthält eben mehr
als die Personen und Handlungen. Auf diese zu reduzieren
würde auch einen Verlust der Dimension, die dem Roman
durch die Gestaltung des Raumes zuteil werden sollte,
bedeuten. Zugleich wird durch eine Überbetonung der Melzer-Handlung auch die Vielschichtigkeit der zahlreichen
anderen Aktionen verkannt. Nur der Melzer-Handlung ist es
vergönnt, im Glück zu enden, und wer sich darauf einläßt,
die geradezu plakative Verkündigung der Glücksideologie
durch Zihal als die alleinige und sinnstiftende Botschaft des
Romans zu vernehmen, verfehlt eben auch das, was in dem
Paket durch den Spagat zusammengeschnürt werden sollte.
Daß die Erfahrung und Gestaltung des Raumes den Leser
vor allem in ihren Bann ziehen soll, wäre vorab einmal festzuhalten. Melzers Lebenslauf in aufsteigender Linie indes ist
im Roman singulär; dem Gelingen in diesem Leben steht ein
vielfältiges Mißlingen gegenüber. Zu verweisen wäre auf die
unzähligen Kommunikationsstörungen, sei es durch Ver-
wechslungen, Mißverständnisse, Lügen und Betrug. Besonders auffallend ist das Mißgeschick, das nahezu allen jenen
widerfährt, die ihre Mitteilungen Briefen anvertrauen. Briefe
kommen nicht an, werden irrtümlich oder mutwillig geöffnet, nicht aufgegeben, aufgefangen oder geben Anlaß zu
Mißverständnissen und Unverständnis. Der Erzähler erhebt
sich über das Chaos dieser vielen Episoden, die er alle zusam-

---

32 Doderer, *Tangenten* (Anm. 9), S. 524 f.; vgl. dagegen Le Rider (Anm. 7)
S. 208 f.

men als ein Paket schnürt. So entsteht für die Dauer des
Romans Ordnung, eben dank der Autorität des Erzählers.
Doch ist er vorbei, werden sie alle in das Chaos des Lebens
entlassen, allen voran Melzer. Die Fülle der Bilder von dichter Sinnlichkeit erzeugt zwischen dem chaotischen Leben
und dem geordneten Kosmos der Erzählung eine Spannung;
von dieser erhält der Roman eine Dynamik, deren Wirkung
über alle biederen Lebensrezepte, mit denen er freilich auch
nicht geizt, weit hinausreicht.

Literaturhinweise

Ausgaben

Heimito von Doderer: Die Strudlhofstiege oder Melzer und die
Tiefe der Jahre. Roman. München: Biederstein, 1951. [61. Tsd.
1985.]
– Die Strudlhofstiege oder Melzer und die Tiefe der Jahre. Roman.
München: Deutscher Taschenbuch Verlag, 1966. (dtv 1254.)

Forschungsliteratur

Bachem, Michael: Heimito von Doderer. Boston 1981.
Dettmering, Peter: Trennungsangst und Zwillingsphantasie in Doderers Roman *Die Strudlhofstiege*. In: P. D.: Dichtung und Psychoanalyse II. Shakespeare. Goethe. Jean Paul. Doderer. München
1974. S. 91–138.
Heimito von Doderer. 1896–1966. Symposium anläßlich des 80. Geburtstages in Wien 1976. Salzburg 1978. (Mit Beiträgen von Wendelin Schmidt-Dengler, Dietrich Weber, Claudio Magris, Hans
Joachim Schröder, Adolf Haslinger.)
Düsing, Wolfgang: Erinnerung und Identität. Untersuchungen zu
einem Erzählproblem bei Musil, Döblin und Doderer. München
1982.
Fischer, Roswitha: Studien zur Entstehungsgeschichte der *Strudlhofstiege* Heimito von Doderers. Wien 1975.
Haslinger, Adolf: Wiederkehr und Variation. Bildkette und Bildge-
füge in Doderers Roman *Die Strudlhofstiege*. In: Sprachkunst als
Weltgestaltung. Festschrift für Herbert Seidler. Hrsg. von A. Has-
linger. Salzburg 1966. S. 88–130.
Elizabeth C. Hesson: Twentieth Century Odyssey – A Study of Hei-
mito von Doderer's Novel *Die Dämonen*. Columbia 1982.
Hübel, Thomas: Buch und Schrift in Heimito von Doderers Roma-
nen. In: Sprachkunst 20 (1989) S. 23–43.
L'actualité de Doderer. Actes du colloque international tenu a Metz
(Novembre 1984). Publiés sous la direction de Pierre Grappin et de
Jean Pierre Christophe. Université de Metz 1986. (Mit Beiträgen
von Wendelin Schmidt-Dengler, Elisabeth Kató, Jacques Le Rider,
Dieter Liewerscheidt, Dietrich Weber, Michael Kleinbauer, Martin

Loew-Cadonna, Georg Schmid, Roland Koch, Anton Reininger.)

Le Rider, Jacques: Melzer in Heimito von Doderers Roman *Die Strudlhofstiege*. Mémoire de Maîtrise. Paris 1975 [masch.].

Lidén, Ulla: Der grammatische Tigersprung. Studien zu Heimito von Doderers Sprachterminologie. Diss. Umeå Stockholm 1990.

Pfeiffer, Engelbert: Heimito von Doderers Alsergrund-Erlebnis. Biographischer Abriß. Topographie. Interpretation. Wien 1983.

Reininger, Anton: Die Erlösung des Bürgers. Eine ideologiekritische Studie zum Werk Heimito von Doderers. Bonn 1975.

Schmid, Georg: Doderer lesen. Zu einer historischen Theorie der literarischen Praxis. Salzburg 1978.

Schneider, Karl Heinrich: Die technisch-moderne Welt im Werk Heimito von Doderers. Frankfurt a. M. / Bern / New York 1985.

Schröder, Hans Joachim: Apperzeption und Vorurteil. Untersuchungen zur Reflexion Heimito von Doderers. Heidelberg 1976.

Voracek, Martin: Rand der Wissenschaft, Beginn des Magischen. Eine literaronomastische Studie zu den Figurennamen im Werk Heimito von Doderers. Diss. Wien 1992 [masch.].

Weber, Dietrich: Heimito von Doderer. Studien zu seinem Romanwerk. München 1963.

– Heimito von Doderer. München 1987.

Werkgartner-Ryan, Ingrid. Zufall und Freiheit in Heimito von Doderers *Dämonen*. Wien/Köln/Graz 1986.

Wolfgang Koeppen: *Tauben im Gras*

Von Manfred Koch

Als der 84jährige Münchner Schriftsteller Wolfgang Koeppen am 8. Juni 1990 in seinem ostdeutschen Geburtsort Greifswald die Ehrendoktorwürde der Universität verliehen bekam, war der kalte Krieg endgültig vorbei. Auf dem Höhepunkt des kalten Krieges ist Koeppens 1951 erschienener Roman *Tauben im Gras*[1] entstanden. Er zählt heute neben den bekannten Kurzgeschichten und Romanen von Heinrich Böll und Wolfdietrich Schnurre sowie den frühen Romanen von Arno Schmidt zu den gelungensten Prosatexten über die ersten Nachkriegsjahre in Westdeutschland. Nach eigenen Angaben hat Koeppen den Roman »kurz nach der Währungsreform geschrieben, als das deutsche Wirtschaftswunder im Westen aufging, als die ersten neuen Kinos, die ersten neuen Versicherungspaläste die Trümmer und die Behelfsläden überragen, zur hohen Zeit der Besatzungsmächte, als Korea und Persien die Welt ängstigten [...]« (7).[2]

Als Erzähler debütierte Wolfgang Koeppen 1934 mit dem Roman *Eine unglückliche Liebe*. Auf ihn folgte 1935 der Roman *Die Mauer schwankt* (1939 Neuausgabe unter dem Titel *Die Pflicht*, ohne Wissen des Autors, und 1983 unter dem ursprünglichen Titel). Nach dem Erscheinen seines Erstlingswerkes 1934 ging Koeppen nach Holland, wo er fünf Jahre lang wie ein Emigrant sein Leben fristen mußte. 1939 kehrte er nach Deutschland zurück und suchte sich durch Gelegenheitsarbeiten beim Film in Berlin durchzu-

---

1 Im folgenden wird die leicht zugängliche Taschenbuchausgabe aus dem Suhrkamp Verlag zitiert: Wolfgang Koeppen, *Tauben im Gras*, Frankfurt a. M. 1980 (st 601). Auf die Textstellen verweisen Seitenangaben in runden Klammern.
2 Vorwort zur 2. Auflage von *Tauben im Gras*, hier zit. nach der Taschenbuchausgabe von 1980 (s. Anm. 1).

schlagen. Er hätte damals zwar gerne ein Buch über das »Purgatorium zwischen Wittenbergplatz und Zoologischer Garten« geschrieben, war aber während des Krieges genug damit beschäftigt, sich vor dem Verhungern und vor den fürchterlichen Luftangriffen zu schützen.[3] So brachte Koeppen keinen Romanentwurf mit nach Bayern, als er gegen Ende des Krieges Berlin verließ und zunächst in Feldafing am Starnberger See, dann in München seinen neuen Wohnsitz nahm. Die »berühmte Schublade« war »im großen und ganzen leer«, und zu einem sofortigen Neuanfang fühlte sich Koeppen viel zu erschöpft und ausgebrannt, wie er 1965 im Gespräch mit Horst Bienek erklärte.[4] Es bedurfte vielmehr eines Anstoßes von außen, daß Koeppen sich an seinen ersten Nachkriegsroman heranwagte: »Eines Tages kam Henry Goverts, der Verleger, zu mir. Er fragte mich: Warum schreiben Sie nichts mehr? Da fragte auch ich mich, worauf ich all die Jahre gewartet hatte und warum ich Zeuge gewesen und am Leben geblieben war.«[5] Doch erst im Herbst 1951 erschien dieser

3 Koeppen im Gespräch mit Heinz Schöffler, in: Heinz Schöffler, »Ein Dichter schreibt Zeitgeschichte«, in: *Konturen* 1 (1952/53) H. 1, S. 2; vgl. auch Koeppens autobiographische Erzählung *Romanisches Café*, in: W. K., *Romanisches Café*, Frankfurt a. M. 1972, S. 10.

4 Horst Bienek, Gespräch mit Wolfgang Koeppen, in: H. B., *Werkstattgespräche mit Schriftstellern*, München 1965, S. 58.

5 Gespräch mit Bienek, ebd., S. 58. – Seit 1992 wissen wir allerdings, daß *Tauben im Gras* nicht der erste Buchveröffentlichung Koeppens nach dem Krieg war, denn unter dem Titel *Jakob Littners Aufzeichnungen aus einem Erdloch* war 1948 in München die Geschichte eines jüdischen Briefmarkenhändlers erschienen, die ebenfalls aus der Feder Koeppens stammt. Auch dieses Buch ist durch einen »Anstoß von außen« entstanden. Es ist sogar eine richtige Auftragsarbeit eines gewissen Herbert Kluger gewesen, der Koeppen im Hungerwinter 1946/47 in München bat, die Geschichte des Juden Jakob Littner zu erzählen. Koeppens Buch sollte das erste des neuen Verlages von Herbert Kluger werden, dafür erhielt der am Hungertuch nagende Autor monatlich zwei Care-Pakete. Der Literaturkritiker Reich-Ranicki hat in der Vorstellung von *Jakob Littners Aufzeichnungen* die geradezu spannende Entstehungsgeschichte dieses Buches während der Schwarzmarktzeit eindrucksvoll in der F.A.Z. vom 24. Februar 1992 geschildert. Es läßt sich im übrigen, laut Reich-Ranicki, »weder als Tatsachenbericht noch als Kunstwerk

Nachkriegsroman. Inzwischen hatte der Korea-Krieg
(25. Juni 1950 – 10. Juli 1951) die Menschen weltweit in
Angst versetzt, im Fernen Osten könnten die ideologischen
Gegner des ›kalten‹ Krieges in direkte militärische Auseinandersetzungen verwickelt werden.

Wie nur wenige andere westdeutsche Autoren trug Koeppen
dieser weltpolitischen Lage Rechnung: Zum einen blieb er
der »Gegenwart so dicht auf der Spur, daß die Zeit der Niederschrift mit der des Romangeschehens zusammenfiel«,[6]
das Romangeschehen ist also nicht in ferner Vergangenheit
und im Zweiten Weltkrieg angesiedelt. Zum anderen vermittelt Koeppen die angstinduzierende Atmosphäre während
des Korea-Krieges auch durch das vom Erzähler vergegenwärtigte Lebensgefühl der Romanfiguren.

Als einen »Roman, der Epoche macht«, begrüßte Karl Korn
in der FAZ Koeppens *Tauben im Gras*, und Walter Schüren-
berg sah darin eine »Neue Hoffnung für den Gegenwartsroman«. Was von diesen Rezensenten und anderen Kritikern
der Jahre 1951/52 als epochemachend und perspektivenreich
angesehen wurde, läßt sich repräsentativ an der Buchbespre-
chung von Wolfgang von Einsiedel ablesen, der Koeppen
bescheinigte, daß ihm »Ein dichterischer Zeitroman‹[7] gelungen sei. Offensichtlich schienen die zeitgenössischen Kritiker
überrascht, daß ein Zeitroman dichterisch sein kann, als ob es
Heinrich Manns *Der Untertan* (1918) oder Döblins *Berlin
Alexanderplatz* (1929) nie gegeben hätte.

Freilich gab es auch massive Kritik an Koeppens Roman. Im
Januar 1952 äußerte Hans Schwab-Felisch in der Zeitschrift

erschöpfend charakterisieren, weil es beides in einem ist«. Zum Auftakt
des wiederbegründeten »Jüdischen Verlages« sind *Jakob Littners Aufzeichnungen* 1992 nun erstmals unter Koeppens Namen erschienen.

6 Norbert Altenhofer, »Wolfgang Koeppen: *Tauben im Gras* (1951)«, in:
Deutsche Romane des 20. Jahrhunderts. Neue Interpretationen, hrsg.
von Paul Michael Lützeler, Königstein i. Ts. 1983, S. 284.

7 Wolfgang von Einsiedel, »Ein dichterischer Zeitroman«, in: *Merkur* 6
(Dez. 1952) H. 58, auch in: *Über Wolfgang Koeppen*, hrsg. von Ulrich
Greiner, Frankfurt a. M. 1976, S. 33.

Der Monat beispielsweise folgendes Urteil über *Tauben im Gras*: »Weil dieses Buch sich fast ausschließlich im Morbiden, im Sumpfe tummelt, weil es außer der Analyse dieser Gegebenheiten keine Kraft aufweist, weil sein Pessimismus keine substantielle Größe hat – darum auch mangelt es ihm an dem Atem, an der Überzeugungskraft, die es hätte ausstrahlen können, wäre es nur von einer höheren Warte aus geschrieben worden.«[8] Optimismus war also in der jungen Bundesrepublik Deutschland angesagt und als ›Zeitgeist‹ auszumachen, nicht erwünscht waren Warnrufe vor einem Dritten Weltkrieg, vor restaurative gesellschaftlichen Entwicklungen oder existentialistisch artikulierte Lebensgefühle. Doch noch schärfere Kritik traf Koeppen aus ganz anderen Beweggründen: Gewisse Münchner Kreise glaubten sich in dem Roman *Tauben im Gras* wiederzuerkennen, argwöhnten, der Autor benutze ein literarisches Werk, um dem Leben einiger prominenter Persönlichkeiten einen moralischen ›Spiegel‹ vorzuhalten, zudem noch einen ›Zerrspiegel‹. Zum Sprecher dieser empörten ›Nachkriegsschickeria‹ machte sich im Dezember 1951 der spätere Bestsellerautor Hans Helmut Kirst, der Koeppen im *Münchner Merkur* gleichsam ›sittliche Verfehlungen‹ und den ›Mißbrauch künstlerischer Freiheit‹ vorwarf.[9] Koeppen reagierte auf diese Kritik verwundert und bestürzt zugleich. Einerseits wunderte er sich darüber, daß sich bestimmte Leser aus Lebensbereichen, die ihm als Autor gar nicht zugänglich waren, in der fiktiven Welt seines Romans dargestellt glaubten, andererseits war er zutiefst erschrocken über jene Art von »Kunstrichtern«, die seinen Versuch einer literarischen »Durchleuchtung« der Gegenwart als ›Schlüssellochguckerei‹ diffamierten, während er gerade »das Allgemeine« seiner Zeit schildern wollte und auf keinen Fall an einen Kolportageroman über Prominente gedacht hatte. Dennoch sah sich Koeppen offensichtlich ver-

8 Hans Schwab-Felisch, in: *Der Monat* (Jan. 1952) H. 40, auch in: *Über Wolfgang Koeppen* (Anm. 7) S. 36–38.
9 Hans Helmut Kirst, *Münchner Merkur*, 14. Dezember 1951.

anlaßt, seinen Kritikern zu antworten und die eigenen künstlerischen Absichten im März 1952 noch einmal ausdrücklich
zu rechtfertigen:

> Meinem Buch *Tauben im Gras* ist die Ehre widerfahren,
> den Klatsch kleiner Kreise zu beleben, die wähnen, die
> Welt zu sein. Ich höre, lese und staune, daß ich den und
> jenen beschrieben haben soll. Dabei wollte ich nur einen
> Tag meiner Zeit einfangen, die Zeit und ihre Menschen
> beschreiben, wie ich sie sehe und empfinde, ich habe an
> keine bestimmten Vorgänge des Lebens gedacht, ich wollte
> das Allgemeine schildern, das Gültige finden, die Essenz
> des Daseins, das Klima der Zeit, die Temperatur der Tages,
> und ich scheine, mehr als ich vermuten durfte, das Verbrei-
> tete und das Bezeichnende getroffen zu haben. [. . .] Gegen
> diese Durchleuchtung kann man sich nur wehren, indem
> man die Bestie wieder in den Kindergarten einer ›Schrift-
> tumskammer‹ sperrt, um sie dort mit bukolischem Salat
> oder völkischem Kraut zu füttern. Solange wir aber noch
> nicht wieder eingepfercht sind, werden wir uns, werde ich
> mich auf der Weide des Lebens, im Umkreis der Zeit tum-
> meln.[10]

Als Konzession und ironische Spitze erschien in den weiteren Auflagen von *Tauben im Gras* der Zusatz: »Handlung
und Personen des Romans [. . .] sind frei erfunden. Ähnlich-
keiten mit Personen und Geschehnissen des Lebens sind
Zufall und vom Verfasser nicht beabsichtigt.« Außerdem
sprechen die komplizierte Struktur und die eingesetzten literarischen Strategien in Koeppens Werk gegen jeden Verdacht, er habe jene Art von Zeitroman verfassen wollen, wie
ihn ab 1948 H. H. Kirst, J. M. Simmel und H. G. Konsalik zu
publizieren begannen, die spannungsgeladene Handlungen
in formal anspruchsloser Gestalt präsentierten und sich über

---

10 Wolfgang Koeppen, »Die elenden Skribenten«, in: *Die Literatur* 1
   (März 1952) S. 8.

den Abdruck ihrer Romane in gängigen Illustrierten ein Millionenpublikum sicherten.

Wovon erzählt denn nun dieser Roman, durch den einige zeitgenössische Leser sich einen Spiegel oder Zerrspiegel vorgehalten sahen, während andere ihn als »Griff in die Gegenwart«[11] priesen? Koeppen schildert das Geschehen eines Frühlingstages im München des Jahres 1951. Er zeigt eine Gesellschaft im Umbruch, im Schnittpunkt von Zusammenbruch, Neuanfang und Restauration. Die Not der ersten Nachkriegsjahre ist trotz Marshallplan und Währungsreform noch nicht gebannt, noch suchen Tausende von Menschen, Einheimische, Kriegsheimkehrer und Flüchtlinge, Arbeit, Brot und eine Wohnung. Das weltpolitische ›Klima‹ wird zu diesem Zeitpunkt vom Ost-West-Gegensatz und den aktuellen Konflikten in Korea und Persien geprägt, dadurch erscheinen der Friede und der Aufstieg der »Wirtschaftswundersonne« in Westdeutschland akut gefährdet. Insofern hatten Rezensenten wie Schwab-Felisch vordergründig recht, wenn sie Koeppens Roman vorwarfen, er verbreite Pessimismus statt Aufbruchsstimmung. Doch es gab unter den ernstzunehmenden westdeutschen Schriftstellern, gleichgültig, aus welchem politischen oder weltanschaulichen Lager sie stammten, kaum jemanden, der der Gegenwart von 1951 nicht skeptisch gegenübergestanden hätte. Dennoch waren Literaturkritiker und das ›normale‹ Lesepublikum überrascht von dem erzählerischen Staccato, mit dem Koeppen von der ersten Seite an eine düstere und vom Krieg bedrohte Romanwelt entwirft, deren Grundstimmung die Angst zu sein scheint:

> Flieger waren über der Stadt, unheilkündende Vögel. Der Lärm der Motoren war Donner, war Hagel, war Sturm. Sturm, Hagel und Donner, täglich und nächtlich, Anflug und Abflug, Übungen des Todes, ein hohles Getöse, ein

---

11 Hans Georg Brenner, »Griff in die Gegenwart«, in: *Die Welt*, 6. Jg., 14. November 1951.

Beben, ein Erinnern in den Ruinen. Noch waren die Bombenschächte der Flugzeuge leer. Die Auguren lächelten. Niemand blickte zum Himmel auf. [. . .]
Das Frühjahr war kalt. Das Neueste wärmte nicht. *Spannung, Konflikt,* man lebte im Spannungsfeld, östliche Welt, westliche Welt, man lebte an der Nahtstelle, vielleicht an der Bruchstelle, die Zeit war kostbar, sie war eine Atempause auf dem Schlachtfeld, und man hatte noch nicht richtig Atem geholt, wieder wurde gerüstet, die Rüstung verteuerte das Leben, die Rüstung schränkte die Freude ein, hier und dort horteten sie Pulver, den Erdball in die Luft zu sprengen [. . .].   (9 f.)

Mit dieser Textstelle vom Beginn des Romans korrespondiert in auffälliger Weise die Schlußpassage, wobei dort die »Verschärfung« der Bedrohung nicht zu überhören ist:

Am Himmel summen die Flieger. Noch schweigen die Sirenen. [. . .] Der Tod treibt Manöverspiele. *Bedrohung, Verschärfung, Konflikt, Spannung.* Komm-du-nun-sanfter-Schlummer. Doch niemand entflieht seiner Welt. Der Traum ist schwer und unruhig. Deutschland lebt im Spannungsfeld, östliche Welt, westliche Welt, zerbrochene Welt, zwei Welthälften, einander feind und fremd, Deutschland lebt an der Nahtstelle, an der Bruchstelle, die Zeit ist kostbar, sie ist eine Spanne nur, eine karge Spanne, vertan, eine Sekunde zum Atemholen, Atempause auf einem verdammten Schlachtfeld.   (210)

Schon diese kunstvoll angelegte Korrespondenz von Anfangs- und Schlußsequenz des Romans macht deutlich, daß es Koeppen darin um mehr als die bloße Abschilderung eines historisch fixierbaren Tages im Frühjahr 1951 geht. Indem nämlich der Autor das am Romananfang im epischen Präteritum vermittelte Geschehen am Romanende im Präsens fortsetzt und suggestiv in die Gegenwart des Lesers

überleitet, soll dieser sich unmittelbar betroffen fühlen.[12]
Die ›Fluchtdistanz‹, die ihm das grammatische Imperfekt
am Romananfang noch gewährt (»Flieger waren über der
Stadt«), wird am Romanende aufgehoben; die vom Erzähler
vergegenwärtigten Bedrohungen werden direkt an den zeitgenössischen Leser adressiert: »Am Himmel summen die
Flieger. Noch schweigen die Sirenen.« (210) In der Anglei-
chung der episch vermittelten Zeit an die reale Gegenwart
des Lesers von 1951 ist also auch der Versuch des Autors zu
sehen, durch die Art und Weise des erzählerischen Umgangs
mit der ›Gegenwart‹ mitzuteilen, wie diese Zeitspanne erfahren wird. Norbert Altenhofer hat überzeugend dargelegt,
daß die vom Erzähler vergegenwärtigte Zeit und die reale
Zeit des Lesers sich darin identisch werden sollen, »daß beide
als Atempause zwischen den Schlachten, im Modus der
Angst, erfahren werden« und daß »der Erzählduktus selbst
diese Erfahrung nachzubilden sucht«.[13] Unter solchen Prämissen muß man die Erzählstruktur von *Tauben im Gras* als
künstlerisch konsequent und völlig adäquat bezeichnen. In
der »Atempause auf einem verdammten Schlachtfeld« (210)
ist ›keine Zeit mehr‹ für eine Geschichte mit Anfang und in
einer »Sekunde zum Atemholen« (210) reicht die Zeit nicht
für eine chronologisch durcherzählte Geschichte mit Exposi-
tion, großartiger Fabel und abgerundetem Ende. Statt dessen
wird der Sprachfluß eines nicht mehr auszumachenden, aber
dennoch präsenten Erzählers auf verschiedene »Stimmen«[14]
verteilt, die tatsächlich von einer auffälligen ›Atemlosigkeit‹
erfaßt zu sein scheinen, wie das erzählerische Staccato suggeriert. Doch dieser Erzählgestus wirkt nicht nur deswegen so
überzeugend, weil er die angsterfüllte Stimmung einer Kri-

---

12 Georg Bungter, »Über Wolfgang Koeppens *Tauben im Gras*, in: *Zeit-
    schrift für deutsche Philologie* 87 (1968) H. 4, auch in: *Über Wolfgang
    Koeppen* (Anm. 7) S. 194.
13 Altenhofer (Anm. 6) S. 286.
14 Vgl. insbesondere Hans-Ulrich Treichel, *Fragment ohne Ende. Eine
    Studie über Wolfgang Koeppen*, Heidelberg 1984.

senzeit so eindringlich ›zur Sprache‹ bringt, sondern weil dieser vielstimmige Redefluß ebenso geeignet erscheint, um eine
fiktionale Welt zu gestalten, die sowohl vom Erzähler wie
von seinen Figuren ausdrücklich als »Labyrinth« und »Pandämonium« verstanden wird und auch in poetologischen
Texten des Autors mehrfach so benannt worden ist. Koeppen
vermeidet also eine Erzählstruktur, die die Romanwirklichkeit von vornherein in einen abgeschlossenen Rahmen pres-
sen und einer bestimmten Finalität unterwerfen könnte.
Tauben im Gras trägt zwar noch im Untertitel die Gattungs-
bezeichnung »Roman«, verzichtet aber auf die traditionellen
Strukturelemente dieser Erzählform: So gibt es wie gesagt
keine durchgängige Fabel mehr, sondern statt dessen 102 disparate Erzählsequenzen, deren Geschehnisse oft simultan
ablaufen und sich zu etwa 20 Handlungssträngen mit gemeinsamen Protagonisten bündeln lassen, innerhalb deren
die Chronologie gewahrt bleibt. In der Summe haben die
einzelnen Handlungsstränge das Geschehen von 18 Stunden
eines einzigen Tages (vom Läuten zur Frühmesse bis Mitter-
nacht) zum Gegenstand des Erzählens. Die meisten Erzählabschnitte folgen nicht unverbunden aufeinander, sondern
lassen noch gewisse Ordnungsprinzipien etwa nach der Art
filmischer Überblendtechniken erkennen, oder sie sind
durch Sach- und Wortelemente von bewußter Äußerlichkeit
verknüpft, die freilich sehr assoziativ wirken und eher das
Disparate als das Verbindende zweier Sequenzen betonen.[15]
Treffen die Hauptfiguren zweier simultan verlaufender
Handlungen etwa auf dem Münchner Heiliggeistplatz zusammen und wird der Handlungsschauplatz einen Moment
lang von kreischenden Polizeisirenen beherrscht, so ist das
noch am ehesten ein Beispiel ›bedeutungsvoller‹ Verknüpfung zweier separater Textpassagen. Und die metaphorische
Auslegung der »Polizeisirenen« wird von Koeppen gleich
dazugeliefert: »Die Polizeisirenen kreischten. Die Überfall-

---

15 Vgl. Manfred Koch, *Wolfgang Koeppen. Literatur zwischen Nonkon-
    formismus und Resignation*, Stuttgart 1972, S. 72–74.

wagen drängten sich durch den Verkehr. Die blauen Lampen
verliehen ihrem Rasen einen geisterhaften Schein: Gefahr
verkündende Sankt-Elmsfeuer der Stadt.« (155) Im Gegensatz zu diesem Beispiel stellt Koeppen die Verbindung
zweier Textabschnitte meistens durch einen rein verbalen
Anklang, die Wiederholung eines Stichwortes her. Dieses stilistische Verfahren, von ferne an das rhetorische Stilmittel der
Anadiplose erinnernd, folgt keinem erkennbaren Prinzip,
wenn man davon absieht, daß die semantischen Verbin-
dungsstücke Handlungen verknüpfen, die als simultan
ablaufend zu denken sind, aber keinen Symbolcharakter aufweisen.

Die Aufsplitterung der Handlung auf über 20 Handlungsstränge, deren Protagonisten an verschiedenen Schauplätzen
auftreten, bezeugt vielmehr, daß Koeppen ›harte Schnitte‹
bevorzugt, wie man in der Filmsprache sagt. Wenn die
Sequenzen dennoch durch zufällige ›semantische Klebestel-
len‹ miteinander verbunden sind, so ist das eher ein irritie-
rendes Phänomen: Hier wird ein Sinnkontinuum suggeriert,
das aber nicht erfüllt wird. Es wird vielmehr nur noch eine
Kaleidoskopwelt in Koeppens Roman präsentiert, die aus
lauter disparaten und offenen Krisensituationen zu bestehen
scheint und auch von den Figuren nur noch fragmentarisch
wahrgenommen wird. Alleine der Leser hat noch die Chance
zu einer Zusammenschau der vom Autor entworfenen Sze-
nerie. Der Leser von Koeppens *Tauben im Gras* muß wie der
Leser eines Kriminalromans Kombinationsvermögen mit-
bringen, wenn in seinem Bewußtsein ein »Panorama«-Bild
des Romanschauplatzes München entstehen soll, statt des
»Dschungel«-Bildes, das viele Romanfiguren von ihrer
Lebenswelt haben. Allerdings darf man die 102 Erzählabschnitte des Romans auch nicht einfach für ›Spiegelsplitter‹
halten, die der Leser nur wie ein Puzzle mit Geduld zusammensetzen müsse, um ein ›getreues Abbild‹ vom München
des Jahres 1951 zu erhalten. Klaus Scherpe hat zu Recht
betont, daß gegenüber der ›Spiegelmetapher‹ gerade im Falle

von *Tauben im Gras* äußerste Vorsicht geboten sei, weil der Prosatext sich auf »eine gelebte Wirklichkeit« beziehe, d. h. mit den darin vorhandenen Wertungen, Erinnerungen, Hoffnungen sowie den darin wirksamen gesellschaftlichen Mechanismen von Macht und Herrschaft arbeite. Die Wirklichkeit, auf die sich der Roman beziehe, sei bereits »bedeutete Wirklichkeit«.[16] Wir werden darauf zurückkommen, wenn wir in einem späteren Abschnitt die Personen und ›Stimmen‹ des Romans analysieren.

Zu dem komplexen Zeitgefüge und der Aufsplitterung des Romans in über hundert Erzählsequenzen paßt das Mosaik der Schauplätze, zu denen der Leser geführt wird. Dieses Spektrum an Schauplätzen verdient wahrhaft das Etikett »Panorama«. Es erinnert in seiner Mannigfaltigkeit zweifellos an Döblins *Berlin Alexanderplatz*, an *Manhattan Transfer* (1925) von John Dos Passos und an den *Ulysses* (1922) von James Joyce, d. h. drei Romane der sogenannten ›literarischen Moderne‹ aus den zwanziger Jahren, die Koeppen nach eigenen Aussagen sehr beeindruckt und nicht nur formal beeinflußt haben. Außer der Vielfalt der Schauplätze in Koeppens *Tauben im Gras* ist besonders ihr ›öffentlicher‹ Charakter für bundesdeutsche Romane vor Martin Walsers *Halbzeit* (1960) ziemlich einmalig. So spielt das Geschehen von Koeppens Roman bis auf wenige Ausnahmen im Großstadtverkehr, in Hotels, Clubs und Gaststätten, in Geschäften, Kirchen, Vortragssälen, Kinos, Arztpraxen, auf Partys und Sportplätzen.

Bevölkert werden diese vielfältigen Schauplätze von Figuren, die nach Koeppens Vorstellungen »allgemeingültig«[17] sein sollen, d. h. jene heterogene Ansammlung von Menschen ›repräsentieren‹ können, die für das Nachkriegs-München

16 Klaus Scherpe, »Ideologie im Verhältnis zur Literatur: Versuch einer methodischen Orientierung am Beispiel von Wolfgang Koeppens Roman *Tauben im Gras*«, in: *Wolfgang Koeppen*, hrsg. von Eckart Oehlenschläger, Frankfurt a. M. 1987, S. 234–237.
17 Koeppen (Anm. 10) S. 8.

typisch ist. Darunter sind der Filmstar Alexander und seine
Frau Messalina, ihre Tochter Hillegonda, die Kinderfrau
Emmi und der Dienstmann Josef, die Malerin Alfredo sowie
die amerikanischen Lehrerinnen Kay, Katherine und Mil-
dred, der Schriftsteller Philipp und seine Frau Emilia,
schwarze Besatzungssoldaten und weiße Mädchen, der Dichter Edwin, die Jugendlichen Schorschi, Bene, Kare und Sepp,
die Jüdin Henriette Gallagher ebenso wie unverbesserliche
Nazis, verschiedene Ärzte, Kaufleute und mehrere Kinder.
Insgesamt sind es über 30 Personen, von denen keine im Mittelpunkt des Romans steht. Koeppens Roman ›kreist‹ um
keinen ›Helden‹ mehr, dessen Geschichte im Zentrum des
Geschehens stünde. Freilich haben nicht alle das gleiche
Gewicht im Erzählganzen. Ebensowenig sind die Figuren
völlig willkürlich gewählt, sondern sie repräsentieren vielmehr einen Bevölkerungsquerschnitt der Großstadt München mit ihren mannigfaltigen Charakteren, mit Menschen
verschiedenster Nationalität und politischer Überzeugung;
die Figuren repräsentieren Angehörige unterschiedlicher
Sozial- und Altersgruppen. Mit keinem Einzel- oder Fami-
lienschicksal könnte die bunt zusammengewürfelte Gesellschaft, die Koeppen als zeittypisches Phänomen jener Nachkriegsjahre zeigen wollte, wohl künstlerisch glaubwürdi-
ger dargestellt und vor großstädtischer Kulisse zum Leben erweckt werden. Wenn es dennoch einen gemeinsamen
›Nenner‹ der Romanfiguren gibt, dann wird er durch den
von Gertrude Stein entliehenen Titel »pidgeons on the grass
alas« ausgedrückt: Denn wie ›Tauben im Gras‹ agieren die
Menschen in Koeppens Roman, sie laufen orientierungslos
daher; sie sind allesamt »displaced persons«, entwurzelte und
in den »Zeitbruch« nach 1945 hineingerissene Gestalten. Es
sind zwar ›Davongekommene‹ des Weltkrieges, doch sie sind
herausgerissen aus den ihnen vertrauten Lebenszusammen-
hängen, die ihnen selbst unter den autoritären Strukturen des
besiegten faschistischen Staates irgendwie Sicherheiten und
menschliche Bindungen vermittelten. Die Bewältigung der

Kriegsfolgen und der Nachkriegssituation aber gelingt diesen entwurzelten Menschen höchst unterschiedlich. Viele von den Romanfiguren leiden an sozialer Desintegration, an privaten und politischen Identitätskrisen; ihnen fehlen neue Perspektiven und solidarische Beziehungen; sie leben zum Teil deklassiert, vielfach unter schwierigsten materiellen Verhältnissen, am Rande des Existenzminimums. Bei den meisten Figuren dominiert die existentialistisch anmutende Haltung des »Preisgegebenseins« an die neue, aber »zu nichts als Elend führende Freiheit« (198). Daher ist es nicht verwunderlich, daß viele Figuren ihr Nachkriegsdasein als »Dschungel« empfinden und eine Art *»Robinsonmentalität«*[18] entwickeln. Es ist die große Zeit des Selbermachens und Selbstversorgens, des Vertrauens auf die eigenen Fähigkeiten und Fertigkeiten, es ist die Zeit des Improvisierens statt des Planens, der Zusammenarbeit mit dem Nächsten statt der Zusammenarbeit mit den deutschen oder amerikanischen Obrigkeiten, die nicht nur eine neue Demokratie, sondern auch eine neue Bürokratie aufbauen, da anders das Chaos der geschlagenen Gesellschaft nicht geordnet werden kann. Für regelrechte Pläne oder ideologisch begründete Konzepte zur völligen Umgestaltung des menschlichen Zusammenlebens aber haben die Figuren in Koeppens Roman keine Geduld; sie orientieren sich an der Lösung der materiellen Probleme des Alltags und den Bedingungen der praktischen Lebensbewältigung. Dadurch bekommt auch das Romangeschehen für sich genommen kolportagehafte Züge, aber es gerinnt zum ›verdichteten Zeitgeschehen‹, weil es zahllose Handlungsmuster und Bewußtseinslagen ›repräsentiert‹, die für die Jahre zwischen 1945 und 1950 zeittypisch sind: Gemeint ist damit vor allem das zeittypische Bewußtsein vieler Menschen nach 1945, wie nach 1918 in einer »Zwischenkriegszeit« zu leben, von Koeppen als »Atempause auf dem Schlachtfeld« (9) bezeichnet. Die Tagespolitik der Besat-

18 Klaus Scherpe (Anm. 16) S. 237.

zungszeit und frühen Ära Adenauer oder die politischen Probleme im engeren Sinne interessieren Koeppen in seinem Roman weniger, er will wie gesagt das »Allgemeine schildern, das Gültige finden, die Essenz des Daseins, das Klima der Zeit«[19].

Eindrucksvoll ist dabei die Tatsache, daß Koeppen lange vor dem Erstlingsroman von Alfred Andersch (*Sansibar oder der letzte Grund*, 1957) und Gerd Gaisers *Schlußball* (1958) eine Vielzahl von Romanfiguren mit ganz unterschiedlichen Biographien, Lebenserfahrungen und Wahrnehmungen des Alltags nutzt, um nicht nur einige wenige zeittypische Verhaltens- und Mentalitätsmuster vorführen zu können. Statt dessen hat Koeppen zwischen den beiden Polen der Ängstlichen, Geschlagenen und Einsamen einerseits und der Überlebenskünstler andererseits ein prall gefülltes Spektrum von Charakteren angesiedelt. Wobei Koeppens Sympathie und menschliches Verständnis als Autor eher den orientierungslosen »Tauben« und Geschlagenen der Geschichte gehören als den Kriegsgewinnlern und frühen Teilhabern des Wirtschaftswunders nach der Währungsreform von 1948. Und bei einer Reihe von Hauptakteuren des Romans wie bei etlichen anonym bleibenden Vertretern des Großbürgertums, aber ebenso des Kleinbürgertums, den Angestellten, den Kleinhändlern, den Gästen der kleinen und großen Bierausschänke registriert Koeppen mit bitteren Worten das Fortleben antidemokratischen Denkens, nationalistischer und fremdenfeindlicher Töne, konstatiert er deren Sehnsüchte nach der Zeit des Dritten Reiches, weil es ihnen damals scheinbar besser ging als 1948–50, weil sie damals etwas galten und weil »Ordnung« herrschte.

Als Hoffnungsträger können dagegen einige junge Menschen und verliebte Paare angesehen werden, die einen echten Neuanfang nach 1945 wollen, die humane und demokratische gesellschaftliche Lebensumstände anstreben. Der

19 Koeppen (Anm. 10) S. 8.

farbige US-Soldat Washington Price und seine deutsche Braut Carla Behrend etwa haben teil an der Utopie einer Gesellschaft ohne Rassenschranken und nationalistische Konventionen. In ihnen könnte sich der Traum von der einer »brüderlichen Menschheit« verwirklichen, jedoch nur individuell und ohne vorbildhaften Effekt für die Gesamtgesellschaft. Immerhin will Washington Price mit Carla ein Lokal aufmachen, auf dessen Eingangsschild der Satz stehen soll: »Niemand ist unerwünscht.« Dieses Lokal soll freilich in Paris eröffnet werden, weil die Realisierung eines solchen Plans in Deutschland noch nicht möglich erscheint . . .

Da für die 102 Erzählsequenzen ebenso wie für die zahllosen Figuren ein verbindlicher ›Plot‹ fehlt, muß die narrative Einführung von immer neuen und scheinbar isoliert dastehenden Personen auf den Leser zunächst desorientierend wirken, zumal die Figuren ja auch noch auf ganz verschiedenen Schauplätzen des Romans auftreten. In gewisser Weise kann man sich als Leser fast in die Rolle der einen oder anderen Romanfigur versetzt fühlen, die ständig fremden Menschen begegnen und sich im Großstadtgetümmel vom München des Jahres 1950 kaum zurechtfinden.

So werden zwischen der Familie des Filmstars Alexander und der Kinderfrau Emmi einerseits und dem Schriftsteller Philipp, Frau Behrend und Dr. Behude andererseits zu Beginn des Romans noch keinerlei Beziehungen sichtbar. Ob die genannten Personen im weiteren Geschehen eine wichtige Rolle spielen werden oder ob sie anonyme Randfiguren bleiben, ist zunächst völlig unklar. Erschwert wird die Orientierung noch dadurch, daß das Erzählte ja auf disparate Erzählsequenzen verteilt ist und ein durchgängiger Handlungsfaden fehlt. Nach der Lektüre der ersten Seiten könnte man als Leser wirklich glauben, Koeppen habe sich eine alte Forderung des von ihm hoch geschätzten Alfred Döblin zu eigen gemacht, der einmal gesagt hat: »Wenn ein Roman nicht wie ein Regenwurm in zehn Stücke geschnitten werden kann und jeder Teil bewegt sich selbst, dann taugt er nichts.«[20]

Erst nach rund dreißig Seiten des Romans kann der Leser eine Reihe von Beziehungen unter den bis dahin eingeführten Personen rekonstruieren: Philipp beispielsweise, der im Hotel »Zum Lamm« die Nacht verbracht hat, ist mit der neurotischen Emilia verheiratet, der die Erzählabschnitte 15, 17 und 18 gewidmet sind. Philipp und Emilia sind wiederum beide Patienten des Nervenarztes Dr. Behude. Odysseus Cotton wiederum, der im 14. Abschnitt den Bahnhof verläßt, wird vom Dienstmann Josef durch München geführt werden. Und Richard Kirsch, ein deutsch-amerikanischer Soldat der Besatzungstruppen in Bayern, ist ein Neffe der von ihrem Mann verlassenen Frau Behrend, die bereits im sechsten Abschnitt eingeführt worden ist. Von Sequenz zu Sequenz wird das Beziehungsgeflecht der Romanfiguren immer dichter, wobei Koeppen die Konstellationen der Figuren vielfach variiert, so daß es am Ende des Romans keine mit Namen benannte Figur gibt, die nicht jeder anderen der 30 Hauptpersonen irgendwie einmal begegnet oder zumindest durch gemeinsame ›Bekannte‹ irgendwie verbunden wäre.[21]

Doch während einige Figuren sich wirklich nur einmal an dem einen Tag der erzählten Gegenwart im Frühsommer 1950 begegnen, leben andere Romanfiguren offensichtlich schon viele Jahre zusammen, wie aus lebensgeschichtlichen Rückblicken auf ihre Biographie, aus ihren Äußerungen oder ihren Erinnerungen hervorgeht.

Da sind beispielsweise Alexander und Messalina, die von einer Party zur anderen hetzen, ohne damit ihre »Lebensleere« und kaputte Beziehung kaschieren zu können: »sie lie-

---

20 Alfred Döblin, *Aufsätze zur Literatur*, hrsg. von Walter Muschg, Olten 1963, S. 21; vgl. auch Norbert Mecklenburg, *Erzählte Provinz. Regionalismus und Moderne im Roman*, Königstein i. Ts. 1982, S. 192–195.

21 Georg Bungter, »Über Wolfgang Koeppens *Tauben im Gras*«, in: *Über Wolfgang Koeppen* (Anm. 7) S. 187.

ßen die Trostlosigkeit leben, sie füllten die Lebensleere mit
Geräuschen, sie jagten die Angst mit Mitternachtsmusik und
schrillem Lachen« (207), heißt es über eines ihrer Feste. Doch
um die Tochter Hillegonda, die von der frömmelnden und
»finsteren« Kinderfrau Emmi aufgezogen wird, kümmern
sich die Eltern wenig, obwohl dem Vater diese Nachlässig-
keit bewußt ist: »Alexander dachte ›ich müßte mich um sie
kümmern, ich müßte Zeit haben, sie sieht blaß aus‹.« (12)
Ebenso kaputt und für beide Seiten nur noch qualvoll ist die
Beziehung zwischen Philipp und Emilia. Der herunterge-
kommene Schriftsteller leidet nur noch unter den neurotischen Anfällen seiner Frau und glaubt, ohne sie viel besser
leben zu können, während sie ihrerseits enttäuscht ist, daß
Philipp ihr weder »Reichtum und Ruhm«, noch »Sicherheit«
bieten kann. Doch den Mut zur Trennung und Auflösung der
gescheiterten Ehe bringen beide nicht auf. Die Worte: »Es
war eine Fesselung, Liebesfesselung, Bande des Eros« (198),
sind freilich nur noch eine Persiflage auf die Poetisierung
großer Liebe in der Weltliteratur.
Auch Frau Behrend hat keine intakten Beziehungen zu ihren
Mitmenschen mehr, sie zehrt nur noch von ihren Erinnerungen an eine »Obermusikmeisterherrlichkeit« und von den
Illusionen, die ihr Dreigroschenromane vorgaukeln, denn ihr
Mann und ihre Tochter Carla haben sie verlassen.
Schorschi, Bene, Kare und Sepp sind verwahrloste Jugendliche, ohne Lehrstelle und ohne Arbeit; die Schule schwänzen
sie. Der Schwarzmarkthandel und Diebestouren sind ihr
Gewerbe. »Sie sind bereit; bereit zu folgen, bereit zu kämp-
fen, bereit zu sterben«, heißt es über die potentiellen Mitläu-
fer eines beliebigen Demagogen. »Es braucht kein Gott zu
sein, der sie ruft, ein Plakat auf allen Mauern, eine grade gän-
gige Larve« (22).
Tödlichen Ausgang hat die Begegnung zwischen dem
schwarzen Soldaten Odysseus Cotton und dem Dienstmann
Josef. Als dem Amerikaner am Abend einer langen Stadtfüh-
rung eine Geldbörse abhanden kommt, erschlägt er Josef als

den vermeintlich Schuldigen, obwohl dieser ihn zuvor stun-
denlang geduldig begleitet hat.

Selbst wenn wir den Wegen aller Romangestalten nach-
gingen, soweit Näheres über sie erzählt wird, würden wir
bis auf eine Ausnahme keine Figuren entdecken, die nicht
auch unter gestörten Beziehungen leiden, Angst haben,
vereinsamt sind, Fragen haben, auf die sie keine Antwort
finden.[22]

Symptomatisch für die gestörten Beziehungen der Figuren
sind ihre zumeist hilflosen Versuche, noch vernünftig miteinander zu kommunizieren. Zahllose Gesprächssituationen
zeugen nämlich von gescheiterter Kommunikation: Die
Gesprächspartner beschimpfen sich vielmehr, sie machen sich
Vorwürfe, sie reden aneinander vorbei, erleben Mißverständnisse, äußern Vorurteile und dreschen Phrasen aus politischer
Propaganda und der Boulevardpresse, ergehen sich in Selbst-
mitleid und Jammer über die schlechten Nachkriegsjahre,
trauern der NS-Zeit hinterher, projizieren ihre eigene Wut
über materielle Not auf Fremde und lassen sich in Einzelfäl-
len zu faschistischen Parolen hinreißen. Das ›Forum‹ dafür
geben Ehekrisen, Schlägereien, Soldatenklubs, große Wirts-
häuser und große Säle, städtische Plätze und Arztpraxen ab,
kurz, die meisten Schauplätze des Romans, bei denen es sich
bis auf wenige Ausnahmen um *öffentliche Szenerien* handelt,
wie oben schon ausgeführt wurde. Diese öffentlichen Schauplätze begünstigen aber regelrecht die oberflächliche Kommunikation, da hier kaum jemand an ernstem Nachdenken,
an vernünftiger Argumentation und tieferen Reflexionen
Interesse hat. Erstaunlich oft wird sogar die bloße akustische
Übermittlung von Botschaften zwischen den Romanfiguren
erschwert, weil der allgemeine Geräuschpegel (auf der
Straße, in den Festsälen etc.) längere und anspruchsvollere
Gespräche gar nicht zuläßt. Oder es werden Reden gehalten,
die gar nicht auf einen echten Dialog hin angelegt sind

22 Vgl. Christian Linder, »Im Übergang zum Untergang. Über das
Schweigen Wolfgang Koeppens«, in: *Akzente* 19 (1972) H. 1, S. 49.

(Ansprachen, Wirtshausgespräche). In anderen Kommuni-
kationssituationen versagen selbst die technischen Mittel zur
Übertragung von Botschaften. Beispielhaft dafür ist der Vortrag des großen amerikanischen Dichters Edwin, dem sein
deutscher Schriftstellerkollege nicht einmal akustisch folgen
kann, weil die Lautsprecher im Vortragssaal defekt sind:

› Alles zerbricht‹, dachte Philipp, ›wir können uns nicht
mehr verständigen, nicht Edwin redet, der Lautsprecher
spricht, auch Edwin bedient sich der Lautsprechersprache,
oder die Lautsprecher, diese gefährlichen Roboter, halten auch Edwin gefangen: sein Wort wird durch ihren ble-
chernen Mund gepreßt, es wird zur Lautsprechersprache, zu dem Weltidiom, das jeder kennt und niemand versteht.‹   (193)

Aber nicht nur jene Störungen, die Elektrotechniker als
»Rauschen« bezeichnen, führen zu Verständigungsproble-
men, die Äußerungen der Romanfiguren werden eigentlich
ständig von irgendwelchen Stimmen begleitet oder von Geräuschen übertönt, die aus ihrer Umgebung kommen.
So dringen vor allem die Nachrichten vom Geschehen draußen in der Welt auf die Figuren ein, sei es in Form von Radio-
oder Pressemeldungen. Repräsentativ dafür, wie politische
Tagesereignisse eher als Laute und Geräusche denn als vernünftig wahrgenommene Botschaft zu den Figuren dringen,
ist eine Erzählpassage mit dem schwarzen Amerikaner
Odysseus Cotton und dem Dienstmann Josef auf der
gemeinsamen Besichtigungstour durch München:

Josef [. . .] hörte aus Odysseus' Musikkasten einen Vortrag
über die Lage in Persien *Fallschirmjäger nach Malta*, und
weiter war es nur ein Lautrauschen für Josef und weiter
nur eine Brandung der Geschichte, eine Brandung aus dem
Äther zu ihm gespült, unverständliche erlebte gärende
Geschichte, ein Sauerteig, der aufging.   (76)

Vom Weltgeschehen erfährt Josef also gerade nur soviel, wie er im babylonischen Sprachengewirr und im »Lautrauschen« noch verstehen kann. Dabei läßt sich Koeppens metaphorischer Ausdruck von der »Brandung der Geschichte« gewiß so deuten, daß Geschichte von seinen Figuren als etwas Überindividuelles verstanden wird, das dem Einzelnen wenig Handlungsspielraum und Einflußnahme gewährt. Wenn Zeitgeschichte aber als etwas Unbeeinflußbares erfahren wird und die zwischenmenschliche Kommunikation auch nicht mehr gelingt, dann nimmt es nicht wunder, daß sich die Menschen in Koeppens Roman als ebenso hilflose wie einsame ›Individuen‹ fühlen. Ja mehr noch, der einzelne Mensch erlebt sich dann zwangsläufig als Objekt der Geschichte und ist mit diesem Verlust seiner Rolle als geschichtliches Subjekt in seiner Identität bedroht. Helmut Heißenbüttel hat diese Identitätsbedrohung schon 1968 mit analytischer Schärfe erkannt. Er schrieb damals: »Koeppen erzählt, noch einmal und zugespitzt gesagt, vom Selbstbefinden in einer Welt, in der dem Selbst der Boden entzogen ist. [...] Von allen Aspekten der neueren deutschen Literatur hat mich der Versuch Koeppens, das sich entziehende Subjekt, das Welt erfährt, erlebt, überschaut, bis in seinen Entzug hinein zu beschreiben, ja das Unmögliche zu tun: nämlich die Beschreibung des Entzogenen selbst zum Thema zu machen, als Aspekt am meisten interessiert.«[23] Dieser Prozeß der Entsubjektivierung des Individuums und das Mißlingen seiner Kommunikationsversuche mit anderen Menschen kann man traditionell als Ausdruck der Entfremdung der Romanfiguren zu sich selbst und zur Gesellschaft deuten, doch ist in diesem Zusammenhang eine ›Ermahnung‹ von Klaus Scherpe zur Vorsicht gegenüber dem Entfremdungsbegriff zu beachten, da die vorausgesetzte Annahme einer ursprünglich vorhandenen Einheit von Subjekt und Gesell-

23 Helmut Heißenbüttel, »Wolfgang Koeppen-Kommentar«, in: *Über Wolfgang Koeppen* (Anm. 7) S. 155 (ursprünglich in: *Merkur* 22, März 1968, H. 3).

schaft und einer unbeschadeten Identität des Individuums in
früheren oder künftigen historischen Epochen eine ideologische Vorstellung sei, eine Deutung der Wirklichkeit und ihrer
Geschichte.

In einem ebenso komplizierten wie ambivalenten Verhältnis
zu der kommunikativen Ohnmacht der Romanfiguren steht
der geradezu grenzenlose Redefluß des Autors, insbesondere
sein Umgang mit Mythen und literarischen Zitaten. Durch
diesen poetischen Einsatz des Mythischen und des Literatur-
zitats im narrativen Kontext öffnet Koeppen beständig den
»Horizont der historischen Aktualität« oder fiktionalen
Realität und macht den Blick frei für Dimensionen von Zeit
und Raum, Weltliteratur und Mythologie, die weit in die
Geschichte zurück oder weit über das »Pünktchen« München hinaus reichen.[24] Zugleich wird durch diese Integration
von Mythen, Literaturzitaten und Kommentaren in den
Erzählstrom der suggestiven Kraft der Romanwelt entge-
gengearbeitet, indem dieser Wirklichkeit aus Imagination
und historischen Realitäten Ansichten, Stimmen und ›Welt-
deutungen‹ entgegengestellt werden.

Verzichtet wird also nicht nur auf eine linear durcherzählte Geschichte, aufgehoben sind auch die Grenzen von Gegenwart, Vergangenheit und Zukunft sowie Nähe und
Ferne.

Die raumzeitliche Öffnung der Welt durch mythologische
Analogien und eine permanente Literarisierung der dargestellten Wirklichkeit wird aber ebenso hartnäckig wieder
zurückgenommen, da fast jedem mythologischen Bild und
jedem Literaturzitat eine Deutung nachgeschoben wird. In
nahezu barocker Manier folgt dem Mythos oder dem Zitat
die Auslegung, die deutende ›Subscriptio‹. Der traditionelle
Erzähler ist zwar suspendiert worden, doch an seine Stelle ist
der ständig präsente *Interpret* getreten, der Mythen und lite-

---

24 Vgl. hierzu die umfangreichen Ausführungen von Hans-Ulrich Treichel, *Fragment ohne Ende. Eine Studie zum Werk Wolfgang Koeppens*,
Heidelberg 1984, hier S. 94–114.

rarische Anspielungen mit *Sinndeutungen* und moralischen
Wertungen versieht.

Die scheinbar offene narrative Struktur wird ständig aufge-
füllt mit literarischen Anspielungen und expliziten Sinnge-
bungen von seiten des Autors. So muß etwa der Ikarus-
Mythos für eine Allusion herhalten, als sich der amerikanische Besatzungssoldat Richard Kirsch mit einem deutschen
Mädchen trifft:

> Richard war zu Fuß gekommen; die Lieblinge der Götter
> kamen im Auto. Richard, sie sah es, war ein einfacher Sol-
> dat, wenn auch ein Flieger. Die Flieger waren natürlich
> etwas Besseres als die gewöhnlichen Soldaten, der Ruhm
> des Ikarus erhöhte sie, aber die Tochter der Hausbesorge-
> rin wußte nichts vom Ikarus. (120)

Der Bezug zwischen Richard Kirsch und Ikarus verlangt
vom Leser kühne Assoziationen, doch im Prinzip enthält
die mythologische Anspielung Begründungsdefizite. Denn
Richard Kirsch erfüllt die mythische Rolle des Ikarus nicht,
er parodiert sie noch nicht einmal. Doch auch für das
Bewußtsein des Mädchens ist der mythologische Zusammenhang irrelevant, denn sie »weiß« ja »nichts vom Ikarus«. Die Anspielung ›funktioniert‹ also nur zwischen
Autor und Leser, wobei es scheint, als ob der Autor die seinen Figuren so leer und sinnlos erscheinende Welt durch die
Art seines Erzählens mit Sinn erfüllen wollte. Er veranstal-
tet ein »Gegenanerzählen« (Heißenbüttel) gegen die von
ihm konstatierte Rätselhaftigkeit und Absurdität der Welt,
indem er vom ersten Satz des Romans an mythische Analogien präsentiert und in »emblematischen Bild- und Kom-
mentar-Sequenzen« erzählt. Insofern kann man Koeppen
konzedieren, daß die Erzählweise von *Tauben im Gras* der
Weltsicht der Figuren adäquat entspricht und ebenso konsequent zum Weltbild des Autors paßt. Andererseits läßt
sich kaum bestreiten, daß die Aufgabe ›geschlossener‹
Erzählstrukturen sich »schlecht mit dem hermeneutischen,

den Sinn jedes Details affirmierenden Gestus existentialisti-
scher Seinsdeutungen« verträgt, »selbst wenn diese sich mit
Gesellschaftskritik und politischem Engagement verbinden«.[25]

25 Altenhofer (Anm. 6) S. 288.

Literaturhinweise

Ausgaben

Wolfgang Koeppen: Tauben im Gras. Roman. Stuttgart/Hamburg: Scherz & Goverts, 1951.
– Drei Romane. (Tauben im Gras. Das Treibhaus. Der Tod in Rom.) Frankfurt a. M.: Suhrkamp, 1972.
– Tauben im Gras. Roman. Frankfurt a. M.: Suhrkamp, 1980. (suhrkamp taschenbuch. 601.)
– Gesammelte Werke in sechs Bänden. Hrsg. von Marcel Reich-Ranicki. Frankfurt a. M.: Suhrkamp, 1986.

Forschungsliteratur

Altenhofer, Norbert: Wolfgang Koeppen: *Tauben im Gras* (1951). In: Deutsche Romane des 20. Jahrhunderts. Neue Interpretationen. Hrsg. von Paul Michael Lützeler. Königstein i. Ts. 1983. S. 284 bis 295.
Bienek, Horst: Gespräch mit Wolfgang Koeppen. In: H. B.: Werkstattgespräche mit Schriftstellern. München 1965. S. 55–67.
Brink, Christl M. K.: Wolfgang Koeppen. Die Stadt als Pandämonium. Diss. São Paulo 1982.
Buchholz, Hartmut: Eine eigene Wahrheit. Über Wolfgang Koeppens Romantrilogie *Tauben im Gras*, *Das Treibhaus* und *Der Tod in Rom*. Frankfurt a. M. und Bern 1982.
Bungter, Georg: Über Wolfgang Koeppens *Tauben im Gras*. In: Zeitschrift für deutsche Philologie 87 (1968) H. 4. S. 535–545. Auch in: Über Wolfgang Koeppen. Hrsg. von Ulrich Greiner. Frankfurt a. M. 1976. S. 186–197.
Erlach, Dietrich: Wolfgang Koeppen als zeitkritischer Erzähler. Uppsala 1973.
Gunn, Richard Landon: Art and Politics in Wolfgang Koeppen's Postwar Trilogy. Bern [u. a.] 1983.
Haberkamm, Klaus: Wolfgang Koeppen. »Bienenstock des Teufels.« Zum naturhaft-mythischen Geschichts- und Gesellschaftsbild in den Nachkriegsromanen. In: Zeitkritische Romane des 20. Jahrhunderts. Hrsg. von Hans Wagener. Stuttgart 1975. S. 241 bis 275.

Heißenbüttel, Helmut: Wolfgang Koeppen-Kommentar. Merkur 22 (1968) H. 3.

Hielscher, Manfred: Zitierte Moderne. Poetische Erfahrungen und Reflexion in Wolfgang Koeppens Nachkriegsromanen und in *Jugend*. Heidelberg 1988.

Über Wolfgang Koeppen. Hrsg. von Ulrich Greiner. Frankfurt a. M. 1976.

Wolfgang Koeppen. Hrsg. von Eckart Oehlenschläger. Frankfurt a. M. 1987.

Love, Ursula: Wolfgang Koeppens Nachkriegstrilogie. Struktur und Erzähltechnik. Diss. Brown University 1974.

Scherpe, Klaus R.: Ideologie im Verhältnis zur Literatur. Versuch einer methodischen Orientierung am Beispiel von Wolfgang Koeppens Roman *Tauben im Gras*. In: Wolfgang Koeppen. Hrsg. von Eckart Oehlenschläger. Frankfurt a. M. 1987. S. 233–257.

Schnell, Ralf: Die Literatur der Bundesrepublik: Autoren, Geschichte, Literaturbetrieb. Stuttgart 1986. [Zu Wolfgang Koeppens Romanen: S. 145–149.]

Treichel, Hans-Ulrich: Fragment ohne Ende. Eine Studie über Wolfgang Koeppen. Heidelberg 1984. [Mit Bibliographie.]

Uske, Bernhard: Geschichte und ästhetisches Verhalten. Das Werk Wolfgang Koeppens. Frankfurt a. M. / Bern 1984.

Alfred Andersch: *Sansibar oder der letzte Grund*

Von Walter Hinderer

Zwischen Politik und Ästhetik

In dem autobiographischen Bericht *Die Kirschen der Freiheit* (1952) steht der programmatische Satz: »Ich antwortete auf den totalen Staat mit der totalen Introversion.«[1] Das klingt nach Apologie oder zumindest nach intellektuellem Rückzugsmanöver. Obwohl Alfred Andersch die Dichotomie von Politik und Ästhetik, von Aktivität und Introversion in seinen literarischen Werken in verschiedenen Variationen thematisiert hat, blieb er nichtsdestoweniger im Sinne Jean-Paul Sartres ein engagierter Schriftsteller. Zu den gegensätzlichen politischen Erfahrungen seiner Münchner Jugend gehörten der kriegsverletzte rechtsradikale Vater, der Mitglied der Thule-Gesellschaft und der NSDAP war, die politischen Vorgänge in der Räterepublik, die eigene politische Aktivität im kommunistischen Jugendverband, dem er seit 1932 angehörte, und die Inhaftierung im KZ Dachau. Doch der Misere der Zeitgeschichte wich Andersch immer wieder aus, wie er später nicht ohne Selbstironie notiert, indem er »in den Park der Literatur und der Ästhetik eintrat«.[2] Zu den prägenden Schlüsselerfahrungen zählte Andersch außerdem seine Desertion am 6. Juni 1944. Er beschrieb sie einige Jahre später als einen »Akt der Freiheit«, »der zwischen der Gefangenschaft, aus der [er] kam, und derjenigen, in die [er] ging, im Niemandsland lag«.[3] Desertion wurde für Andersch »die äußerste Form der Selbstverteidigung«[4] und die andere Ant-

---

1 Alfred Andersch, *Die Kirschen der Freiheit. Ein Bericht*, Hamburg ²1952, S. 48.
2 Ebd., S. 22.
3 Ebd., S. 83.
4 Ebd., S. 109.

wort »auf den totalen Staat«. Gegen Ende der *Kirschen der Freiheit* formuliert er geradezu apodiktisch: »Deserteure sind Leute, die sich selbst in die Wüste schicken«.[5] Die Früchte der Freiheit versteht er deshalb auch als »ciliege diserte«, als »die verlassenen Kirschen, die Deserteurs-Kirschen, die wilden Wüstenkirschen [seiner] Freiheit«.[6] Alfred Andersch flüchtete in die »totale Inversion« nicht nur wegen des »totalen Staats«, sondern auch wegen der Enttäuschung über die Entwicklung der kommunistischen Partei. Weil die »Apparatschiks« seine Ideen von Revolution und Freiheit verdorben hatten, so stellt er im Rückblick fest, »haben sie dem Kampf [seiner] Jugend seinen Sinn genommen und [ihn] in die Introversion getrieben«.[7] Die Fluchtmotive in Anderschs literarischen Arbeiten sind ebenso von den Erfahrungen des Dritten Reiches geprägt wie von der Enttäuschung über die Kommunistische Partei, die eine Zeitlang seine Heimat gewesen war.[8] »Aus dem enttäuschten Kommunisten« wurde in der Tat »ein extremer Individualist«,[9] und er vertauschte schließlich den politischen Widerstand mit dem ästhetischen.[10]

Obwohl Andersch, der Mitbegründer des *Rufs* und der *Gruppe 47*, Leiter des legendären »Abendstudios« im Frankfurter Rundfunk, Herausgeber der Buchreihe *studio frankfurt* und der Zeitschrift *Texte und Zeichen*, eine aktive und zentrale Rolle im literarischen Leben der jungen Bundesrepublik spielte, zog er sich 1958 abrupt von allen öffentlichen

5 Ebd., S. 128.
6 Ebd., S. 130.
7 Ebd., S. 75.
8 Vgl. Marcel Reich-Ranicki, »Alfred Andersch, ein geschlagener Revolutionär«, in: M. R.-R., *Deutsche Literatur in West und Ost*, München 1963, S. 101–119.
9 Ebd., S. 103.
10 Vgl. dazu Michaela Heberling, »Ästhetik und Historie, geschichtliche und literarische Welterfahrung. Über Anderschs *Sansibar oder der letzte Grund* im Vergleich mit Peter Weiss' *Die Ästhetik des Widerstands*«, in: Hans Höller (Hrsg.), *Hinter jedem Wort die Gefahr des Verstummens*, Stuttgart 1988, S. 133–142.

Ämtern zurück und übersiedelte in das Tessiner Bergdorf
Berzona. Im Jahre 1974 fragte Hans Magnus Enzensberger
den Autor, ob er mit der »Negation des Literaturbetriebs«
und dem Verzicht »auf die politische Position« nicht letzten
Endes »für die Kunst« und gegen die Politik optiert habe.[11]
Andersch bezieht sich in seiner Antwort kritisch auf einen
Aufsatz Enzensbergers, in dem dieser von der politischen
Ersatzfunktion der Literatur in der Adenauer-Ära gesprochen und festgestellt hatte: »So wurde Restauration bekämpft, als wäre sie ein literarisches Phänomen, nämlich mit
literarischen Mitteln. Opposition ließ sich abdrängen auf die
Feuilleton-Seiten, Umwälzungen für die Poetik sollten ein-
stehen für die ausgebliebene Revolutionierung der sozialen
Strukturen, künstlerische Avantgarde die politische Regres-
sion kaschieren.«[12] An diesem Punkt zeigt sich deutlich der
Unterschied zwischen Anderschs und Enzensbergers Positionen. Während Enzensberger ähnlich wie Adorno die
grundsätzliche Unvereinbarkeit von Politik und Literatur
behauptet und Poesie und Politik als zwei verschiedene Sach-
gebiete definiert,[13] beharrt Andersch auch nach seinen verschiedenen Desertionen auf einer Verbindung von Literatur
und Politik. Die »Emigration in die Gefilde der Literatur«[14]
bedeutete für ihn keineswegs einen Rückzug aus dem politischen ins literarische Sachgebiet, eine Fortsetzung des traditionellen deutschen Syndroms der Dichotomie von Geist
und Macht, Kultur und Politik, wie sie Thomas Mann als
repräsentativ für die zwanziger Jahre beschrieben hatte[15]. Im
Gegenteil: er erhoffte von seiner literarischen Arbeit eine tie-
fere politische Wirkung, als es ihm in der Kulturindustrie

11 In: *Über Alfred Andersch*, hrsg. von Gerd Haffmans, Zürich ³1987,
S. 208.
12 Ebd., S. 204.
13 Hans Magnus Enzensberger, »Poesie und Politik«, in: H. M. E., *Einzelheiten 2*, Frankfurt a. M. 1963, S. 113–132.
14 Heinz Friedrich, *Aufräumearbeiten*, München 1987, S. 201.
15 Thomas Mann, »Kultur und Sozialismus«, in: Th. M.: *Politische Schriften und Reden*, Bd. 2, Frankfurt a. M. 1968, S. 165–173.

möglich gewesen war. In seinem Hörspiel *Die Nacht der Giraffe* setzte er sich außerdem mit »dem grundlegenden Unterschied zwischen *Literatur als Presse* und Literatur als Kunst«[16] auseinander und meldete seine Zweifel an, was den Einfluß der Publizistik auf die politischen und gesellschaftlichen Zustände der Bundesrepublik betraf. »Die Literatur als Presse«, so argumentiert Andersch hier, »hat eine gewisse Berechtigung, solange sich die Mächte im Gleichgewicht befinden. [. . .] Aber wenn die Politik in den Raum der reinen Macht tritt, ist es aus damit. Dann ist die Presse und ihre Literatur nur noch eine Fußnote zu den Prämissen der Macht.«[17]

Diese Einsicht in die Funktionslosigkeit seiner öffentlichen Arbeit im Kontext der politischen Restauration der fünfziger Jahre war sicher ein Hauptmotiv von Alfred Anderschs Desertion, die er allerdings wiederum als einen Akt der Befreiung verstand. Wenn Peter Demetz dem Schriftsteller Andersch »den Intellektuellen der europäischen liberalen Tradition links der Mitte«[18] zuordnet, so wäre zu ergänzen, daß er früh nach der von Thomas Mann empfohlenen Synthese von Marx und Hölderlin strebte und eine merkwürdige Zwischenstellung zwischen der ästhetischen Autonomie, wie sie Rilke praktizierte, und einer »Littérature engagée«, wie sie sein Vorbild Jean-Paul Sartre propagierte, einnahm. Für Andersch wird die »rücksichtslose Autonomie der Werke«, die sich der Vereinnahmung durch den Markt entzieht, einerseits »unwillkürlich zum Angriff« und führt »die Distanzierung der Werke von der empirischen Realität« zu einer gesellschaftlich-politischen Aussage,[19] andererseits versteht er mit seinem Vorbild Jean-Paul Sartre den Prosaschriftstel-

16 Zit. nach: Bernhard Jendricke, *Alfred Andersch*, Reinbek bei Hamburg 1988, S. 79.
17 Ebd.
18 Peter Demetz, *Die süße Anarchie*, Frankfurt a. M. / Berlin 1970, S. 212.
19 Wie es Theodor W. Adorno in *Engagement* ausdrückt (zit. nach: Peter Stein, Hrsg., *Theorie der Politischen Dichtung*, München 1973, S. 135 bis 140).

ler als einen Menschen, »der eine gewisse Art zweitrangigen Handelns gewählt hat, das man ein Handeln durch Enthüllen nennen könnte«.[20] Das Enthüllen bedeutet hier auch »Veränderung«, ein Begriff, der gerade für Anderschs ersten Roman *Sansibar oder der letzte Grund* (1957) von besonderer Bedeutung ist. »Mit Hilfe der Literatur« will Andersch außerdem ähnlich wie Sartre »zur Reflexion und zum Nachdenken«[21] über die eigene Situation anregen. »Der Mensch ist, wozu er sich macht«,[22] dieser erste Grundsatz des Existentialismus spielt auch bei Andersch eine signifikante Rolle. Wenn aus dem Primat der Existenz die Eigenverantwortung des Menschen abgeleitet wird, so bedeutet das nicht Rückzug auf einen unverbindlichen Individualismus, sondern eben die Verantwortlichkeit »für alle Menschen«.

Der programmatische Essay *Die Blindheit des Kunstwerks* (1956) signalisiert mit der Widmung und durch die Argumentation nichtsdestoweniger einen wachsenden Einfluß der ästhetischen Theorie von Theodor W. Adorno. »Die Abstraktion«, so formuliert Andersch hier beispielsweise, »ist die instinktive oder bewußte Reaktion der Kunst auf die Entartung der Idee zur Ideologie«.[23] Entideologisierung und Ideologieverdacht sind nicht nur ungefähr auch zentrale Themen in *Sansibar oder der letzte Grund*. Gregor, der enttäuschte Kommunist, erfährt hier, was in dem Essay begrifflich ausgedrückt ist: »daß die großen humanen und religiösen Ideen von den jeweils herrschenden Mächten zu Ideologien umgeformt wurden« und daß »an die Stelle hoher Leitbilder, auf die der Mensch individuell und in Freiheit antworten konnte, die ideologische Gebrauchsanweisung trat, die den

20 So Jean-Paul Sartre in *Littérature engagée* (zit. nach: Stein, Anm. 19, S. 117).
21 Ebd., S. 121.
22 Jean-Paul Sartre, »Ist der Existentialismus ein Humanismus?«, in: J.-P. S., *Drei Essays*, Berlin 1960, S. 11.
23 Alfred Andersch, *Die Blindheit des Kunstwerks und andere Aufsätze*, Frankfurt a. M. 1965, S. 26.

Menschen total umgriff«.[24] Abstrakte Kunst verwirklichte deshalb auch »ein Stück persönlicher Freiheit«. Andersch versteht sie allerdings nicht als »Kunst ohne Inhalt«, sondern als »Kunst des Aufstands gegen den zur Ideologie degradierten Inhalt in der Weise des Sich-Entziehens«. Einerseits sieht er darin ähnlich wie Adorno die gesellschaftskritische Funktion von Kunst, andererseits weist er auf die Gefahr hin, wenn abstrakte Kunst ins Dekorative abgleitet. Autonomie von Kunst, ein »Für-sich-Sein einer Welt der Kunst«[25] kann es deshalb für Andersch nicht geben, weil sich seiner Ansicht nach auch abstrakte Kunst auf den »Begriff der Wahrheit« beziehen und Freiheit produzieren soll. Er lehnt jede formalistische Dogmatik ab und veranschaulicht seine Auffassung folgendermaßen: »Aber Bilder und Gedichte sind keine Ammoniten. Sie sind lebendig. Unter dem Kleid der Form bewegen sie sich. Jedes vollkommene Kunstwerk ist ein gelungener Ausbruch aus der Blindheit der reinen, sich selbst genügenden Form.«[26]

Zum Kontext des Romans

Auf der einen Seite ist also Literatur für Alfred Andersch »Arbeit an den Fragen der Epoche, auch wenn sie dabei die Epoche transzendiert«,[27] auf der anderen bleibt für ihn »die Kunst der Abstraktion weiter aktuell«, weil nach wie vor »die Gefahr des Rückfalls in ein totalitäres Gesellschaftssystem«[28] bestehe. Mit anderen Worten: er scheint es für möglich und notwendig zu halten, mit ästhetischen Mitteln des Disengagements engagierte Literatur herzustellen. Was am Schreibtisch entsteht, soll weiter »im Zweifel der dialektischen Spannung von Inhalt zu Form«[29] bleiben. Das be-

24 Ebd.
25 Ebd., S. 27, 30.
26 Ebd., S. 32 f.
27 Ebd., S. 33.
28 Ebd., S. 27.
29 Ebd., S. 33.

schreibt auch den Ausgangspunkt seines ersten Romans, in
dem er im Gegensatz zu seinem autobiographischen Bericht
Die Kirschen der Freiheit objektive Korrelate sowohl für
seine eigenen Erfahrungen zu finden versucht als auch für das
schwierige Projekt einer »Aufarbeitung der Vergangenheit«.[30] Der Roman ist methodisch konstruiert[31] und abstra-
hiert die zeitgeschichtliche Situation des deutschen Faschismus im Jahre 1937 dergestalt, daß Kritiker von einer Fabel
oder Parabel gesprochen haben.[32] Der Nationalsozialismus
wird in *Sansibar*, so sieht es Marcel Reich-Ranicki, »nicht als
konkreter politischer Faktor behandelt, sondern fungiert als
anonyme Macht der totalen Bedrohung des Menschen, als
Sinnbild der Tyrannei«.[33] Nicht von ungefähr reagierte die
Kritik mit einer überwiegend ästhetischen und nicht politischen Rezeption. Man sprach von einem »gelungenen« und
gar »großen Kunstwerk«,[34] spielte seine poetische Welt gegen
die Lehrstücke Brechts aus und bescheinigte dem Roman
»Schönheit« und »Überzeitlichkeit«.[35] Nur Kay Hoff stellte
die Frage, ob »die ›schöne‹ Wirklichkeit« nicht »das Grauen
des Dargestellten gleichsam aufgesaugt« habe, und kommt
zu dem bedenkenswerten Schluß, daß *Sansibar* »zu einer sti-
listisch untadeligen hohen Schule des Vergessens« geworden
sei.[36] Das würde freilich bedeuten, daß der ästhetische Wider-

---

30 Vgl. Theodor W. Adorno, »Was bedeutet. Aufarbeitung der Vergan-
    genheit?«, in: Th. W. A., *Erziehung zur Mündigkeit*, Frankfurt a. M.
    1970, S. 10–29.

31 Volker Wehdeking (*Alfred Andersch*, Stuttgart 1983, S. 77) spricht von
    dem »Eindruck hermetischer Konstruktion«, und Ursula Reinhold
    (*Alfred Andersch. Politisches Engagement und literarische Wirksam-
    keit*, Berlin 1988, S. 130) vom »Charakter einer Versuchsanordnung,
    eines ästhetischen Modells«.

32 Vgl. Rolf Geißler, »Alfred Andersch. Sansibar oder der letzte Grund«,
    in: R. G. (Hrsg.), *Möglichkeiten des modernen deutschen Romans*,
    Frankfurt a. M. / Berlin / Bonn 1962, S. 215–231 (S. 215 f.). Siehe auch
    Erhard Schütz, *Alfred Andersch*, München 1980, S. 45.

33 Reich-Ranicki (Anm. 8) S. 107.

34 Vgl. Schütz (Anm. 32) S. 44–46.

35 Ebd., S. 45.

36 Ebd.

stand, den Andersch mit der privaten Aktion seiner drei Hauptfiguren (Gregor, Knudsen, Helander) im Roman inszeniert, eine Selbsttäuschung ohne politische oder moralische Folgen darstellt. Wenn *Sansibar* auch gesellschaftskritische Komponenten oder politische Kategorien fehlen, so findet man hier immerhin einen »strengen Moralismus«. Christoph Burgauner bezeichnet Alfred Andersch 1965 als den »eindeutigsten Moralisten der deutschen Nachkriegsliteratur«.[37] Neben der »einfachen, szenisch-dramatischen Struktur des Romans«[38] scheint der moralische Aspekt[39] auch der Grund gewesen zu sein, daß *Sansibar* bald zum beliebten Paradigma schulddidaktischer Analysen wurde. Von den Rezensenten wiesen nur Helmut Heißenbüttel und vor allem Arno Schmidt auf die Parallelen von 1937 und 1957 hin. Schmidt verstand außerdem seine Rezension in *Die andere Zeitung* (24. Oktober 1957) als eine Art Korrektur von Walter Muschgs wohlmeinender Kritik, in der unter anderem von der »in Schönheit aufgelösten Trauer eines mit der heutigen Welt vertrauten noblen Geistes«[40] die Rede war. Schmidt konfrontiert die Zeit, in der der Roman spielt, mit der Zeit, in der der Roman geschrieben, publiziert und rezipiert wurde. Nicht ohne Herausforderung stellt er für den Kontext der Restaurationsepoche fest: »auch bei uns ist wieder die KPD verboten. Auch bei uns werden schon wieder jüdische Friedhöfe geschändet. Auch bei uns geht allenthalben wieder ›Uniformiertes Fleisch‹ um. Auch ›uns‹ gilt – man sei doch ehrlich – Barlach oder Expressionismus längst wieder als ›entartete Kunst‹!«[41]

37 Christoph Burgauners Nachwort »Zur Romankunst Alfred Anderschs«, in: Alfred Andersch, *Bericht. Roman. Erzählungen*, Olten / Freiburg i. Br. 1965, S. 419–445 (S. 436).
38 So Albrecht Weber in: A. W. (Hrsg.), *Ein Roman in der Hauptschule*, München 1974, S. 123.
39 Vgl. Paul Riegel, »Alfred Andersch: Sansibar oder der letzte Grund«, in: *Blätter für den Deutschlehrer* 4 (1962) H. 2, S. 34.
40 Siehe: *Über Alfred Andersch* (Anm. 11) S. 91.
41 Ebd., S. 90.

So wie Peter Weiss in den sechziger Jahren mit dem *Marat/
Sade* sein Revolutionsthema in die Reaktionszeit der Napo-
leonära verlegt und dadurch deutliche Beziehungen zur zeitgeschichtlichen Situation der Gegenwart herstellt, erscheint
auch in *Sansibar* die Vergangenheit als Herausforderung der
eigenen Zeit. In einem Brief an Arno Schmidt schrieb
Andersch am 4. Juli 1958, auf Gregor in *Sansibar* anspielend:
»jetzt ist tabula rasa, ›alles muß neu geprüft werden‹ (Gregor), aber komischerweise bin ich fast froh darüber und finde
den platz zwischen den stühlen sehr bequem.«[42] So bequem
kann Andersch diesen Platz allerdings nicht gefunden haben,
sonst hätte er nicht schließlich alle Ämter niedergelegt und
wäre nach Berzona in die Schweiz »geflüchtet«.[43] Überdies
hatte er in einem früheren Brief an Arno Schmidt (am
29. Dezember 1956) nicht nur von einer »neuen Desertion«,
an der er arbeite, sondern auch von seiner Einstellung gegenüber seiner problematischen Umwelt gesprochen. Ich »will
nicht mehr lange in einem Land und unter einer Bevölkerung
leben«, so kündigt er hier schon an, »in der und unter der sich
keine öffentliche Stimme erhebt [. . .]. Ich habe für Deutschland nur noch Verachtung und Haß übrig und ich hoffe, daß
es mir in diesem Leben gelingt, einmal nichts mehr mit den
Deutschen zu tun zu haben müssen. Es ist schon schlimm
genug, daß man gezwungen ist, in ihrer Sprache schreiben zu
müssen.«[44]
Bernhard Jendricke hat deshalb *Sansibar* als »eine Parabel auf
die Verhältnisse im Adenauer-Staat«[45] gelesen. Die Ästhetik
des Widerstands bestand aber nicht in einer zeitkritischen
Darstellung der Vergangenheit (1937) oder Gegenwart
(1957), sondern vielmehr in einem prozessualen Appell, der

42 Bernd Rauschenbach (Hrsg.), *Arno Schmidt: Der Briefwechsel mit
   Alfred Andersch*, Zürich 1985, S. 179.
43 Vgl. dazu Jendricke (Anm. 16) S. 77 f.
44 Rauschenbach (Anm. 42) S. 109.
45 Jendricke (Anm. 16) S. 85; vgl. dort auch S. 77–84; sowie Reinhold
   (Anm. 31) S. 125, 130.

aus den verschiedenen Bewußtseins- und Erfahrungsproto-
kollen der fiktionalisierten Personen entstand. Man kann
diesen Appell moralisch nennen, aber er zielt im existentiali-
stisch-idealistischen Sinne auf die Selbstverwirklichung und
Selbstverantwortung des Menschen jenseits aller ideologischen Bestimmungen. Es ist die Applikation jenes »zweitrangigen Handelns«, von dem Jean-Paul Sartre gesprochen hat,
»eines Handelns durch Enthüllen«.[46] Mit ihm sollte die Dialektik von Ästhetik und Engagement, die Spannung zwischen den Gegensätzen, ihre moderne Zündkraft finden.[47]
Wie er in dem Essay über Vittorini näher ausführt, kann man
nach Andersch durchaus »zugleich ein ausgekochter Ästhet
und ein Schriftsteller des Engagements sein«.[48]

Der Text der Geschichte

Im Mittelpunkt des Romans stehen fünf Personen, der Junge,
der Kommunist Gregor, der Fischer Knudsen, der Pfarrer
Helander, die Jüdin Judith, und ein Kunstwerk: Ernst Barlachs »Lesender Klosterschüler«. Die Skulptur löst nicht nur
bei diesen Personen entscheidende Veränderungen aus, sondern sie vereint sie auch zu einer privaten Aktion. Für eine
kurze Zeit »verschwindet [. . .] die Kluft zwischen Kommunisten und Pfarrer, zwischen Christ und Jüdin [. . .], zwischen Proletarier und Bürgerlichem, zwischen alt und
jung«.[49] Angesichts der gemeinsamen Handlung gegen den
totalitären faschistischen Staat verlieren die Klassenunter-
schiede und die verschiedenen ideologischen Prägeformen
ihre Bedeutung. Paradoxerweise entspricht das genau der
»neuen Taktik der Partei«. »Wir arbeiten jetzt mit allen
zusammen«, verkündet Gregor dem enttäuschten Kommu-

46 Sartre (Anm. 30) S. 117.
47 Andersch (Anm. 23) S. 78 f.
48 Ebd., S. 83.
49 Geißler (Anm. 32) S. 219.

nisten Knudsen, »mit der Kirche, mit den Bürgern, sogar mit
den Leuten von der Armee« (57)[50]. Der Parteiauftrag, als den
Gregor gegenüber Knudsen die private Aktion ausgibt, verliert aber nichtsdestoweniger seine ideologische Intention: er
wird in eine spontane menschliche Handlung verwandelt.
Dabei markiert der Text von Anfang an die Unterschiede der
an dieser Handlung beteiligten Personen. Verachtet der
Junge generell die ideenlosen Erwachsenen und nimmt sich
vor, einmal »anders [zu] sein« und »anders zu werden« als
sie (33), so scheinen diese von ihren jeweiligen Interessen,
Meinungen und von ihrem Mißtrauen gegeneinander bestimmt zu sein, so daß die Dialoge oft zu Monologen miß-
raten. Die durchaus konventionelle auktoriale Erzählhaltung
wird insofern differenziert, als Andersch einen dauernden
Perspektivenwechsel vornimmt und Realität im Text immer
als eine von den jeweiligen Figuren verschieden erfahrene
und segmentierte Wirklichkeit darstellt. Trotz der Stilisie-
rung nach dem Modell eines klassizistischen Dramas und
den drei Einheiten von Ort, Zeit und Handlung werden die
vorgestellten Perspektiven, Wahrnehmungen und Ansichten
weder idealisiert noch kritisch beurteilt, sondern kommen-
tarlos aufeinander bezogen. Die auktoriale Erzählhaltung
steht gewissermaßen im Dienst der personalen Perspektivie-
rung, welche subjektive Wirklichkeitserfahrungen gegeneinander stellt, die nur im Sinnzusammenhang der privaten
Aktion aufgehoben zu sein scheinen. Es erfolgt ein häufiger
Wechsel von der erlebten Rede mit dem etwas altmodischen
Perspektivensignal »dachte er« zur direkten Rede, von der
auktorialen zur personalen Erzählhaltung, von der Außen-
in die Innenperspektive.[51] In einem solchen Text »durch-

---

50 Mit Seitenangaben in runden Klammern wird der Roman hier und im
folgenden nach der Taschenbuchausgabe zitiert: Alfred Andersch, *Sansibar oder der letzte Grund*, Zürich [1972, u. ö.] (detebe 20055).
51 Vgl. dazu die relevanten Beobachtungen von Käte Hamburger,
»Erzählformen des modernen Romans«, in: *Der Deutschunterricht* 11
(1959) H. 4, S. 5–23 (bes. S. 10–14).

schneiden sich die Sehweise des Betrachters und die Seins-
weisen des Betrachteten«.[52] Was dabei an »objektiver Eindeutigkeit« eingebüßt wird, das gewinnt diese Darstellungsweise »an differenzierter Erfahrbarkeit«.[53]

Daß die im Roman vorgestellten Figuren Einzelgänger sind,
macht schon die Segmentierung in 37 Abschnitte deutlich, in
denen die Abschnitte des Jungen mit allen anderen ständig
alterieren. Die Personen werden der Reihe nach vorgestellt,
bis Andersch nach dem 12. Segment die monologische Darstellungsweise um dialogische (Helander/Knudsen, Knud-
sen/Gregor, Judith/Gregor) und tetralogische (Helander/
Knudsen/Gregor, Judith/Gregor/Knudsen, Judith/Gregor/
Helander) Konfigurationen und Kontrastierungen erweitert.
Das bedeutet freilich nicht, daß die subjektive Wirklichkeits-
erfahrung in irgendeiner Weise aufgehoben ist. Vielmehr
werden die in den Segmenten angedeuteten Oppositionen
und Dichotomien, die im Roman indirekt aufeinander bezogen werden, nun einander direkt gegenübergestellt. Schritt
für Schritt knüpft der Erzähler auf diese Weise »ein Netz von
Beziehungen«, das schließlich zur privaten Aktion führt.
Diese wiederum steht und fällt mit der Hilfsbereitschaft des
Fischers Knudsen, der allein das »Netz auswerfen konnte«,
wie Gregor sofort erkennt (67). Andererseits wird die Hilfs-
aktion erst durch die Hilfesuchenden oder Hilfsbedürftigen
motiviert: durch die von den Nazis bedrohte Jüdin und das
Kunstwerk, das die Partei aus ideologischen Gründen kon-
fiszieren will. Die ästhetische Erfahrung ist es auch, die vor
allem bei Gregor zu einer »Wiederinbesitznahme der Totalität des Seins« im Sinne Sartres führt, der nicht von ungefähr
den »Endzweck der Kunst« in *Was ist Literatur?* dergestalt
bestimmt hat: »diese Welt wieder in Besitz zu nehmen,
indem man sie so zeigt, wie sie ist, aber als wenn sie ihren

52 Wolfgang Binder, *Das Bild des Menschen in der modernen deutschen
   Literatur*, Zürich 1969, S. 7.
53 Ebd., S. 8.

Ursprung in der menschlichen Freiheit hätte«.[54] Die Figur
Barlachs wird, wie schon Irene Heidelberger-Leonard beobachtet, »zum Auslöser ... einer politischen Bewußtwerdung,
einer ›prise de conscience‹, im Sinne Sartres«.[55] Nicht nur
ist Barlachs »Lesender Klosterschüler« aus dem Jahre 1930
ein »Gebrauchsgegenstand«, der nach Auskunft Helanders
»gebraucht« wird, und zwar in seiner Kirche (29), sondern er
lehrt auch, um hier Bertolt Brecht zu zitieren, die »Kunst der
Betrachtung«.[56]

Brecht hielt Barlach trotz kritischer Einwände für den größten deutschen Bildhauer und rühmte an seinen »schönsten
Plastiken« vor allem die Art und Weise, mit der er die
menschliche Substanz, das gesellschaftliche Potential »herr-
lich über Entrechtung und Erniedrigung triumphieren«
läßt.[57] Wie schon in Alfred Anderschs Kurzgeschichte *Fräu-
lein Christine* wird Barlachs Kunst zu einer Art morali-
schem Prüfstein, aber im Roman erweitert sich die Funktion
der exakt beschriebenen Skulptur (42) je nach der subjektiv
erfahrenen Wirklichkeit und den individuellen Bedürfnissen
der Personen. Gregor parallelisiert die Figur mit dem
»Gesicht der Jugend, die ausgewählt ist, die Texte zu lesen,
auf die es ankommt« (43), also mit seiner eigenen Erfahrung
in der Lenin-Akademie. Ähnlich wie der Klosterschüler
waren Gregor und seine Mitschüler dem Studium klassi-
scher Texte hingegeben, einer ideologischen Lehre; doch bei
näherer Betrachtung bemerkt Gregor »auf einmal, daß der
junge Mann ganz anders war« (43). Der Klosterschüler ist
eben nicht ein willfähriges Produkt einer Religion, sondern

54 Vgl. dazu auch Alfons Bühlmann, *In der Faszination der Freiheit. Eine
    Untersuchung zur Struktur der Grundthematik im Werk von Alfred
    Andersch*, Berlin 1973, S. 99.
55 Irene Heidelberger-Leonard, *Alfred Andersch: Die ästhetische Position
    als politisches Gewissen*, Frankfurt a. M. 1986, S. 34.
56 In: Bertolt Brecht, *Gesammelte Werke in 20 Bänden*, Bd. 18: *Schriften
    zur Literatur und Kunst 1*, Frankfurt a. M. 1967, S. 273, 275.
57 In: Bertolt Brecht, *Gesammelte Werke in 20 Bänden*, Bd. 19: *Schriften
    zur Literatur und Kunst 2*, Frankfurt a. M. 1967, S. 511.

er zeichnet sich durch »aufmerksames«, »genaues«, »höchst konzentriertes« und »kritisches« Lesen aus, eine Dimension, die den Lenin-Akademie-Studenten eben fehlte. Die Figur demonstriert jene Freiheit und Unabhängigkeit, so sieht es wenigstens Gregor, die er nicht besaß, und er faßt seine Einsicht über den »Klosterschüler« dergestalt zusammen: »Er sieht aus wie einer, der jederzeit das Buch zuklappen kann und aufstehen, um etwas ganz anderes zu tun« (43).

Durch Barlachs »Lesenden Klosterschüler« wird gewissermaßen auch die richtige, das heißt kritische Lektüre von Texten thematisiert. Der Text soll eben nicht zum Subjekt der Erfahrung und Wirklichkeit werden, sondern Objekt eines verantwortlichen kritischen Bewußtseins bleiben. So wie der Junge an einem bestimmten Punkt der Geschichte wegen der Diskrepanz zwischen realer und fiktiver Welt an der Wahrheit oder Stimmigkeit seiner Bücher zweifelt (81 f.), wird Gregor durch die »Kunst der Betrachtung« des Kunstwerks zur kritischen Befreiung vom vorgeschriebenen Text seines Denkens und Handelns zur individuellen Befreiung angeleitet. Gregor weiß sich dank der Figur denen zugehörig, »die sich verschworen hatten, niemandem mehr zu gehören« (116). Diese Isolation und »Überlegenheit des Abstands« (121) ist mit Liebesverzicht erkauft. »Illegalität und Liebe schließen sich aus«, kommentiert Gregor durchaus defensiv, »Kuriere sind Mönche« (113). Andererseits hatte er durchaus das Gefühl, »etwas versäumt« und »falsch gedacht« zu haben, als er sich der Liebe entzog. Er wollte, so begründet es Gregor abschließend, allein sein »wie dieser Bursche aus Holz« (137). Selbstverständlich steckt in Gregors »Kunst der Betrachtung« eine dialektische Beziehung, die nicht nur Einsichten aus der Meditation des Kunstobjekts zieht, sondern auch eigene Erfahrungen und Vorstellungen hineinprojiziert. Nichtsdestoweniger wird Barlachs »Lesender Klosterschüler« für den Deserteur Gregor sowohl zur ästhetisch-existentiellen

Schlüsselerfahrung einer Befreiung als auch zum entscheidenden Agens[58] freien Handelns.

Knudsen, der widerwillige Komplize, hat kurze Zeit den Plan, die Figur in der Ostsee zu versenken (134), aber er setzt dann doch sein Leben und sein Boot für Judith und den »Heiligen aus der Kirche aufs Spiel«, obwohl aus seiner Sicht diese Aktion »mit der Partei gar nichts zu tun hat«, vielmehr eine individuelle Handlung darstellt, »die sich ein Deserteur ausgedacht hat, eine ganz private Sache« (138). In Wirklichkeit freilich ist die Aktion »Flucht und Revolte«[59] zugleich. Der desertierende Gregor entzieht sich eben nicht durch Flucht der menschlichen Verantwortung, sondern befreit sich mit ihr nur von jeder ideologischen Fremdbestimmung. Seine »Revolte«, die er mit der Aktion einleitet, richtet sich ebenso gegen die »Anderen« wie gegen die eigene Partei. »Die Kunst und der Kampf des Menschen gegen das Schicksal«, so hieß es schon in den *Kirschen der Freiheit*, »vollziehen sich in Akten der absoluten, verantwortungslosen, Gott und dem Nichts sich anheimgebenden Freiheit«.[60]

In *Sansibar* hat Andersch noch gezielter als in seinem autobiographischen Bericht Kunst und Ästhetik als wirksame Freiheitsakte beschrieben, als Enthüllungsprozesse der Wirklichkeit und Revolte »gegen den Terror der Ideologie«.[61] Obwohl Andersch noch in *Kirschen der Freiheit* die »Aufgabe des Schriftstellers« in der »Deskription« sieht,[62] weil mit ihr die Welt verändert werden könne, stellt er später kritisch der Beschreibungsliteratur das positive Modell des italienischen Neorealismus gegenüber, der nach Andersch eben nicht wie der »nouveau roman« auf Engagement und Humanismus verzichtet.[63] Die Erzähltechnik, die Andersch

58 Vgl. Heidelberger-Leonard (Anm. 55) S. 29.
59 Siehe Bühlmann (Anm. 54) S. 38.
60 Andersch (Anm. 1) S. 127.
61 Vgl. dazu das Kapitel »Die kalte artistische Aktion« bei Bühlmann (Anm. 54), S. 37–43 (S. 40).
62 Andersch (Anm. 1) S. 90.
63 Vgl. Bühlmann (Anm. 54) S. 118.

in *Sansibar oder der letzte Grund* verwendet, wurde früh als dramatisch, szenisch oder auch filmisch interpretiert.[64] Es läßt sich auch die Definition von der »fotografischen Technik«, die Andersch im Zusammenhang mit Wolfgang Koeppens Schreibweise entwickelte,[65] bis zu einem gewissen Grad auf seine eigene Darstellungsweise anwenden. Ob man allerdings deswegen »Anderschs Verhältnis zur äußeren Realität [...] im Grunde ein filmisches«[66] nennen kann, scheint zumindest im Hinblick auf seinen Roman *Sansibar* zweifelhaft zu sein. Das »Prinzip der parallelen Figurenführung«, von der der Autor einmal spricht,[67] ist keineswegs auf die ästhetische Technik des Films beschränkt. Sie wurde ebenso im Hörspiel praktiziert, der akustischen Lieblingsgattung der fünfziger Jahre, in der sich viele Autoren wie Andersch, Eich und Ingeborg Bachmann mit Erfolg versucht haben.

In dem bemerkenswerten Essay *Das Kino der Autoren* (1961) propagierte Andersch die Geburt des Films aus dem Geiste der Literatur,[68] die Literarisierung des Films, aber in anderen Arbeiten auch die Erneuerung des Erkenntnisprozesses in der Literatur durch neue Techniken. Im Zusammenhang mit Alain Resnais spricht Andersch gar von einer »möglichen Verschmelzung von Fotografie und Dichtung, Film und Literatur« und nennt den Film *Hiroshima mon amour* als Beispiel für die »gesuchte Synthese aus Dokument und dichterischer Analyse«.[69] Mit dem Hörspiel *Russisches Roulette* (1961) hatte er selbst einen bewußten Versuch unternommen, die Gattungen »Film, Hörspiel und Erzählung« miteinander zu verbinden.[70] So wie Realität im Roman

64 So z. B. Geißler (Anm. 32) S. 222; Bühlmann (Anm. 54) S. 129–138.
65 Zit. nach: Bühlmann (Anm. 54) S. 129.
66 Ebd., S. 134.
67 Horst Bienek, *Werkstattgespräche mit Schriftstellern*, München 1962, S. 137 ff.
68 In: Andersch (Anm. 23) S. 98–121 (S. 109).
69 Ebd., S. 91.
70 Zit. bei Bühlmann (Anm. 54) S. 137.

primär sprachliche Realität ist, baut sich auch das Hörspiel
aus Sprache auf, die allerdings akustisch erfahren oder rezipiert wird. Der »akustische Hör- und Phantasieraum« ist
jedoch von dem Vorstellungsraum, den die Lektüre vermittelt, nur um Nuancen verschieden. Auch dem Roman *Sansibar* geht es wie dem Hörspiel nicht um die »Reproduktion
von realer Erfahrungswirklichkeit [. . .], sondern um die Vermittlung von inneren Vorgängen [. . .], die weit über die
Grenzen des empirischen Räumlichen und Zeitlichen wie des
Individuell-Historischen hinaus geweitet werden können«.[71]
Einige auffällige Merkmale von Alfred Anderschs Roman
Sansibar lassen sich eher auf Einflüsse der ästhetischen Technik des Hörspiels als auf die von Drama, Film oder Photographie zurückführen. Denn die einprägsame Fabel, geradli-
nige Handlung, die kurzen Szenen in schneller Abfolge,
Abstraktion von Raum und Zeit, »die Verwandlung des Individuellen in das Typische, von historischen oder aktuellen Vorgängen in das Symbolhaft-Allgemeine«, der »Kam-
merton« sind ebenso Elemente des Hörspiels[72] wie von
Anderschs Roman. Nicht von ungefähr ist in *Sansibar* nir-
gends von den Nazis, nur allgemein von den Anderen die
Rede, sind bei aller individuellen Differenzierung die
Romanpersonen typisiert und stilisiert. Auch der Wechsel
von erlebter, indirekter und direkter Rede findet sich hier wie
im Hörspiel. Außerdem sind die Segmente des Romans
gewissermaßen nach Sprachräumen getrennt. Die erzählten
Vorgänge beschränken sich auf »einen späten Oktobertag
1937 von 14.30 Uhr bis zum Morgengrauen des folgenden
Tages [. . .] oder bis zum Nachmittag des folgenden Tages«[73]
und spielen, sieht man von der nächtlichen Fahrt Knudsens,
der Jüdin und des Jungen nach Schweden ab, in dem einsamen Badeort Rerik an der Ostsee.

71 Fritz Martini, »Hörspiel«, in: *Reallexikon der deutschen Literaturgeschichte*, Bd. 1, Berlin ²1958, S. 684 f.
72 Ebd.
73 Geißler (Anm. 32) S. 218.

Die Innenperspektiven der Personen

Die Teilnehmer an der Aktion werden meist aus der subjektiven Perspektive der fiktionalisierten Personen, also aus einer personalen Erzählsituation beschrieben. Knudsen sieht den Pfarrer Helander als einen »großen schlanken Mann mit einem heftigen, geröteten Gesicht, mit einem schmalen schwarzen Bart über dem Mund, einem schwarzen Bart, in den sich graue Fäden mischten, mit den blitzenden Gläsern einer randlosen Brille vor den Augen« (27). Man kann in der Beschreibung eine Ähnlichkeit mit der Skizze von Anderschs Vater in *Kirschen der Freiheit* notieren.[74] Entscheidender scheint mir an dem zitierten Beispiel jedoch die Tendenz zur Abstraktion und Typisierung zu sein, wie sie eben für das Hörspiel der fünfziger Jahre charakteristisch ist, dessen »Innerlichkeitsdramaturgie« dann nicht von ungefähr in den sechziger Jahren einer Kritik unterzogen wurde.[75] Judith nimmt das Gesicht des Wirts als »weiß und fett, aber nicht nur fett, sondern auch felsig« wahr und beobachtet: »Ein weißer Block, mit einer Gelatine von Fett überzogen« (36). Die recht unspezifischen Angaben signalisieren kein differenziertes äußeres Erscheinungsbild oder eine realistische Wahrnehmung, sondern höchstens die bedrohliche Situation des wahrnehmenden Subjekts. Auch Knudsens Wahrnehmung beschränkt sich im Hinblick auf Gregor auf abstrakte Kennzeichen, die angeblich von der Partei schon avisiert worden waren: »grauer Anzug, jung, glatte schwarze Haare, ein bißchen unter mittelgroß, Fahrradklammern an den Hosen« (45).

---

74 Vgl. dazu Livia Z. Wittmann, *Alfred Andersch*, Stuttgart [u. a.] 1971, S. 42 f.

75 Für den Zusammenhang siehe auch Johann M. Kamps, »Aspekte des Hörspiels«, in: Thomas Koebner (Hrsg.), *Tendenzen der deutschen Gegenwartsliteratur*, Stuttgart ²1984, S. 372; ebenso Burghard Dedner, »Das Hörspiel der fünfziger Jahre und die Entwicklung des Sprechspiels seit 1965«, in: Manfred Durzak (Hrsg.), *Die deutsche Literatur der Gegenwart*, Stuttgart 1971, S. 145.

Problematisch wird diese Technik des Beschreibungssteno-
gramms allerdings, wenn angebliche Kennzeichen der von
den »Anderen« verfolgten ethnischen Gruppe markiert werden. Gregor, so heißt es im Roman, erkannte Judiths Gesicht
sofort als »ein besonders schönes Exemplar« eines »jungen
jüdischen« Gesichts (59). Zwar erhält man keine genauen
Angaben über dieses charakteristische Gesicht, aber schon
die Behauptung Gregors, daß er die Merkmale eines jüdischen Gesichts sofort erkennen kann, rückt ihn paradoxerweise in die Nähe jener Ideologie, die er bekämpft. Die
»Jüdin aus Papier«[76] ist nicht nur »etwas süßlich und sehr
rührselig«[77] geraten, sondern Etikettierungen wie »eine
Fremde mit einem schönen, zarten, fremdartigen Rassege-
sicht« (63) wirken zweifelsohne deplaziert. Andersch stellt
sie als verwöhntes Kind aus großbürgerlichem Hause dar, das
kaum fähig scheint, ohne die Mama, die sich den Nazis durch
Selbstmord entzog, zu existieren. Die Gefahr assoziiert
Judith mit dem Wahrzeichen von Rerik, den roten Türmen,
die in ihrer Vorstellung zu »roten Ungeheuern« werden, und
faßt ihre bedrohliche Situation dergestalt zusammen: »Es
war furchtbar, Judith Levin zu sein in einer toten Stadt, die
unter einem kalten Himmel von roten Ungeheuern bewohnt
wurde« (20).
Doch ist das alles bloß ein Signal für ihre Weltfremdheit? Als
der Wirt ihren Paß zu sehen verlangt und andeutet, unter
welchen Bedingungen er eventuell bereit wäre, darauf zu ver-
zichten, spielt sie immerhin mit Gedanken an »die romanti-
schen Scheusalschritte nachts auf dem Gang« (73) und scheint
nicht irritiert zu sein, daß sie der Wirt für eine »verdorbene
Krabbe« (73) hält. Als sie mit einem Schweden, der mit seinen Gefährten in dem Gasthaus ›Wappen von Wismar‹ zecht,
zu flirten beginnt, will sie der Wirt auch prompt hinauswer-
fen, und Judith kommentiert »fast staunend« ihre Wandlung:

---

76 Demetz (Anm. 18) S. 214.
77 Reich-Ranicki (Anm. 8) S. 113.

»Gestern noch mit Mama in unserer Hamburger Villa, das Frühstücksporzellan und die späten Georginen, und heute schon die Sprache einer Dirne« (78). Aus der Romantikerin, die von »eleganten blaugekleideten Seeoffizieren [. . .], von Herren, Kavalieren mit intakten Ehrbegriffen«, träumt (62), wird in Rerik, wie sie durchaus kritisch feststellt, »ein zu schnell erwachsenes leichtes Mädchen« (79). Erstaunlicherweise bekommt der junge Schwede, der sie in seinem betrunkenen Zustand mit auf das Schiff nimmt, zur rechten Zeit »Angst vor seinem Mut« (79), und die gefährliche Szene löst sich in einer Mischung von Lachen und Weinen auf (80). Durch Judiths gescheiterten Fluchtversuch wird das Interesse des Lesers noch mehr auf Gregor gelenkt, der bei seiner Ankunft in Rerik ähnlich wie Judith die Bedrohlichkeit der roten Türme erfährt (22 f.), allerdings aus anderen Motiven. Er spielt die »klassische Rolle«, wie er »ironisch konstatiert«, und stellt sich vor das »junge Mädchen«, obwohl er ihr ungeschminkt zu verstehen gibt: »Sie sehen aus wie ein verwöhntes junges Mädchen aus reichem jüdischem Haus« (108). Die schwankenden Eindrücke zwischen Abstoßung und Anziehung führen bei beiden schließlich zu einer spontanen Annäherung, die aber durch den herannahenden Pfarrer unterbrochen wird (114). Als Gregor schließlich bei Knudsen mit Gewalt (138 ff.) die Rettung Judiths durchsetzt, beharrt er zum Erstaunen des Fischers darauf, seine eigenen Wege zu gehen. Obwohl Judith sich gegen jede Art von Zwang ausspricht (137) und bei dem Jungen für Rücksichtnahme gegenüber Knudsen plädiert (146), hat sie wie die Barlachfigur vor allem eine passive, handlungsauslösende Funktion.

Bei den Romanpersonen fällt auf, daß sie alle einen spezifisch poetisch-ästhetischen Erfahrungsraum besitzen: beim Jungen ist er durch die Lektüre von Mark Twains Huckleberry Finn bestimmt, bei Knudsen durch den Fischerberuf, bei Gregor durch eine Schlüsselerfahrung vor der Stadt Tarasovka auf der Halbinsel Krim (23), beim Pfarrer durch die metaphysische Revolte einer Theologie der Krise und bei

Judith durch eine realitätsferne Erziehung. Oft treten hier
wie im Hörspiel die Figuren »als Stimmen auf«, als »personal gemeinte Stimmen, die mit sich selbst oder miteinander
im Gespräch sind«.[78] Zuweilen schiebt sich allerdings – wie
beispielsweise in einem Abschnitt des Jungen (145 f.) – der
auktoriale Erzähler dazwischen und übernimmt die Regie.
Alle Figuren sind gewissermaßen Deserteure, allerdings aus
verschiedenen Gründen. »Nur wir drei wollen weg«, urteilt
etwa Gregor, »ich, der Klosterschüler, das Mädchen«, aber
er markiert auch den Unterschied: »Ich will weg, aber sie
müssen weg. Ich bin zwar bedroht, mit dem Konzentrati-
onslager, mit dem Tod, aber ich kann trotzdem frei ent-
scheiden, ob ich bleibe oder gehe. Ich kann wählen: die
Flucht oder das Martyrium. Sie aber können nicht wählen:
sie sind Ausgestoßene« (61). Obwohl die Analyse Gregors
nicht ganz einleuchtet, ist immerhin richtig, daß der ge-
schulte Funktionär Möglichkeiten der Flucht hat, die Judith
versagt bleiben. Wollte der Junge »Rerik verlassen, erstens
weil in Rerik nichts los war, zweitens, weil Rerik seinen
Vater getötet hatte, und drittens, weil es Sansibar gab,
Sansibar in der Ferne, Sansibar hinter der offenen See, Sansibar oder den letzten Grund« (82), so kommt Gregor ursprünglich mit einem Auftrag vom ZK nach Rerik, um
dort Knudsen zu treffen. Zwar ist Knudsen von der Partei
enttäuscht, weil sie nicht gegen die Anderen gekämpft hat,
aber er will sie nicht ganz aufgeben, »um die Lust am Leben
noch eine kurze Spanne Zeit zu behalten« (85), während
Gregor nicht zuletzt seine ästhetische Erfahrung und seine
Interpretation des »Lesenden Klosterschülers« zur Absage
an seine Partei und seinen Auftrag bewegt. Auf der anderen
Seite macht Knudsen keinen Hehl aus seinem Haß gegen
den Deserteur Gregor, so daß dieser am Ende glaubt, der
Fischer habe nur an der Aktion teilgenommen, um ihm
»nicht die Möglichkeit zu geben, ihn zu verachten« (140),

---

78 Kamps (Anm. 75) S. 366.

auf der anderen Seite will er »kein toter Fisch sein«, die »Lust an der Liebe behalten« und der »Langeweile« entgehen (88). Wenn der Junge, den er beschäftigt, drei Gründe für die Notwendigkeit einer Flucht aus Rerik nennt, so zählt Knudsen ebenfalls drei Gründe auf, warum er schließlich an dem Rettungsmanöver teilnimmt, dem er sich ursprünglich entziehen wollte.

Durch die Interpretation der Handlungsmotive aus verschiedenen Perspektiven differenziert Andersch den Innenraum seiner Figuren. Helander beobachtet aus seinem Gesichtskreis das »kleine Drama aus Angst, aus Depression, aus Zersetzung« zwischen den beiden abtrünnigen Kommunisten und kommentiert aus eigener Erfahrung: »Sie waren noch nicht auf dem Grund ihrer Angst angelangt, dort, wo man sie einfach hinnimmt, still und ohne Vorwurf« (57). Die Entschlossenheit Gregors, die Figur zu retten, bezeichnet er jetzt als »ein Wunder«, während er noch kurz zuvor zu Gregor gesagt hatte: »Die Kirche ist kein Treffpunkt für Menschen, die nicht an Gott glauben« (54). So unterschiedlich die zentralen Gestalten, Gregor und Helander, in ihrer Innenperspektive, ihrem Glauben und ihren Zweifeln, dargestellt werden, beide reflektieren weitgehend eine Problematik, die Andersch schon in seinem autobiographischen Bericht dargestellt hat. Reflektiert Gregor eigene Erfahrungen, so sind in die Gestalt Helanders Erinnerungen an den Vater und den protestantischen Pfarrer Johannes Kreppel, der für ihn »stets eine verehrungswürdige und machtvolle Persönlichkeit war«, eingegangen.[79] Wiederholt Andersch in Gregor die »persönlichen Erfahrungen aus dem Frühling 1933«, so demonstriert er in Helander mit der »eiternden Wunde aus dem Schützengraben von Verdun jene Würde des Leidens«,[80] die er bei seinem Vater erfahren hatte. Nicht von ungefähr sieht Peter Demetz in Helander »Anderschs Wunschbild

---

79 Andersch, *Die Kirschen der Freiheit* (Anm. 1), S. 15; vgl. dazu auch Wittmann (Anm. 74) S. 42 f.
80 Demetz (Anm. 18) S. 214.

vom eigenen Vater«.[81] Während Helander seine protestanti-
sche Revolte gegen die Anderen, die Kirche und Gott etwas
melodramatisch in einer extremen Handlung ausklingen
läßt, Mord und Selbstmord verbindend, verstärkt bei Gregor
die asketische Distanz, ausgelöst durch die zurückliegende
Erfahrung von Tarasovka (22–24) und die Identifikation mit
dem »Lesenden Klosterschüler«, sein individuelles Freiheits-
verlangen, auch gegenüber den Forderungen der Partei. Ist
das Kunstwerk in Gregors Augen die ästhetische Verkörperung der existentiellen Freiheit und des kritischen Denkens,
so in Helanders Perspektive das Symbol des Widerstands
gegen die Anderen. »Der ganze Riesenbau der Kirche«, stellt
der Pfarrer vorwurfsvoll fest, »wird um dieses stillen Mönch-
leins willen auf die Probe gestellt« (29). Die Figur verkörpert
den Widerstand, den die offizielle Kirche gegen die Anderen
nach Helanders Ansicht praktizieren sollte. Die Rettungsaktion des Kunstwerks gilt also sowohl dem ästhetischen
Widerstand und der Freiheit als auch dem Protest gegen die
Anderen. Daß diese Aktion unter Lebensgefahr geschieht,
wird im Roman unter anderem auch durch die Metaphorik
der Türme von Rerik angedeutet, deren Semantik nach Perspektive und Situation wechselt. Der Instrukteur Gregor
fühlt sich zunächst »von ihnen beobachtet«, hält es für
schwierig, »unter ihren Blicken zu desertieren«, weil sie alles
sehen, auch »einen Verrat« (22), doch sie lösen gleichzeitig
eine Assoziation mit der ästhetischen Erfahrung in Tarasovka aus, wo »sein Verrat begonnen« hatte (24). Judith
dagegen erlebt die »riesigen roten Türme« von Anfang an als
»böse Ungeheuer« (20). Sie sind Ausdruck ihrer verzweifelten Situation, ihrer Einsamkeit und ihres Ausgeliefertseins an
die unberechenbaren Mächte (66). Eine ähnliche Bedeutung
erhalten sie in der Perspektive Knudsens, als die Aktion
beginnt. Die Türme erscheinen »wie Monstren, völlig nackt,
in blendender roter Grelle, von Blut überströmte Riesen, die

sich im Todeskampf noch einmal aufgerichtet hatten, um sich
auf die Stadt zu stürzen« (92). Auf »lyrisch-magische« Weise,
wie sie ähnlich im Hörspiel der fünfziger Jahre praktiziert
wurde,[82] deutet Andersch hier Gefahr und Bedrohung an. In
der Perspektive Gregors erweitert sich der Bedeutungsraum
der »roten Türme von Rerik« dergestalt: »Er begriff auf einmal, daß er die Partei vergessen hatte und daß er frei war,
befreit durch Dinge, die sich überhaupt nicht fassen ließen:
Türme und Gelassenheit, Windschwarz und Verrat« (65).
Die Metaphern »Türme« und »Windschwarz« sind den
Begriffen »Gelassenheit« und »Verrat« gegenübergestellt.
Bezieht sich die »Gelassenheit« auf Gregors Vorbild, die
Skulptur, den »ungläubigen Leser«, so der »Verrat« auf seine
erste ästhetische Epiphanie. Die Metapher »Windschwarz«
evoziert Judiths Schicksal, die Gefahr der Rettungsaktion
ebenso wie die Angst (vgl. 40 f.), die auch die »Türme« an
dieser Stelle des Textes signalisieren.
Die semantischen Verweise auf Romantik erfolgen hauptsächlich im Kontext der komplizierten Beziehung von Judith
und Gregor, der sich selbst als ein »kalter Romantiker« definiert. Nach der Desertation gibt es für ihn wieder Romantik
– trotz der »eiskalten Aktion gegen die Anderen« (84). In seiner Phantasie zieht er seine »Figuren über ein Feld aus roten
Türmen und nachtblauer See [. . .], über ein Feld aus Windschwarz und Verratsgold, über ein Schachbrett aus tarasov-
kastaubigen und rerikroten Feldern« (84). Mit einer ähnlichen Metaphernreihe faßt Andersch hier die komplexe Moti-
vation und den persönlichen Erfahrungsraum von Gregors
privater Aktion zusammen. Am Ende verwandeln sich die
»schweren roten Ungeheuer« gleich Gespenstern der Nacht
in »kleine blasse Klötze im Grau des Morgens« (144). Aber
sie sind in seiner Vorstellung immer noch mit »der Erinnerung an einen schwarzen Mund und an ein seltsames, rätsel-
haftes Wesen aus Holz« verbunden, mit den Erfahrungen

---

82 Vgl. Dedner (Anm. 75) S. 130 ff.; zum Thema »magischer Realismus«
   siehe auch Wittmann (Anm. 74) S. 134, 146 (Anm. 2).

von Liebe, Romantik und Freiheit. Im Morgenlicht, nach der Rettung von Judith und dem hölzernen Klosterschüler, sieht Gregor »die Gegenstände ohne Schatten und Farben, [...] beinahe so, wie sie wirklich waren, rein und zur Prüfung bereit«, und es folgen die bezeichnenden Sätze ganz im Sinne des Rezeptionsangebots der Barlachfigur: »Alles muß neu geprüft werden, überlegte Gregor. Als er mit den Füßen ins Wasser tastete, fand er es eisig« (144).

Die metaphysische Revolte Helanders ist von der ästhetischen Gregors abgesetzt. Läßt sich die metaphysische Revolte im Sinne Camus' als die Bewegung definieren, »mit der ein Mensch sich gegen seine Lebensbedingung und die ganze Schöpfung auflehnt«[83], so die ästhetische als ein Akt der Emanzipation von jeder ideologischen Fremdbestimmung. Will Knudsen seinen kommunistischen Glauben nur für eine gewisse Zeit einfrieren, solange die Anderen herrschen, so versucht Helander den verborgenen Gott, von dem er umsonst ein Zeichen auf der Kirchenwand erhofft (11), zur Enthüllung zu provozieren, was nur beweist, daß beide an ihrem Glauben festhalten, den Gregor aufgibt. Er erreicht die existentielle Bestimmung zur Freiheit durch ästhetische Erfahrung, durch Kunst, was Andersch schon in *Kirchen der Freiheit* als Intention der europäischen Moderne reklamiert hatte.[84] Wirkt Gregor im Vergleich zu Knudsen wie ein Intellektueller, so empfindet er gegenüber Helander und Judith ein gesellschaftliches Defizit, das er mit Erbitterung notiert. Er gehört »nicht zu diesem tadellosen Edelmann Gottes und nicht zu dieser süßen Bourgeoisen«, und er fragt sich, warum er für sie »die Dreckarbeit« mache (116). Doch das Vorbild des Klosterschülers lenkt ihn zu seiner Mission zurück, zum »Club derer, die sich verschworen hatten, niemandem mehr zu gehören« (116). So wie Gregor seine geheimen Instruktionen von dem »lesenden Mönch« zu beziehen

---

83 Albert Camus, *Der Mensch in der Revolte*, Reinbek bei Hamburg 1961, S. 28.
84 Andersch (Anm. 1) S. 127.

scheint (116), so wird Helander zu seinen Selbstmordgedanken durch Judiths Erzählung vom Schicksal ihrer Mutter angeregt. Andererseits fragt er: war »nicht diese ganze Angelegenheit mit der Figur [. . .] eine Art Selbstmord, ein eigensinniger Gang in den Tod?« (117). Der Jähzorn seiner Natur, den er als Willen Gottes auslegt, verbietet allerdings diese passive Reaktion auf die Bedrohung durch die Anderen, das Böse (117).

Wenn Gregor einmal feststellt, daß die »Aktion [. . .] eine Sache geworden« sei, »in der jeder Beteiligte nur noch für sich selbst handelte« (87), so stimmt das nur bedingt; denn die Folgen des Unternehmens, wenn es gelang, waren für die Teilnehmer von unterschiedlicher Konsequenz. Helander würde sicher und Knudsen in dem Falle einer Entdeckung von den Anderen zur Rechenschaft gezogen werden. Deshalb wird für Knudsen auch die Entscheidung des Jungen am Schluß des Romans, mit dem Fischer in das langweilige Rerik zurückzukehren, zur diskreten Pointe der privaten Aktion. Zwar geht die Initiative zu ihr ursprünglich von Helander aus, aber inszeniert wird sie von Gregor. Dieser ist allerdings für gefährliche Situationen geschult, was schon sein unauffälliges Aussehen und Verhalten andeutet. Das Risiko des Deserteurs und Glaubensverächters (118) ist trotz allem geringer als das der beiden Einheimischen, Knudsen und Helander. Während sich Gregor nach dem gelungenen Rettungsversuch ebenso unauffällig, wie er in Rerik aufgetaucht war, auch wieder entfernt, rückt Helander mit seinem geistigen und physischen Martyrium in den Vordergrund. Eben sah es noch so aus, als hätte »die höhere Gewalt [. . .] entschieden: das Klinikbett statt des Martyriums« (95); denn der Arzt drängte zur Operation der Beinstumpfwunde. Helanders Überlegungen kreisen um die Folgen seiner Handlung, den »deus absconditus [. . .] und das Reich des Satans« (99). Er empfindet, daß Rerik, die Kirche und das Pfarrhaus »zu einem schalltoten, echolosen Raum geworden [waren], seitdem die Anderen gesiegt hatten« (95). Der akustischen

Metapher entspricht visionell die zeichenlose »Backstein-
wand von Sankt Georgen«: beides Ausdruck des »lähmen-
den« Schweigens (96), das er fürchtet. Er fühlt sich allein und
spricht auch von den Folgen, die die private Aktion für ihn
haben wird: »Ich ganz allein werde in der Tinte sitzen« (96).
Er gesteht sich die Angst vor der Folter ein und argumentiert,
daß weder »Gott noch der Klosterschüler [. . .] von ihm verlangen [konnten], daß er seinen Körper den Peitschen und
Gummischläuchen der Anderen aussetzte« (97).
Helanders Träume, die zum Teil auf autobiographischem
Traummaterial Anderschs beruhen,[85] signalisieren die Ter-
roratmosphäre im Dritten Reich und illustrieren auf ein-
dringliche Weise, wie in diesem Kontext selbst Träume
»Bestandteil des Terrors« werden.[86] So abstrakt Andersch die
zeitgeschichtlichen Referenzen gestaltet, am Beispiel des
kämpferischen Pfarrers, der sich deutlich auf die »Lehre des
großen Kirchenmannes aus der Schweiz«, Karl Barth,
bezieht (97), gewinnen das totalitäre Regime und dessen Ter-
rorstrategien einen bedrohlichen Wirklichkeitscharakter.
Seine »wiederkehrenden Träume« versteht Helander gar als
seine »stärksten Gottesbeweise«, weil sie ihm selbst »noch
im Halbschlaf« nahelegten, daß er in einer Welt lebte, »die
erlöst werden muß« (149). Jenseits von Freuds Traumdeu-
tung interpretiert er sie als Hölle, als einen Raum, »in dem
Gott nicht war« und »in dem man fror«, als »die absolute
Leere« (149). Die Erfahrungen seines Lebens, seine Verwun-
dung, das Terrorsystem des Dritten Reiches und die »Theologie der Krisis«[87] scheinen sich hier wie in einem Brennpunkt zu versammeln. Wie bei Karl Barth bildet auch bei

---

85 Alfred Andersch, »Der Seesack«, in: *Das Alfred Andersch Lesebuch*,
   hrsg. von Gerd Haffmans, Zürich 1979, S. 90 f. Vgl. dazu auch Schütz
   (Anm. 32) S. 53 f.
86 Vgl. zum Thema den Aufsatz von Reinhard Koselleck, »Terror und
   Traum«, in: R. K., *Vergangene Zukunft. Zur Semantik geschichtlicher
   Zeiten*, Frankfurt a. M. 1979, S. 278–299.
87 Für den Zusammenhang vgl. auch Heidelberger-Leonard (Anm. 55)
   S. 96–99.

Helander die Distanz, der Abstand zwischen Gott und Mensch, die Grunderfahrung, die auch atheistische Fragestellungen nicht scheut. »Der Schrei des Empörers gegen diesen Gott«, so heißt es im *Römerbrief*, »kommt der Wahrheit näher als die Künste derer, die ihn rechtfertigen wollen«.[88] Aber noch die Negation ist eine Affirmation Gottes in dieser dialektischen Theologie, der es nicht um die Synthese als höherer Einheit geht, sondern um den Ausdruck der »Unangemessenheit aller menschlicher Aussagen über Gott«.[89] Diese »Verzweiflungstheologie«[90] antwortet in der Tat »der verzweifelten Situation des Menschen« in der Zeit, was Helander bewußt ist. Obwohl auch er »tiefer im Nein als im Ja, tiefer in der Kritik und im Protest als in der Naivität«[91] steht, war für ihn Gott nicht tot. Er »weilte zwar in unerreichbarer Ferne, aber es gab ihn« (97), erklärt Helander im Rededuktus des Schweizer Theologen, der den »paradoxen Charakter« des Glaubens betonte, »das bewegte Verharren in der Negation«.[92] Obwohl man wußte, daß Gott »in unerreichbarer Ferne« weilte, betete man »für sich selbst«, »in die eigene Seele« hinein (97). Auf der einen Seite der abwesende Gott und auf der anderen die Welt, »das Reich des Satans«, darin bestand für Helander die verzweifelte Situation des Menschen, für die es keinen Trost gab und die selbst »das Martyrium sinnlos« (98) machte. Nichtsdestoweniger waren es gerade die Anhänger der »Theologie der Krisis«, die »das Reich der Anderen ohne jeden Kompromiß zum Reich des Bösen erklärten« und »trostlos einen absurden Tod« (98) starben.

Führt bei Gregor die Ästhetik zum politischen Widerstand, so bei Helander die negative oder dialektische Theologie. Für Helander war Gregor, der die christliche Religion ablehnte

---

88 Zit. nach: Heinz Zahrnt, *Die Sache mit Gott*, München 1966, S. 26.
89 Ebd., S. 32.
90 Ebd., S. 28.
91 Ebd., S. 34.
92 Ebd., S. 34 f.

und nicht mehr an die Partei glaubte, ein Repräsentant der jungen Generation. Er gehörte zu den »Boten der Rettung« und den »Söhne[n] der Ideen« (150). Sie sind seiner Ansicht nach keine Persönlichkeiten, aber »sie haben den Ehrgeiz, das Richtige zu tun und nicht aufzufallen« (150). Als ob er Albert Camus' *Versuch über das Absurde* gelesen hätte, beschreibt Helander Gregors »Zwiespalt zwischen dem sehnsüchtigen Geist und der enttäuschenden Welt«.[93] Diesen treibe das Nichts zur Handlung wie ihn selbst die Gottesferne. Die Revolte gilt in beiden Fällen der Aufhebung der Negation, ob sie Nichts, Gott oder Tod heißt. Der Unterschied zwischen Helander und Gregor liegt nicht nur in dem Gegensatz von Persönlichkeit und Unauffälligkeit, zwischen Glauben und Nihilismus, sondern auch, wie es wenigstens der Pfarrer sieht, in der Alternative von Nichts und Tod (151). Wenn Karl Barth im *Römerbrief* feststellt: »der Widerstand gegen Gott ist auch in den Gottesstreitern«,[94] so kann dafür Helander als Beispiel dienen. Er interpretiert seine Mordabsicht zunächst als »Aufstand gegen Gott« (153) und als plötzliche Einsicht, »daß man einen Gott, der den Seinen nicht beistand, züchtigen mußte« (153), dann als Versuch, »die Starre und Trostlosigkeit der Welt« wenigstens für Sekundenbruchteile zu durchbrechen (155). Anschließend revidiert er seine erste Interpretation und ersetzt sie durch die Behauptung: »Gott läßt mich schießen, weil er das Leben liebt.« In der kurzen Folge von Mord und Tod am Schluß dieses Segments erscheint auch die Schrift, auf die er sein »Leben lang gewartet« hatte, »auf der Wand seiner Kirche« (156). Die Nähe zu Kafkas Legende *Vor dem Gesetz* läßt sich leicht mit dem Einfluß der Existenzphilosophie von Kierkegaard, Sartre und Camus erklären, die sich im Bewußtseinsprotokoll Helanders mit der Lehre Karl Barths verbindet.

---

93 Albert Camus, *Der Mythos von Sisyphos. Ein Versuch über das Absurde*, Düsseldorf 1958, S. 66.
94 Karl Barth, *Der Römerbrief. Erste Fassung 1919*, hrsg. von Hermann Schmidt, Zürich 1985, S. 42.

Bleibt Gregor (wie der Junge) ohne wahre Namensbestim-
mung (»Ich bin ein Niemand, der aus Rußland ins Niemandsland geht«, sagt er zu Judith [127]), so sind die übrigen
Figuren nach Herkommen und sozialer Zugehörigkeit charakterisiert und bestimmt. Sowohl der Junge (dieser wegen
seines Alters) als auch Gregor (wegen seiner Ideologie der
Ideologielosigkeit und seines Deserteurstadiums) sind in
ihren Möglichkeiten offen, ideologisch gesehen unbeschrie-
bene Blätter. Weder bei Helander noch bei Judith oder bei
Knudsen scheinen grundsätzliche Veränderungen vorstell-
bar, sie sind seinsmäßig oder existentiell verankert, während
bei Gregor und dem Jungen die Möglichkeit eines neuen Exi-
stenzentwurfs am Schluß ihrer Segmente wenigstens angedeutet wird.

Der Fischer Knudsen besitzt als einzige Romanperson eine
feste emotionale Bindung, an seine geistesgestörte Frau Ber-
tha, die den Tick hat, immer denselben Irrenwitz zu erzählen
(13), und die von den Anderen als Waffe gegen seine Partei,
die KPD, benutzt wird. Schon Berthas wegen, um sie nicht
zu gefährden, will er nicht an der privaten Aktion teilneh-
men. Aber schon am Anfang ist sein Handeln widersprüch-
lich. Er will den angekündigten Instrukteur zuerst nicht treffen, um jede Verstrickung mit der Partei zu vermeiden, und
erscheint dann doch am verabredeten Ort. Er kommt sich vor
wie »der Fisch vor der Angel« (16) und will sich jedem Auftrag der Partei entziehen, so daß Gregor in Gedanken kommentiert: »Du willst dich in deinen Winkel verkriechen und
an die Partei glauben« (49). Sie unterscheiden sich zwar in
dieser Hinsicht, aber der glaubenslose Gregor bringt es
schließlich doch fertig, Knudsen mit List (Kunstfigur) und
Gewalt (Judith) zur Aktion zu zwingen. Schon als ihn Gregor bei der ersten Begegnung zu einer gemeinsamen Flucht
ins Ausland überreden will (51), fühlt er die Verstrickung,
und er sehnt sich nach dem »Teer- und Ölgeruch seines Boo-
tes«, dem »einzig Wirklichen in einer Welt von gespensti-
schen Ängsten« (51). Doch so wie Gregor über Knudsen

reflektiert, macht sich Knudsen über Gregor Gedanken (60 bis 63, 84 f.). Auf eine merkwürdige Weise ist bei Knudsen der Glaube an die Partei mit seiner Liebe und seiner »Lust am Leben« verknüpft, und das ist auch sein »letzter Grund«, daß er an der Aktion »Lesender Klosterschüler« teilnimmt. Bei der Planung, die seine Umsicht dokumentiert, hat er dem Jungen eine gefährliche Rolle zugedacht, weshalb ihn Gregor für skrupellos hält (88). Auch der Junge empfindet offenbar keine Loyalität gegenüber Knudsen, während Gregor den Jungen, wie sich später zeigt, »wie einen Komplizen behandelt« (139).

Zwischen Knudsen und Gregor steigert sich die Antipathie, der Haß wächst »zwischen zwei Abtrünnigen, die sich gegenseitig auf der Fahnenflucht ertappt hatten« (89). Außerdem manipuliert Gregor geschickt den Fischer, der hinter Gregors Intentionen nur Eigennutz und Verrat wittert. Knudsen wollte nicht »zum Komplizen« von Gregors Verrat werden. Gregor war für ihn »der vom ZK, der sich drücken will, während er der einfache Genosse ist, der sich nicht drücken kann« (90). Während sich Gregor eine Welt vorstellte, in der es keine Fahnen und keine Aufträge gab (89), schien Knudsen trotz aller Zweifel nicht ohne Partei, ohne Ideologie leben zu wollen. Gregor sah ihn deshalb im Gegensatz zum Genossen Klosterschüler, der unabhängig und frei war, als einen »gebrochenen Mann« (90). Doch wird das vom Text aus der Perspektive Knudsens bestätigt? Er ist zweifelsohne wütend auf Gregor und läßt an ihm den Ärger auf die Partei aus, die ihn »im Stich gelassen hatte« (136). Auch will er bei der bereits angelaufenen Aktion plötzlich aus dem Unternehmen aussteigen und die Barlachfigur über Bord werfen (134); dabei findet er für diese beruhigende Lösung der Dinge entsprechende Ausreden (134 f.). Aber seine Überlegungen stehen im Widerspruch zu seinen Handlungen. Von Gregor niedergeschlagen, der den Jungen und Judith mit dem Boot nach Schweden schicken will (139 f.), erklärt sich Knudsen überraschenderweise bereit, den Auftrag selbst auszuführen, wenn Gregor nicht mitfahren würde. Gregor interpretiert deshalb die Handlungen Knudsens, die allen seinen geheimen Intentionen zuwiderlaufen, als »Folge seines Hasses gegen« ihn (140). Doch der Haß hatte nun seinen Höhepunkt erreicht, und bei Knudsen erfolgt eine innere Wandlung. Er findet einen sinnvollen Ersatz für die Partei in der privaten Aktion und bietet Gregor sogar die Mitfahrt an (141). Das »Drama aus Angst, aus Depression, aus Zersetzung« (52), das sich zwischen beiden abspielte und den Höhepunkt in dem Zweikampf fand, klingt mit einer versöhnlichen, humanen Geste aus, die der Einzelgänger Gregor (137) jedoch »höhnisch« ablehnt (141). Gregor setzt sich zwar mit allen Mitteln für die Rettung der Figur und Judiths ein, aber er überwindet nicht das emotional distanzierte Verhältnis zu seinen Mitmenschen: er bleibt der vernunftbezogene »kalte Romantiker«,[95] der »alles neu« prüft (144). Bei dem widerspenstigen, spröden Knudsen jedoch zeigt sich am Ende eine humane Haltung, die mit einer ebenso plötzlichen Veränderung in der Verhaltensweise des Jungen parallelisiert wird.

Der Junge, der Repräsentant der Jugend (von dem man weiß, daß er der Sohn des Säufers Hinrich Mahlmann ist [16]), steht näher bei Judith und Gregor als bei Knudsen und Helander, die beide Gregor als den Vertreter der jüngeren Generation verstehen. Mit Judith und Gregor im Ruderboot erlebt der Junge den gefährlichsten Moment der Aktion, als sie beinahe von den Scheinwerfern des Zollboots erfaßt und entdeckt werden. Durch einen Zufall, ein plötzliches Abschalten der Scheinwerfer, oder durch ein Wunder, wie man je nach der ideologischen Perspektive den Sachverhalt interpretieren kann (131), werden sie gerettet. Im Gegensatz zu Knudsen ergreift Gregor von Anfang an die Partei des Jungen und behandelt ihn als Gleichberechtigten. Judith, die nicht will, daß sich andere Menschen ihretwegen in Gefahr begeben,

---

95 Zum Thema vgl. auch Bühlmann (Anm. 54) S. 25–43.

appelliert an das Gewissen des Jungen. Sie ermahnt ihn, Knudsen nicht im Stich zu lassen (146). An der negativen Reaktion des Jungen zeigen sich die Syndrome seiner Lebensgeschichte. Die Erwachsenen sieht er durchweg kritisch als abschreckende Beispiele. Aus diesem Grunde wollte er »anders sein als sie« (33) und ohne Rücksicht auf Verluste aus der langweiligen Umwelt (9, 133, 146) ausbrechen. Überdies haßt er die Erwachsenen, weil sie seinen Vater, der bei einer Fahrt in die offene See ums Leben kam, als Säufer verleumdeten (12). Er flüchtet sich in die Lektüre von *Tom Sawyer*, *Huckleberry Finn*, *Die Schatzinsel*, *Moby Dick*, *Kapitän Scotts letzte Fahrt*, *Oliver Twist* und ein paar Karl-May-Bänden (81) und träumt von exotischen fernen Plätzen und absoluter Freiheit. Er vergleicht die Ostsee mit dem Mississippi, sich selbst mit Huckleberry Finn[96], dessen Vater auch ein Säufer war, und die Rolle von Judith mit der des Negers Jim in *Huckleberry Finn* (145). Aus der Lektüre zieht er seine Orientierungsmarken für die Wirklichkeit. Oft freilich wird ihm der Unterschied zwischen seinen utopischen Vorstellungen und der banalen Realität bewußt (82), und er verabschiedet dann seine Versteckspiele. »Sich verstecken hatte keinen Sinn, nur Abhauen hatte einen Sinn« (82), stellt er fest und beschließt wie Judith und Gregor seine Flucht oder Desertion, den Ausbruch aus der starren Welt der Erwachsenen in die existentielle Freiheit (38). Das Abenteuer mit der Aktion begreift er als seine Chance (133), mit der plötzlich die utopische Welt seiner Imagination und die Wirklichkeit wieder übereinzustimmen scheinen (101). Er vergleicht sich auch mit dem lesenden Klosterschüler, über den ihn Judith informiert (147), und beruft sich auf ihn, als er es ablehnt, Knudsen, einem Erwachsenen, zu helfen. Der »Junge aus Holz da nahm auch auf niemand Rücksicht«, so ermuntert er sich, »er haute auch ganz einfach ab und alles, was er zurückließ, war ihm egal, ich will es genau so machen

---

96 Vgl. dazu Heidelberger-Leonard (Anm. 55) S. 81, 85.

wie er, [. . .]: so eine Gelegenheit kommt nie wieder« (147). Wie für die anderen Romanfiguren wird auch für den Jungen der »lesende Klosterbruder« eine Art Leit- oder Projektionsfigur der eigenen Intentionen. Um so überraschender ist es, daß der Junge, als er seinen utopischen Ort in Wirklichkeit erreicht hat, eine Blockhütte in Schweden »mit einem Boot davor« (157), plötzlich seine Freiheitsidylle aufgibt und zu Knudsen zurückkehrt, »als sei nichts geschehen« (159). Der Junge, der mit seiner kursiv gesetzten Stimme jedes Segment begleitet und gewissermaßen den Rahmen des Romans bildet, drückt eine verhalten inszenierte und überraschende Verwandlung individualistischer Indifferenz zu spontanem humanen Engagement aus.

Andersch versucht in *Sansibar oder der letzte Grund*, wie die Segmente am Ende des Romans zeigen, »den Zusammenbruch aller Werte mit einem neuen Rezept zu beantworten, dem des Existentialismus«.[97] Er erreicht hier den Punkt, »wo die Dämonie des Zwanges zur Entscheidung, des ›Verdammtseins zur Freiheit‹, umschlägt in Toleranz«.[98] Es sind Textstellen, in denen das methodisch konstruierte Kunstwerk »aus der Blindheit der reinen, sich selbst genügenden Form«[99] ausbricht, wie Alfred Andersch den Vorgang in dem 1956 in seiner Zeitschrift *Texte und Zeichen* publizierten Essay *Die Blindheit des Kunstwerks* beschrieben hat.

---

97 Alfred Andersch, »Deutsche Literatur in der Entscheidung. 9 Aufsätze«, in: *Alfred Andersch Lesebuch* (Anm. 85) S. 133.
98 Ebd.
99 Andersch (Anm. 23) S. 33.

Literaturhinweise

Ausgaben

Alfred Andersch: Sansibar oder der letzte Grund. Roman. Olten / Freiburg i. Br.: Walter, 1957.
– Sansibar oder der letzte Grund. Roman. Zürich: Diogenes, 1970. – Dass. [1972, u. ö.] (detebe 20055.) [Taschenbuchausgabe.]

Forschungsliteratur

Barner, Wilfrid: Alfred Andersch. In: Deutsche Dichter. Hrsg. von Gunter E. Grimm und Frank Rainer Max. Bd. 8: Gegenwart. Stuttgart 1990. S. 157–163.
Bühlmann, Alfons: In der Faszination der Freiheit. Eine Untersuchung zur Struktur der Grundthematik vom Werk von Alfred Andersch. Berlin 1973.
Burgauner, Christoph: Zur Romankunst Alfred Andersch. In: Alfred Andersch: Bericht. Roman. Erzählungen. Olten / Freiburg i. Br. 1965. S. 419–445.
Demetz, Peter: Alfred Andersch. In: P. D.: Die süße Anarchie. Frankfurt a. M. / Berlin 1990. S. 211–219.
Geißler, Rolf: Alfred Andersch. Sansibar oder der letzte Grund. In: Möglichkeiten des modernen deutschen Romans. Hrsg. von R. G. Frankfurt a. M. / Berlin / Bonn 1962. S. 215–231.
Geulen, Hans: Alfred Andersch. Probleme der dargestellten Erfahrung des ›deutschen Irrtums‹. In: Hans Wagener (Hrsg.): Gegenwartsliteratur und Drittes Reich. Stuttgart 1977. S. 205–221.
Haffmans, Gerd (Hrsg.): Das Alfred Andersch Lesebuch. Zürich 1979.
– Über Alfred Andersch. Zürich ³1987.
Heberling, Michaela: Ästhetik und Historie, geschichtliche und literarische Welterfahrung. Über Anderschs *Sansibar oder der letzte Grund* im Vergleich mit Peter Weiss' *Die Ästhetik des Widerstands*. In: Hans Höller (Hrsg.): Hinter jedem Wort die Gefahr des Verstummens. Sprachproblematik und literarische Tradition in der *Ästhetik des Widerstands* von Peter Weiss. Stuttgart 1988. S. 133 bis 142.
Heidelberger-Leonard, Irene: Alfred Andersch: Die ästhetische Posi-

tion als politisches Gewissen. Frankfurt a. M. / Bonn / New York 1986.

Jendricke, Bernhard: Alfred Andersch. Mit Selbstzeugnissen und Bilddokumenten. (rowohlts monographien.) Reinbek bei Hamburg 1988.

Migner, Karl: Alfred Andersch. In: Deutsche Literatur seit 1945 in Einzeldarstellungen. Hrsg. von Dietrich Weber. Stuttgart 1968. S. 315–331.

Pischdovdjian, Hrair: Menschenbild und Erzähltechnik in Alfred Anderschs Werken. Zürich 1978.

Reich-Ranicki, Marcel: Alfred Andersch, ein geschlagener Revolutionär. In: M. R.-R.: Deutsche Literatur in West und Ost. München 1963. S. 101–119.

Reinhardt, Stephan: Alfred Andersch. Eine Biographie. Zürich 1990.

Reinhold, Ursula: Alfred Andersch. Politisches Engagement und literarische Wirksamkeit. Berlin 1988.

Schütz, Erhard: Alfred Andersch. München 1980.

Weber, Alfred (Hrsg.): Ein Roman in der Hauptschule. Alfred Andersch, *Sansibar oder der letzte Grund*. München 1974.

Wehdeking, Volker: Alfred Andersch. Stuttgart 1983. (Sammlung Metzler. 207.)

Wittmann, Livia Z.: Alfred Andersch. Stuttgart 1971.

Max Frisch: *Homo faber. Ein Bericht*

Von Klaus Müller-Salget

Wie fast alle Prosawerke Max Frischs scheint auch der *Homo faber* (1957) ein Buch über die Liebe zu sein, über ihre Unmöglichkeit und ihre gleichwohl zentrale Bedeutung für den Menschen, und wer statt des Romans nur den Film von Volker Schlöndorff zur Kenntnis genommen hat (»Homo Faber«, 1991), dürfte an solcher Einschätzung nichts auszusetzen finden. Doch schon der Titel des Romans, sodann der betont ›nüchterne‹ Ton des Ich-Erzählers Walter Faber, der angeblich einen »Bericht« abliefert, die Auseinandersetzungen um »Technik statt Mystik« (77)[1], um Rationalität und Mythos, die Projizierung einer modernen Biographie auf antike Grundmuster: all dies verweist auf das andere große Thema des Romans, die Selbstgewißheit und das Scheitern eines bloß »instrumentellen Denkens«.[2] Allerdings bleiben von Walter Fabers beruflicher Tätigkeit, aus der er sein Selbstgefühl bezieht, dem Leser nur die entsprechenden Tiraden im Ohr; die Handlung dagegen wird bestimmt von Fabers Liebe zu zwei Frauen: zur Jugendgeliebten Hanna Landsberg und, einundzwanzig Jahre später, zu dem Mäd-

---

1 Die nachgestellten Seitenzahlen beziehen sich auf die Ausgabe: Max Frisch, *Gesammelte Werke in zeitlicher Folge. Jubiläumsausgabe in sieben Bänden*, hrsg. von Hans Mayer und Walter Schmitz, Frankfurt a. M. 1986, Bd. IV: *Homo faber. Ein Bericht*. Auch die anderen Texte Frischs werden (mit römischer Band- und arabischer Seitenzahl) nach dieser Ausgabe zitiert. Die Taschenbuchausgabe des Romans (suhrkamp taschenbuch, 354) ist mit der Jubiläumsausgabe seiten- und zeilenidentisch, weicht aber in einigen kalendarischen Angaben ab. Vgl. dazu meine Ausführungen in: Klaus Müller-Salget, *Erläuterungen und Dokumente: Max Frisch, »Homo faber«*, Stuttgart 1987, S. 116–118.

2 Max Horkheimers *Kritik der instrumentellen Vernunft*, zunächst (1947) in englischer Sprache (*Eclipse of Reason*) und erst 1967 in Frankfurt a. M. auf Deutsch erschienen, weist bedeutsame Parallelen zum Roman auf, war Frisch seinerzeit aber wohl kaum bekannt.

chen Sabeth, in dem er Hanna ahnt und zu spät die eigene
Tochter erkennt. Daß und wie Frisch diese Liebeshandlung
mit dem Thema der scheiternden Zweckrationalität verbunden hat, macht den singulären Reiz dieses Buches aus.

Die enge Verknüpfung der beiden Erzählstränge erhellt
schon aus dem Umstand, daß Frisch der »Ersten Station«,
dem eigentlichen ›Bericht‹ Fabers, ursprünglich die Über-
schrift »Die Super-Constellation« zugedacht hatte.[3] Die
›Super-Constellation‹ bezeichnet zunächst den Flugzeugtyp,
den Faber immer wieder für seine Reisen benutzt, ein
höchstentwickeltes technisches Gerät, dessen Störanfälligkeit
freilich schon beim ersten uns erzählten Flug dramatisch in
Erscheinung tritt; nach dem Ausfall zweier Motoren muß die
Maschine in der mexikanischen Wüste notlanden. Wörtlich
genommen verweist die ›Super-Constellation‹ aber auch und
vor allem auf die höchst ungewöhnliche Personen-Konstella-
tion Hanna–Faber–Sabeth, die wiederum, an entscheidender
Stelle, in einer ungewöhnlichen Konstellation der Gestirne
gespiegelt wird, in der totalen Mondfinsternis vom 13. Mai
1957: Die Erde (die Mutter) steht zwischen der Sonne (dem
Rationalisten Faber) und dem Mond (Sabeth), verdunkelt
zwar den ›Trabanten‹, läßt ihn zugleich aber »deutlicher
sogar als sonst« erscheinen (124); in dieser Nacht finden
Faber und Sabeth zueinander. Mit gutem Grund ist diese
Erinnerung einmontiert zwischen dem Bericht von der Entdeckung, daß Sabeth Hannas Tochter ist, und dem von der
Wiederbegegnung mit Hanna selbst; nicht umsonst auch hat
die Betrachtung der Mondfinsternis Faber erstmals angeregt,
»vom Tod und Leben« (124 f.) zu sprechen: Sabeth, die doch
nur uneigentlich Gemeinte, wird sterben, wenn Hanna und
Faber sich wiederbegegnen; er selbst, der es geradezu als seinen Beruf angesehen hat, »den Tod zu annullieren« (77), ist
längst vom Tod gezeichnet. – Fabers Verdrängung und dann
Verkennung seiner Gefühle haben durchaus zu tun mit der

---

3 Vgl. die Wiedergabe der Kompositionsskizze in: Müller-Salget (Anm. 1)
S. 115.

Welt der Technik, die vom Begriff ›Super-Constellation‹ evoziert wird. Das lehrt ein Blick auf die Vorgeschichte, die Faber, angestoßen durch die zufällige Begegnung mit Hannas ehemaligem Schwager Herbert Hencke, nur widerstrebend, in mehreren Anläufen (Erinnerungsschüben) mitteilt.

Hanna, so hören wir da, erwartete 1936 ein Kind von Faber, und das erfuhr er »ausgerechnet an dem Tag« (47), als er von einer renommierten Zürcher Firma das Angebot erhalten hatte, als Ingenieur nach Bagdad zu gehen. Er reagierte so, daß Hanna meinen mußte, er wünsche eine Abtreibung, die auch vereinbart wurde. Daß er sie dann doch, kurz vor der Abreise nach Bagdad, heiraten wollte, um sie (als deutsche ›Halbjüdin‹) vor der Ausweisung zu schützen, hat sie abgelehnt. Sein Satz: »Wenn du dein Kind haben willst, müssen wir natürlich heiraten« (48) – »dein Kind« statt »unser Kind« – bedeutete den Bruch. Er und Hanna haben einander seither nicht wiedergesehen.

Die fast schon allzu plakative Gegenüberstellung zweier ›Angebote‹ (Vaterschaft – Karriere) und die Exponierung von Fabers Entscheidung kennzeichnen sein weiteres Leben, bis hin zu der gesundheitlichen und emotionalen Krise um seinen 50. Geburtstag, als eine forciert vereinseitigte Existenz: Sie beruht auf der Verdrängung des Natürlichen. So, wie der Ingenieur Faber, beschäftigt mit Staudammbauten in sogenannten ›Entwicklungsländern‹, Natur nicht anders zu sehen vermag denn als Objekt der Nutzung und der Ausbeutung, so ist ihm auch die eigene Kreatürlichkeit ein Fremdes geworden. Insbesondere die Sexualität gilt ihm seit einem frühen Erlebnis als »absurd« (99): »Wieso eigentlich mit dem Unterleib?« (93) Das sadomasochistische Verhältnis zu seiner New Yorker Freundin Ivy dient lediglich der Triebabfuhr. Diese umfassende Naturentfremdung spiegelt sich in Fabers Rasierzwang; er erträgt es nicht, unrasiert zu sein: »Ich habe dann das Gefühl, ich werde etwas wie eine Pflanze« (27). Daß die Wüste ein »Erlebnis« sein könne,

weist er von sich (24 f.), und den Dschungel, in den er sich
mit Herbert Hencke auf der Suche nach seinem ehemaligen Freund Joachim begibt, schildert er mit unverhohlenem
Ekel:

> Verwesung voller Keime, [. . .], Tümpel im Morgenrot wie
> Tümpel von schmutzigem Blut, Monatsblut, Tümpel vol-
> ler Molche, nichts als schwarze Köpfe mit zuckenden
> Schwänzchen wie ein Gewimmel von Spermatozoen,
> genau so – grauenhaft. (68)

Zeugung und Tod sind ihm gleichermaßen zuwider. Über
den Satz seines Reisegefährten Marcel: »Tu sais que la mort
est femme! [. . .] et que la terre est femme!« kann er nur
lachen »wie über eine Zote« (69). Die Verdrängung des Todes
und das Schaudern vor dem Tod kommen zum Ausdruck in
den wiederholten, von großem Ekel diktierten Schilderungen der Zopilote, der mexikanischen Aasgeier.[4] Folgerichtig
findet Faber sich auch von der natursymbiotischen Lebensweise der Indios abgestoßen (38: »ein weibisches Volk,
unheimlich, dabei harmlos«), und die dem kosmischen Werden und Vergehen angepaßte Kultur der Mayas nennt er ›pri-
mitiv‹ (44).
All diese forcierte ›Männlichkeit‹ und ›Rationalität‹ bricht
zusammen in der Konfrontation mit der eigenen Vergangenheit und in der Begegnung mit dem Mädchen Sabeth. Frischs
Kunstgriff bei der allmählichen Enthüllung und Widerle-
gung von Fabers Ausgangsposition besteht darin, dem Protagonisten selbst den gesamten »Bericht« in den Mund zu
legen und den Leser erst nach und nach mit Hilfe verschiede-
ner Signale die Scheinhaftigkeit von Fabers angeblicher Sachlichkeit erkennen zu lassen. Dieser Ich-Erzähler widerlegt
sich selbst, erweist damit wider Willen die Lebensunmög-
lichkeit seiner Haltung.
Den eigentlichen ›Bericht‹ (den ersten Teil des Romans)

---

4 Vgl. *Homo faber*, S. 34, 49, 53, 55, 83, 165, 182, 186.

schreibt Faber, der Fiktion zufolge, nach Sabeths Tod und
nachdem er die amerikanischen Stationen der vorher geschilderten Reise wiedergesehen hat. Durch Magenschmerzen,
deren Ursache (Krebs) er immer noch verleugnet, an der
Ausübung seiner beruflichen Arbeit gehindert, verfaßt er,
nach mehreren Briefentwürfen an Hanna, eine Art Rechen-
schaftsbericht, »ohne denselben zu adressieren« (170).
Gleichwohl ist als wichtigster ›Adressat‹ auch hier Hanna zu
denken, denn der ›Bericht‹ zielt darauf ab, die Ahnungs- und
darum Schuldlosigkeit seines Verfassers zu beweisen. Aber
das gelingt nicht. Bezeichnend ist schon die Art, wie Faber
erst nach und nach mit der Wahrheit (seiner Wahrheit) über
die frühere Beziehung zu Hanna herausrückt. Zunächst
behauptet er: »Ich hätte Hanna gar nicht heiraten können«
(33); zwölf Seiten weiter liefert er eine ausführliche Schilderung dieser Beziehung und des Konflikts um Hannas
Schwangerschaft (45–48), und erst noch einmal acht Seiten
später erfahren wir die tatsächlichen Gründe dafür, daß es
damals nicht zur Heirat gekommen ist (56 f.). Bezeichnend
sind auch die Zeitpunkte, zu denen diese Erinnerungen in
den ›Bericht‹ einmontiert werden: die erste unmittelbar vor
dem plötzlichen Entschluß, Herbert nach Guatemala zu
begleiten, die zweite vor der Fahrt zur Plantage Joachims
(den sie aber erhängt finden), die dritte zwischen dem Aufbruch von der Plantage und der Rückkehr nach New York:
Offenbar wird Faber von unbewältigten Schuldgefühlen
geplagt, die ihn erst auf die Suche nach Joachim und dann in
die Beziehung zu Sabeth, der ›anderen Hanna‹, treiben. – Auf
ähnliche Weise wie die Aufhellung der Ereignisse im Jahre
1936 verzögert Faber den Bericht von der Liebesnacht in
Avignon (123–125) und den über die tatsächlichen Umstände
bei Sabeths Unfall (156–158), die er im Athener Krankenhaus nur unvollständig mitgeteilt hat, was die rettende
Behandlung auch des Schädelbasisbruchs (160) verhindert.
So finden sich denn auch mitten in diesem Rechtfertigungs-
Bericht Sätze, die das ganze Unternehmen als sinnlos erschei-

nen lassen: »»Was ändert es, daß ich meine Ahnungslosigkeit beweise, mein Nichtwissenkönnen! Ich habe das Leben meines Kindes vernichtet und ich kann es nicht wiedergutmachen. Wozu noch ein Bericht?«, Sätze, die Faber allerdings gleich wieder zurückzunehmen sucht: »ich konnte nicht ahnen, daß sie meine eigene Tochter ist [...]. Wieso Fügung?« (72)

Dieser Gestus des Abwiegelns kennzeichnet den ganzen ›Bericht‹, und der Leser wird sehr bald hellhörig für die Signale, die diesen Erzähler unglaubwürdig erscheinen lassen. Da heißt es z. B.: ›Ich mache mir nichts aus Romanen – sowenig wie aus Träumen, [...]« (15), aber dieser Satz endet erst, nachdem Faber sehr ausführlich einen bedeutsamen Traum erzählt hat. Oder: Er hält Sabeth einen Vortrag über die Unerträglichkeit der Ehe (90–93) und macht ihr noch am gleichen Abend einen Heiratsantrag (95). Solche Widersprüche zwischen Worten und Handlungen machen aufmerksam auf unscheinbarere Unglaubwürdigkeits-Signale, die der Leser dann schon, wenn er zurückblättert, auf der ersten Seite des Romans entdecken wird: Was ihn nervös gemacht habe, behauptet Faber, sei nicht die Verzögerung des Abflugs von New York infolge Schneestürmen (Natur gegen Technik) und auch nicht der Zeitungsbericht über einen spektakulären Flugzeugabsturz gewesen, »sondern einzig und allein diese Vibration in der stehenden Maschine mit laufenden Motoren – dazu der junge Deutsche neben mir, der mir sogleich auffiel, ich weiß nicht wieso [...].« (7) Abgesehen davon, daß die Floskel »einzig und allein« schon durch den Nachsatz (»dazu«) widerlegt wird: Bei der Zwischenlandung in Houston versucht Faber sich dem Weiterflug zu entziehen (fadenscheinige Begründung: »Ich hatte einfach keine Lust weiterzufliegen.« – 13), und nach dem Ausfall des ersten Motors, der ihn angeblich nicht aufregt, verfällt er einem Sprechzwang, faßt sogar seinen Nachbarn am Ärmel, »was sonst nicht meine Art ist« (17). – Das Muster: »was mich nervös machte, war nicht etwa [...], sondern lediglich [...]«

begegnet noch öfter und verweist den Leser auf die Wichtigkeit gerade des Abgeleugneten. Auch der letzte Teil des
zitierten Satzes enthält eine Floskel, die immer wiederkehrt:
»ich weiß nicht wieso«. Faber »weiß nicht, wieso« er sich in
Houston versteckt (13), »weiß nicht, was es wirklich war«
(33), als er sich entschließt, Herbert zu Joachim zu begleiten,
usw.: Stets melden sich hier verdrängte, unbewußte Regungen, die die scheinbare Rationalität von Fabers Tun und Denken durchbrechen. Am Anfang, angesichts des Sitznachbarn
im Flugzeug, ist es die aufdämmernde Erinnerung an Joachim, obwohl Herbert ganz anders aussieht (10), – ein
Gegenbild zur Begegnung mit Sabeth, deren Ähnlichkeit mit
Hanna der Berichterstatter immer wieder in Abrede stellt,
um sie dann schließlich doch einzugestehen, bezeichnender-
weise unmittelbar vor der Erzählung von seinem Heiratsantrag: »Ihr Hanna-Mädchen-Gesicht!« (94)
Solche Zusammenhänge, die Faber leugnet oder mehr oder
minder bewußt übersieht, werden verdeutlicht durch Wiederholungsszenen. Am auffälligsten sind, zu Anfang, in der
Mitte und am Ende des Romans, die drei Konfrontationen
Fabers mit seinem Spiegelbild. Szenen vor dem Spiegel dienen in der Dichtung gemeinhin der Selbstreflexion der jeweiligen Figur, der Selbsterkenntnis und damit dem Anstoß zu
entsprechendem Handeln. Hier aber wird gerade umgekehrt
dreimal vorgeführt, wie der Protagonist sich der Einsicht in
seinen tatsächlichen Zustand zu entziehen sucht. In der Flug-
hafentoilette in Houston, bevor Faber unter einer ersten
Attacke seiner Krankheit ›zu Boden geht‹, sieht er: »Mein
Gesicht im Spiegel [...]: weiß wie Wachs, [...], scheußlich
wie eine Leiche.« Und sogleich sucht er nach einer Erklärung
außerhalb seiner selbst: »Ich vermutete, es kommt vom
Neon-Licht«; vergebens fordert der Lautsprecher: »Your
attention please, your attention please!« Faber bleibt dabei:
»Ich wußte nicht, was los ist.« (11) – In Paris sitzt er, nachdem sein Chef ihm einen Erholungsurlaub nahegelegt hat,
verstört in einem Restaurant und notiert (wieder einmal

abwiegelnd): »was mich irritierte, war lediglich der Spiegel gegenüber, Spiegel im Goldrahmen.« Denn: »Ich sah mich, sooft ich aufblickte, sozusagen als Ahnenbild«. Das ist einer der zahlreichen Hinweise auf den Tod oder doch jedenfalls auf die Sterblichkeit, aber Faber schiebt diese Ahnung schnell beiseite: »Ich hatte Ringe unter den Augen, nichts weiter«; daß der ausgezeichnet zubereitete Fisch ihm nicht schmeckt, kommentiert er wie üblich: »ich weiß nicht, was mit mir los war.« (98) – Im Athener Krankenhaus, wenn ihm endlich der erbetene Spiegel gebracht worden ist, gesteht er immerhin zu, daß er über seinen Anblick »erschrocken« sei, was er im nächsten Satz allerdings schon in »etwas erschrocken« abmildert (170). Gleichwohl braucht er diesmal ziemlich lange, um sich zu beruhigen und zu dem Schluß zu kommen: »Vielleicht ist es auch das weißliche Jalousie-Licht in diesem Zimmer, was einen bleich macht« (171). – Die Spiegel-Szenen zeigen, daß Faber gewisse Einstellungen nicht ändert, wohl auch nicht ändern kann. Der Gedanke an das eigene Sterben wird bis fast ganz zum Schluß verdrängt.

Die Mond-Szenen dagegen markieren eine gewisse Entwicklung. Zu Anfang kontrastiert Faber seine Empfindungen ironisch gegen die Herbert Henckes: »Er fand es ein Erlebnis.« – »Ich fand es kalt.« Den Mond kennzeichnet er als »eine errechenbare Masse, die um unseren Planeten kreist, eine Sache der Gravitation, interessant, aber wieso ein Erlebnis?« (24) Konsequenterweise macht er sich auch nichts aus dem Vollmondfest der Indios in Palenque (45). Den nächsten Vollmond aber sieht er zusammen mit Sabeth in Avignon. Es ist die Nacht der totalen Mondfinsternis, deren Anblick ihn zu seiner Verwunderung aus der Ruhe bringt. Trotz aller Verständlichkeit hat die Erscheinung für ihn auch etwas Beklemmendes, da sie ihm seine Existenz auf einem in kosmischer Finsternis schwebenden Körper bewußt macht:

Ich redete vom Tod und Leben [. . .], und wir waren beide aufgeregt, [. . .], und zum ersten Mal hatte ich den verwir-

renden Eindruck, daß das Mädchen [. . .] in mich verliebt
war. Jedenfalls war es das Mädchen, das in jener Nacht,
nachdem wir bis zum Schlottern draußen gestanden hatten, in mein Zimmer kam –« (124 f.)

Ein Erlebnis, offenkundig, das im Verständlich-Erklärbaren
der Gravitationsgesetze nicht aufgeht. Die Wiederholungs-
Szene widerruft die angestrengte Objektivität ihrer Vorgän-
gerin – wobei Faber es freilich nicht unterlassen kann, die
Schuld am Inzest wenigstens halbwegs von sich zu weisen. –
Die letzte gemeinsame Nacht durchwandert er mit Sabeth im
Mondschein auf Akrokorinth. Der Gegensatz zwischen dem
Techniker und der allem Lebendigen zugewandten jungen
Frau gestaltet sich hier als Spiel im Gegeneinander von Metaphern für das, was sie sehen und hören (151: »Wie der erste
Versuch auf einem Cello! findet Sabeth, ich finde: Wie eine
ungeschmierte Bremse!« usw.). Faber versucht zwar noch,
seine eigene ›nüchterne‹ Sehweise zu behaupten, versteht die
ihre aber inzwischen so gut, daß er oft kein Pendant findet
und später, bei seinem letzten Flug über die Alpen, ihren Part
mit übernehmen kann: »Die Gletscherspalten: grün wie
Bierflaschenglas. Sabeth würde sagen: wie Smaragd!« (195)
und: »Unser Flugzeugschatten: wie eine Fledermaus! so
würde Sabeth sagen, ich finde nichts und verliere einen
Punkt« (196).
Ein weiteres Mittel, dem ›Bericht‹ Fabers einen sinngeben-
den Subtext zu unterlegen (neben den Widersprüchen von
Reden und Tun, den unglaubwürdigen Abwiegelungen und
den Wiederholungsszenen) stellen die Leitmotive dar. Erwähnt wurde schon Fabers Rasierzwang, der seine Naturentfremdung symbolisiert. Ein eher unscheinbares Motiv ist
das des Schlotterns. Von diesem Schlottern wird in fünf
Schlüsselszenen des Romans berichtet. Am ersten Abend in
der Wüste wehrt Faber sich dagegen, Gedanken an Dämonen, Sintflut, verdammte Seelen und Totenreich in sich auf-
kommen zu lassen, und redet sich gut zu: »Ich schlottere,

aber ich weiß, in sieben bis acht Stunden kommt wieder die Sonne. Ende der Welt, wieso?« (25) Unmittelbar danach fragt er, ob Herbert vielleicht mit einem Joachim Hencke verwandt sei, und gibt damit den Anstoß für die gemeinsame Reise ans »Ende der Welt« (37), ins Totenreich jenseits des Rio Usumacinta, und für die ganze weitere Entwicklung. – Am ersten Tag auf dem Schiff sieht Faber Sabeth und ihrem Freund beim Pingpong-Spiel zu: »Dann Sonnenuntergang. Ich schlotterte.« (72) – Am Abend seines 50. Geburtstages steht Faber mit Sabeth an Deck, legt ihr seine Jacke um, damit sie sich nicht erkältet, führt sie dann noch einmal hinunter, »weil sie schlotterte, ich sah es, trotz meiner Jacke. Ihr Kinn schlotterte« (90). Nach dem Heiratsantrag und ihrer Frage, »ob ich's wirklich im Ernst meinte, küßte ich sie auf die Stirn, dann auf ihre kalten und zitternden Augenlider, sie schlotterte am ganzen Leib, dann auf ihren Mund, wobei ich erschrak. Sie war mir fremder als je ein Mädchen.« (95) – Schon zitiert wurde Fabers Darstellung der Liebesnacht in Avignon, »nachdem wir bis zum Schlottern draußen gestanden hatten« (125). – Vom Ende der Wanderung auf Akrokorinth heißt es: »Sabeth in meinem Arm, während wir auf den Sonnenaufgang warten, schlottert.« (151) – Dieses Schlottern, in der realen Sphäre jeweils schlichtweg auf Kälte zurückzuführen, meint in der tieferen Sinnschicht ein unbewußtes Zurückschaudern vor Gefährlichem, Verbotenem. Gemeinsam ist den fünf Szenen auch das Versagen von Schutzmaßnahmen: Faber schlottert trotz Mantel und Wolldecken (25), Sabeth trotz Fabers Jacke, später: obwohl Faber sie in den Armen, im Arm hält, Arm in Arm mit ihr steht. Gegenüber dem Unheil, das Fabers verfehlter Lebensplan heraufbeschwört, gibt es keinen Schutz, und er selbst kann diesen Schutz erst recht nicht geben.

Auffälliger ist das Motiv der Blindheit. Mehrfach betont Faber, er sei ja schließlich nicht blind (24) und er sehe durchaus, »wovon die Rede ist« (111). In Wahrheit sieht er nur, was er sehen will, macht sich mehr oder minder bewußt

blind, vor allem hinsichtlich seiner Krankheit und bezüglich
seiner Empfindungen für Sabeth. Bis zum letzten gemeinsamen Tag in Italien schiebt er die Frage nach ihrer Mutter auf.
Die Antwort trifft ihn ausgerechnet an der Via Appia, von
der zuvor zweimal zu lesen war, sie sei von dem Censor
Appius Claudius Caecus angelegt worden (113, 116). ›Caecus‹ heißt ›der Blinde‹, ein Beiname, den Appius Claudius
wegen seiner altersbedingten Erblindung erhalten hat. Der
alternde Faber dagegen bekommt hier die Augen geöffnet,
schließt sie aber sofort wieder vor der logischen Folgerung,
rechnet vielmehr so lange herum, bis das gewünschte Ergebnis herauskommt: Sabeth, die er gerade noch gedankenlos-
wahrhaftig »mein liebes Kind« genannt hat (119), kann nur
»das Kind von Joachim« sein (121). Mit Recht nennt Hanna
nicht nur ihren ideologieverbohrten zweiten Gatten, Herrn
Piper, sondern auch Walter Faber »stockblind« (144). Als
Gegenfigur wird am Ende des Romans der blinde Armin eingeführt, Hannas Mentor in ihrer Mädchenzeit: »Armin war
vollkommen blind, aber er konnte sich alles vorstellen, wenn
man es ihm sagte.« (183) Fabers oberflächliche und entfrem-
dete Art des Sehens dagegen wird in seiner ständigen Filme-
rei gespiegelt, in der Herstellung also von Außenansichten,
von Reproduktionen, die bei der ersten Erwähnung sogar
auf Reproduktion der Reproduktion hinauslaufen. Von seinem ersten Kontakt mit der Wüste sagt er nämlich: »Natürlich dachte auch ich sofort an den Disney-Film, der ja gran-
dios war, und nahm sofort meine Kamera; aber von Sensation
nicht die Spur« (23). ›Natürlich‹ ist es ihm also, daß vor die
Wahrnehmung von Natur die Reminiszenz an eine künst-
lich-künstlerische Abbildung tritt; von Walt Disneys raffi-
niert geschnittenem Film *Die Wüste lebt* (1953) auf Sensationelles ›programmiert‹, kann er selbst nichts sehen. Die im
zweimaligen »sofort« signalisierte Hektik läßt deutlich werden, daß Faber sich mit der Zwischenschaltung der Kamera
vor einer unmittelbaren Wahrnehmung geradezu meint
schützen zu müssen. Erst auf Cuba, wo er sich einer neuen

Art des Sehens hingibt – »Vier Tage nichts als Schauen –«
(172) –, verzichtet er auf den Apparat: »Hanna hat recht:
nachher muß man es sich als Film ansehen, wenn es nicht
mehr da ist, und es vergeht ja doch alles –« (182). Eben diese Erfahrung trifft ihn dann zwei Tage später in Düsseldorf mit fast zerstörerischer Gewalt, wenn er in der Firma
Hencke-Bosch seine Aufnahmen von der Plantage zeigen
will und statt dessen die Filme mit Sabeth vorgeführt bekommt: »Ihr Gesicht, das nie wieder da sein wird –«, »Ihr
Körper, den es nicht mehr gibt –«, »Ihr Lachen, das ich nie
wieder hören werde –« (188–190). Fast besinnungslos läuft
er davon, die Filme zurücklassend, taumelt »wie blind«
(192) durch Düsseldorf, steigt in einen Zug, der entweder
Helvetia-Expreß oder (ausgerechnet) Schauinsland heißt
(191), sitzt denn im Speisewagen und denkt: »Warum nicht
diese zwei Gabeln nehmen, sie aufrichten in meinen Fäusten
und mein Gesicht fallen lassen, um die Augen loszuwer-
den?« (192)

Die Anwandlung, der sträflichen Verblendung die tatsächliche Selbstblendung folgen zu lassen, verweist auf den im Text
auch ausdrücklich erwähnten Oedipus-Mythos, über dessen
Bedeutung für den Roman viel geschrieben worden ist.
Frisch selbst hat eher abwehrend darauf hingewiesen, daß es
ja nicht um einen Inzest mit der Mutter, sondern um einen
solchen mit der Tochter gehe.[5] In der Tat liegt der Bezug
weniger in den Handlungsparallelen – unwissentlicher Inzest, (erwogene) Selbstblendung, versöhnter Tod in Athen –
als vielmehr in jener Konstellation, die der Roman selber
nennt: »Oedipus und die Sphinx« (142). Die Sphinx, ein
Ungeheuer mit dem Kopf eines Mädchens und dem Leib
eines geflügelten Löwen, verkörperte im griechischen Mythos die rätselhafte Natur, auch die Unabwendbarkeit des
Todes. Oedipus, der die vor Theben lagernde menschenfres-

5 Vgl. Walter Schmitz, *Max Frisch. »Homo faber«. Materialien, Kommentar*, S. 57.

sende Sphinx besiegt, indem er ihr Rätsel löst, und der zum
Lohn Herrscher von Theben und Gatte der verwitweten
Königin (seiner Mutter) wird, verfällt in Hochmut, glaubt
alle Rätsel lösen, alle Geheimnisse durchschauen zu können
und bringt mit der Untersuchung über die Ursachen der
Pest, die nach Jahren Theben heimsucht, sich selbst zur
Strecke. – Im Kontext des Romans verweist das mythologische Muster ›Oedipus und die Sphinx‹ also auf Fabers techni-
zistischen Hochmut gegenüber der Natur, auf seinen Irrglau-
ben, alles mit Wahrscheinlichkeitsrechnung, Statistik usw.
bewältigen zu können, während er in Wahrheit blind ist für
die fundamentalen Zusammenhänge des – insbesondere seines eigenen – Lebens.

Neben dem zentralen Vergleich Fabers mit Oedipus enthält
der Text noch eine ganze Reihe weiterer Anspielungen auf
den antiken Mythos; sie bilden den auffälligsten Subtext zu
Fabers ›sachlichem‹ Bericht. In jener Aufzählung griechi-
scher Sagenfiguren, die für Hanna angeblich Tatsachen darstellen, werden neben Oedipus und Athene (die für Hanna
selbst stehen mag) auch die Eumeniden erwähnt (142). So
(›die Wohlmeinenden‹) wurden euphemistisch die griechischen Rachegöttinnen genannt, die Erinnyen, und einer solchen ist Faber zuvor schon begegnet. Im römischen Ther-
menmuseum haben er und Sabeth den sogenannten Ludovisischen Thron gesehen, dessen Hauptbild die Geburt der
Venus darstellt und dessen Seitenbild, eine flöteblasende
nackte Hetäre, Faber entzückt. Nebenan entdeckt er den
»Kopf einer schlafenden Erinnye« (die sogenannte Medusa
Ludovisi) und findet ihn, ohne zu wissen, worum es sich handelt, »ganz großartig, [. . .], tiefbeeindruckend« (111). Dann
aber werden Sabeth und er einer eigenartigen Wechselwir-
kung zwischen den beiden Kunstwerken gewahr: »Wenn
Sabeth (oder sonst jemand) bei der Geburt der Venus steht,
gibt es Schatten, das Gesicht der schlafenden Erinnye wirkt,
infolge einseitigen Lichteinfalls, sofort viel wacher, lebendi-
ger, geradezu wild.« (111): Die (unerlaubte) Liebe zwischen

Sabeth und Faber weckt die Rachegeister[6]; nicht umsonst heißt es von der Touristengruppe, sie dränge sich vor dem Ludovisischen Thron »wie vor einer Unglücksstätte« (110). – Der »Zweiten Station«, in der Fabers Bericht von seiner abermaligen Reise nach Amerika, dann Cuba, Düsseldorf und Zürich verschränkt wird mit (handschriftlichen) Aufzeichnungen im Athener Krankenhaus, wollte Frisch ursprünglich den Titel »Die Eumeniden« geben; im Exposé sprach er von der »Eumeniden-Fahrt«.[7] Gemeint ist einerseits die Kennzeichnung von Fabers rastloser Reise als der eines von Rachegeistern (Schuldgefühlen) Gehetzten, zum anderen der versöhnte Tod dessen, der seine Schuld eingesehen und bereut hat, – so, wie Sophokles in *Oedipus auf Kolonos* den Büßer im Hain der Eumeniden sterben läßt. Dem entspricht, daß Hanna, wie es schon im Exposé heißt, »in Schwarz, zuletzt in Weiß« erscheint[8]: Diesen Kleiderwechsel haben, der Überlieferung zufolge, auch die den Muttermörder Orest jagenden Erinnyen vollzogen, nachdem Athene sie zur Versöhnung bewegt hatte.[9]

Bedeutsam sind auch der Ort von Sabeths Unfall und die Stätten, die Faber mit der Verunglückten auf der verzweiflungsvollen Fahrt nach Athen berührt. Theodohori heißt der Ort am Meer (155, 176): Dorf des Theodor (bzw. der Heiligen Theodore); Theodor bedeutet ›Gottesgeschenk‹, wie man ein neugeborenes Kind wohl nennen mag. Das unerwar-

---

6 Schon im antiken Mythos (in Hesiods *Theogonie*) steht die Geburt der Liebesgöttin Aphrodite (Venus) mit derjenigen der Erinnyen in engstem Zusammenhang: Als der Gott Kronos seinen Vater Uranos mit einer Sichel entmannte, erwuchs aus dem Zeugungsglied, das ins Meer fiel, Aphrodite; aus dem Blut aber, das auf die Erde tropfte, entstanden außer Giganten und Nymphen auch die Erinnyen.

7 Vgl. Müller-Salget (Anm. 3).

8 Vgl. ebd. und *Homo faber*, S. 182.

9 Vgl. Wilhelm Heinrich Roscher (Hrsg.), *Ausführliches Lexikon der griechischen und römischen Mythologie*, 6 Bde., Leipzig 1884–1937, Bd. 1, Sp. 1331, und Rhonda L. Blair, »›Homo faber‹, ›Homo ludens‹ und das Demeter-Kore-Motiv«, in: *Frischs »Homo faber«*, hrsg. von Walter Schmitz, Frankfurt a. M. 1983, S. 142–170, hier S. 148, 154 und 168 f.

tet in Fabers Leben eingetretene ›Kind‹ Sabeth aber erleidet
hier den todbringenden Sturz. – Unweit Athens führt der
Weg durch Daphni (129), benannt nach der Nymphe
Daphne, die auf der Flucht vor dem verliebten Gott Apollo
in einen Lorbeerbaum verwandelt oder – nach einer älteren
Überlieferung – von ihrer Mutter Gäa (›Erde‹) verschlungen
wurde. Auch Sabeth kommt zu Tode (und vorher in die
Obhut der Mutter), weil sie vor dem nackt herbeieilenden
Faber zurückweicht (157 f.). – Die zwischen Theodohori und
Daphni liegenden Städte Megara und Eleusis sind in der
Antike der Göttin Demeter geweiht gewesen, der Göttin der
Fruchtbarkeit, des Ackerbaus und des Getreides, Mutter der
Persephone. Diese, oft auch nur Kore (›das Mädchen‹)
genannt, wurde vom Unterweltgott Hades geraubt, der erst
nach langen Verhandlungen darin einwilligte, daß Perse-
phone nur ein Drittel (andere Überlieferung: die Hälfte) des
Jahres in der Unterwelt zubringen mußte, für den Rest aber
im Olymp weilen durfte. Diesem Vegetationsmythos (Auf-
blühen, Reife, Absterben und unterirdisches Überdauern der
Pflanzen symbolisierend) waren die Eleusinischen Myste-
rien gewidmet, die vor allem der Versöhnung der klagenden
Mutter galten. Die Beziehung Demeter–Persephone gilt
als *das* urbildliche Mutter-Tochter-Verhältnis im antiken
Mythos. Die Übertragung der Konstellation Demeter-
Kore–Hades auf diejenige zwischen Hanna, Sabeth und
Faber liegt nahe.
Faber selbst, der angeblich »in Mythologie [...] nicht
beschlagen« ist (142), hat eine einschlägige Reminiszenz, als
er in der Badewanne denkt: »Hanna [...] könnte ohne weiteres eintreten, um mich von rückwärts mit einer Axt zu
erschlagen« (136): Agamemnon, der die Tochter Iphigenie
seinen kriegerischen Plänen geopfert hatte und bei der Heimkehr von seiner Gattin Klytämnestra (und ihrem Liebhaber)
im Bad erschlagen wurde.
Eher spielerisch eingesetzt werden Typenbezeichnungen für
technische Geräte, die sich mit antiken Namen schmücken:

die Hermes-Baby (Fabers Schreibmaschine; 29 usw.), der
Alfa Romeo (123), die Omega-Uhr (129), der Opel Olympia
(159); hierzu mag jeder Leser sich das Seine denken.[10] Die
Figur des vielgestaltigen Gottes Hermes allerdings hat Frisch
des öfteren beschäftigt. In *Montauk* berichtet er vom Plan zu
einer Oper mit dem Titel *Hermes geht vorbei* (VI,680), und
der Roman *Mein Name sei Gantenbein* sollte ursprünglich
»eine Reihe opernhafter Szenen um die Hermes-Gestalt«
enthalten (V,585). Übriggeblieben ist davon die Arbeit der
Romanfigur Enderlin über Hermes, aus der die vielen Funktionen des Gottes zitiert werden (V,145 f.). Im *Homo faber*
sind von diesen Rollen vor allem die als Gelegenheitsmacher
für Liebende und die des Seelenführers zum Tode bedeutsam. Die – übrigens authentische[11] – Markenbezeichnung
»Hermes-Baby« ist von einigen Forschern auf Sabeth bezogen worden: Fabers Kind, das ihn nach Athen zum Tode
geleitet.[12] Zunächst aber deutet die »Hermes-Baby« auf den
Ersatz-Charakter der Dinge und Werte, mit denen Faber sich
umgibt: Statt eines tatsächlichen Babys (vor dem er ausgeris-
sen ist) hat er die allgegenwärtige Schreibmaschine, die ihm
wiederum als Mittel zur Distanzierung (hier: vom Schreib-
akt) dient.[13] Andererseits bleibt die Rolle des Hermes gerade
im Demeter-Kore-Mythos zu bedenken: *Er* ist es, der die
geraubte Persephone aus der Unterwelt ans Tageslicht
zurückführt.[14] Hier wäre an den ›Bericht‹ zu denken, den
Faber auf der Hermes-Baby schreibt und der Sabeth in
gewisser Weise wieder zum Leben erweckt. Auch die offenbar kathartische Wirkung des ›Berichts‹ auf den Verfasser
selbst gehört hierhin: Nachdem er die zum Tode Sabeths

10 Vgl. die entsprechenden Anmerkungen in: Müller-Salget (Anm. 1).
11 Es handelt sich um eine Reiseschreibmaschine aus der Produktion der
    Schweizer Firma Hermes.
12 Vgl. Klaus Schuhmacher, *»Weil es geschehen ist«. Untersuchungen zu
    Max Frischs Poetik der Geschichte*, Königstein i. Ts. 1979, S. 69 ff., und
    Schmitz (Anm. 9) S. 210.
13 Vgl. *Homo faber*, S. 161: »Ich kann Handschrift nicht leiden«.
14 Vgl. Roscher (Anm. 9), Bd. 2, Sp. 1319 und 1377–79.

führende Entwicklung im Schreiben nochmals durchlebt hat und sich seiner Schuld bewußt geworden ist, indem er (sozusagen von Hermes in die Unterwelt geführt) die Verdrängung des Todes als grundfalsch erkennen lernt, gewinnt er ein neues Verhältnis auch zum Leben, was sich in seinem neuen Sehen und in seiner Öffnung allem Lebendigen gegenüber auf Cuba manifestiert: »Ich preise das Leben!« (181)

Nicht in den Mythos, wohl aber in einen eigentümlichen Zwischenbereich führt das Thema von Fabers einst geplanter Dissertation: der Maxwellsche Dämon (33, 74, 197). Dieses mit einem Terminus aus der Mythologie bzw. dem Aberglauben benannte Gedankenexperiment des britischen Physikers James Clerk Maxwell (1831–79) läuft auf die Umkehrung der Entropie (des irreversiblen Anwachsens nicht mehr verfügbarer Energie bei thermodynamischen Prozessen) und die Schaffung eines Perpetuum mobile hinaus. Daß eine Konstruktion im Sinne Maxwells, selbst wenn sie möglich wäre, entgegen ihrer Zielsetzung mehr Energie verbrauchen als produzieren, die Entropie also nicht umkehren, sondern beschleunigen würde, hat 1951 der französische Physiker Léon Billouin (1889–1969) nachgewiesen.[15] – Fabers intensive Beschäftigung mit dem Maxwellschen Dämon beruht auf seinem Bedürfnis, »den Tod zu annullieren« (77). Ein Perpetuum mobile würde den Sieg über Zeit und Vergänglichkeit bedeuten; überdies würde die Möglichkeit zur Umkehrung der Entropie die Folgerungen widerlegen, die der deutsche Physiker Rudolf Clausius (1822–88) aus dem von ihm entwickelten Entropiesatz, dem im Roman auch ausdrücklich erwähnten »Wärmesatz« (142), gezogen hatte, die These nämlich vom bevorstehenden Wärmetod des Weltalls.[16] Erst ganz am Schluß, nachdem Faber auf Cuba ein

---

15 Vgl. Müller-Salget (Anm. 1) S. 42–45, und Manfred Leber, *Vom modernen Roman zur antiken Tragödie*, S. 108.
16 Über den »Wärmetod« räsoniert schon der Intellektuelle in Frischs ›Farce‹ *Die Chinesische Mauer* (2. Fassung, 1955; 4. Fassung, 1972; vgl. *Gesammelte Werke*, Bd. II, S. 163).

neues Verhältnis zum Leben und zur Natur gefunden hat, ist
er bereit auch zur Annahme dessen, was Frisch »Vergängnis«
nennt:

> Auf der Welt sein: im Licht sein. Irgendwo (wie der Alte
> neulich in Korinth) Esel treiben, unser Beruf! – aber
> vor allem: standhalten dem Licht, der Freude (wie unser
> Kind, als es sang) im Wissen, daß ich erlösche im Licht
> über Ginster, Asphalt und Meer, standhalten der Zeit,
> beziehungsweise Ewigkeit im Augenblick. Ewig sein: ge-
> wesen sein.   (199)

In seinem letzten Lebensjahrzehnt hat Frisch diesen Absatz
mehrfach als eigene Maxime zitiert[17] und in seiner *Rede an
junge Ärztinnen und Ärzte* von 1984 erläuternd hinzugefügt:
»vom Tod war hier die Rede, weil nur aus unserem Todesbe-
wußtsein sich das Leben als Wunder offenbart.« »Todesbe-
wußtsein« verstehe er als »Dimension der Lebensfreude, der
großen, der Freude an einem Dasein in der Zeit« (VII,92). –
Faber kommt zur Erkenntnis erst, als es für ihn selbst zu spät
ist. Die jahrzehntelange Verdrängung wendet sich gegen ihn
als tödliche Krankheit.
Wenn also in der geschilderten Weise Fabers einseitige ›Sachlichkeit‹, seine Zweckrationalität, sein Glaube an die Bere-
chenbarkeit des Lebens destruiert werden, dann bleibt die
Frage nach der Alternative. Im Mythos liegt sie wohl kaum.
Anders als Thomas Mann im *Tod in Venedig*, dem der *Homo
faber* in der Gesamtkonzeption verwandt ist und zu dem vor
allem in der sogenannten Cuba-Episode (172–182) fast wört-
liche Parallelen existieren, arbeitet Frisch nicht mit *einem*
bestimmten Muster (dort: dem Gegensatz von ›apollinisch‹
und ›dionysisch‹ in Nietzsches Sinn), sondern mit punktuel-
len und polyvalenten Bezügen. Faber erscheint, je nachdem,
in der Rolle Agamemnons, des Oedipus, des Hades, viel-

17 Unter anderem in zwei Fernsehsendungen aus Anlaß seines 75. Geburtstages (»Meister der Distanz« von Hilde Bechert und Klaus Drexel
sowie »Max Frisch – Gespräche im Alter« mit Philippe Pilliod).

leicht auch – als der nach über 20 Jahren zur ›Gattin‹ Heim-
kehrende – in der des Odysseus[18], ohne daß er mit einer dieser Rollen vollständig identifiziert werden könnte. Die Vielfalt der mythologischen Anspielungen steht nicht für das
›Richtige‹, sondern für die Vielfalt des Lebendigen, der
gegenüber Fabers ›Rationalität‹ als beschränkt und lebens-
widrig erscheint.[19]

In seiner Sicht ist Hanna die Vertreterin mythologischen
Denkens: Sie glaube an Schicksal, neige, ›wie alle Frauen‹,
zum Aberglauben, halte Figuren wie die Erinnyen für Tatsachen (142). Der Leser sollte auch diesen Behauptungen
gegenüber seine Reserve bewahren. Schon Faber selbst ist
irritiert über Hannas ›Sachlichkeit‹, die er als ›männlich‹
empfindet (ein zweifelhaftes Lob): »ein Mann, ein Freund,
hätte nicht sachlicher fragen können.« (127) In der Tat erscheint ihr Handeln nach dem Wiedersehen keineswegs als
irrational. Von ›abergläubischen‹ Anwandlungen heimge-
sucht wird nicht sie, sondern Faber. Bei der verzweifelten
Suche nach einer Erklärung für Sabeths Ende verfällt er auf
den Gedanken, ob nicht tatsächlich Dämonen am Werk
gewesen sein könnten, und fragt die fröhliche Hure Juana,
ob sie glaube, »daß die Schlangen (ganz allgemein) von
Göttern gesteuert werden, beziehungsweise von Dämonen«.
Mit Recht gibt Juana zurück: »What's your opinion, Sir?«
(180)[20]

---

18 Vgl. Müller-Salget (Anm. 1) S. 38 f., und Frederick A. Lubich, *Max
Frisch: »Stiller«, »Homo faber« und »Mein Name sei Gantenbein«*,
S. 80. Lubich, der auch möglichen Beziehungen der Faber-Figur zu Ika-
ros und Prometheus nachgeht, deutet das Ende des Romans als »mythi-
sche ›Heimkehr zur Mutter‹« (S. 81), muß dafür allerdings Hannas
Selbstkritik unberücksichtigt lassen.

19 Vgl. auch Bettina Kranzbühler, »Mythenmontage im *Homo faber*«,
in: *Max Frisch*, hrsg. von Walter Schmitz, Frankfurt a. M. 1987, S. 214
bis 224, bes. S. 215.

20 Vgl. auch, bei einer Zwischenlandung auf Fabers letztem Flug, seine
Erwägung, ob das Fahrgestell »sich plötzlich wie ein Dämon beneh-
men« und »die Piste plötzlich in Wüste« verwandeln könne (197). – In
Manfred Lebers Untersuchung (s. Anm. 15, insbes. Kap. 4) erscheinen

Irrational im schlechten Sinne verhält Hanna sich lediglich
in einer (allerdings entscheidenden) Frage, in der Beziehung
nämlich zu ihrem Kind, und von daher wird verständlich, warum sie ihr Leben als »verpfuscht« bezeichnet (139)
und Faber sogar weinend und auf Knien um Verzeihung
bittet (202 f.). Von klein auf über die männliche Vorherr-
schaft »empört« (183) – und darum dem ›ungefährlichen‹
blinden, alten Armin zugetan (183–185) –, hat sie sich nach
Fabers Weggang darauf fixiert, ein Kind für sich, ein Kind
ohne Vater zu haben, »ein Kind, das keinen Mann etwas
angeht« (201). Joachim wurde von der Erziehung der Tochter ausgeschlossen, und seine Hoffnung auf ein gemein-
sames Kind hat Hanna durch ihre Sterilisation zunichte gemacht. Sie »opfert ihr ganzes Leben für ihr Kind« (202) und
erträgt offenbar nur schwer den Gedanken, daß »Elsbeth«[21]
erwachsen wird: »›Eigentlich ist sie noch ein Kind‹, sagt
Hanna, – ›oder glaubst du, sie ist mit einem Mann zusam-
mengewesen?‹« (141) – Diese Fixierung ihrer selbst und
Sabeths auf die Mutter-Tochter-Beziehung sowie den
Umstand, daß sie ›das Kind‹ hinsichtlich seines tatsächlichen
Vaters nicht aufgeklärt hat, empfindet sie jetzt als Schuld,
und wenn sie immer wieder fragt, warum Joachim sich wohl
erhängt hat (200), so darf man auch hier Schuldgefühle vermuten.
Von diesen Zusammenhängen her erweist Hanna sich als eine
ebenso vereinseitigte Person wie Faber. Während er, der ›Tat-
sachenmensch‹, nur in der Gegenwart zu leben suchte, blieb
Hanna auf ihre Mutter-Existenz und damit auf ein notwendig Vergehendes fixiert. Das gilt auch für ihre Arbeit als
Archäologin, von der sie selbst wegwerfend sagt: »Ich klei-
stere die Vergangenheit zusammen –« (139). In ihrer Wohnung steht eine ›archaische‹ »Wanduhr mit zersprungenem

---

diese Anwandlungen Fabers als Ausdruck tieferer Einsicht in die tragi-
sche Notwendigkeit seines Schicksals.
21 Zur unterschiedlichen Benennung des Mädchens vgl. Müller-Salget
(Anm. 1) S. 103 f.

Zifferblatt« (134).[22] Ihr Vorwurf, Faber behandle Leben nicht als »Gestalt in der Zeit« (170), fällt auf sie selbst zurück. – Beide, der Naturwissenschaftler und Techniker wie die Geisteswissenschaftlerin und Archäologin, versäumen das ganze, volle Leben. Der Umstand freilich, daß beide einander einmal geliebt und daß sie ein Kind (ihr jeweils einziges) miteinander (gehabt) haben, deutet darauf hin, daß beide Existenzformen aufeinander angewiesen sind, und eine mögliche Vereinigung der Gegensätze scheint auf in diesem Kind.

Wenn diese Geschichte vom Scheitern zweier prototypischer Existenzen eine Alternative sichtbar werden läßt, dann in der Gestalt des Mädchens Elisabeth-Elsbeth-Sabeth. Im Gegensatz zur je anders akzentuierten Festgelegtheit ihrer Eltern ist diese gerade erwachsen werdende junge Frau offen für alle Eindrücke, offen für Vergangenes (z. B. für antike und mittelalterliche Kunstwerke), offen für die Gegenwart (ihr Liebeserlebnis mit Faber, von dem sie sich gleichwohl in Athen trennen will), offen für die Zukunft, die sie noch nicht verplant hat, auf die sie sich einfach freut (109). Die Prägung durch ihre Mutter zeigt sich in ihrer Verehrung für Literatur und Kunst; andererseits begreift sie ohne Mühe, was Faber ihr über »Navigation, Radar, Erdkrümmung, Elektrizität, Entropie« und den »Maxwell'schen Dämon« erzählt (74). Sie ist noch ein ›Möglichkeitsmensch‹, nicht festzulegen in einem »Bildnis«[23]: »Ihre Unbefangenheit blieb mir immer ein Rätsel« (82). Daß sie eine Vermittler-Rolle zwischen den Positionen ihrer Eltern hätte spielen können, wird deutlich an ihrer Wirkung auf Faber, den sie sowohl dem Kunst- als auch dem Natur-Erleben näherbringt. – Freilich: Sabeth ist ein noch sehr junger Mensch, und eine weitere Entwicklung

---

22 Fabers auf Tilgung der Vergangenheit gerichtetes Streben manifestiert sich dagegen in der Vorstellung von »Uhren, die imstande wären, die Zeit rückwärts laufen zu lassen« (155).

23 Vgl. Frischs bekanntes ›Bildnis-Verbot‹ im *Tagebuch 1946–1949* (Bd. II, S. 369–371 und 374).

wird ihr nicht gegönnt. Trotzdem verkörpert sich in ihr die Hoffnung auf die Wiedergewinnung des *ganzen* Menschen; »unser Kind, als es sang« (199): Das meint die Überwindung der modernen Bewußtseinsspaltung, die sich unter anderem manifestiert in der Kluft zwischen Natur- und Geisteswissenschaften, meint den Ruf nach einem neuen ganzheitlichen Konzept vom Menschen, das wahre Humanität befördern könnte.

Die Verschränkung von Vergangenheit, Gegenwart und Zukunft, die in den drei Protagonisten je anders sich darstellt, gibt dem Roman seine Zeit-Struktur (die Montage von Gegenwarts- und Vergangenheitsbericht in beiden »Stationen«) und stellt zugleich ein Haupt-Thema dar. Hannas Vorwurf, Faber behandele »das Leben nicht als Gestalt, sondern als bloße Addition« (170), zielt auf sein Un-Verhältnis zur Vergangenheit ebenso wie auf die Negierung des Todes. Daß sie selbst der Aufgabe, Leben als »Gestalt in der Zeit« zu leben, nicht gerecht wird, wurde schon gesagt. Das Problem des ›ganzen‹ Lebens, nicht nur im Sinne der Lebensfülle, sondern auch in der ›Gestaltung‹ eines verantwortlichen individuellen Lebenslaufs, in der Vermittlung persönlicher Vergangenheit und Gegenwart, ist nicht nur das Thema des *Homo faber*, sondern ein Zentralthema Frischs überhaupt.

Stiller, im gleichnamigen Roman, sucht seine Vergangenheit zu leugnen, um den abtötenden Rollen-Fixierungen zu entgehen: »Ich bin nicht Stiller!« bzw.: »Ich bin nicht ihr Stiller.« (III,361 und 401) Er selbst aber bleibt auf die Beziehung zu seiner verlassenen Frau Julika fixiert und gerät in eine für beide deprimierende, für Julika sogar tödliche Repetition des Gewesenen. Eine tatsächliche Vermittlung zwischen Vergangenheit und Gegenwart, zwischen dem ›alten‹ und dem ›neuen‹ Stiller findet nicht statt. Die Vergangenheit, evoziert durch die Befragung von ›Zeugen‹ (Julika, Rolf, Sibylle), erweist sich als übermächtig, dies auch deshalb, weil Stiller/Whites neue Identität sich fast gänzlich darauf beschränkt, nicht mit der alten identisch sein zu wollen. – Der Erzähler des *Gantenbein*-Romans versucht Vergangenes (eine gescheiterte Liebesbeziehung) durch das Ausdenken von Alternativen zu bewältigen, fällt aber letztlich immer wieder aus der Rolle und findet sich immer wieder in der verlassenen, einst gemeinsamen Wohnung. – Das Stück *Biografie: Ein Spiel*, mit dem Frisch die Variationsbreite eines Lebens hatte demonstrieren wollen, führte gegen seinen Willen zu demselben Ergebnis wie der *Gantenbein*: Auch Kürmann ist zu stark fixiert auf eine Frau (Antoinette), als daß er Wesentliches in seiner Biographie zu ändern vermöchte. – In *Montauk* hat Frisch die Thematik auf die eigene Person angewandt. Das Programm lautet: »Er will keine Memoiren. Er will den Augenblick.« (VI,721) Gleichwohl sind »immer Erinnerungen da« (VI,622), die, zusammengezählt, mehr als die Hälfte des Buchs ausmachen, einmontiert auf ähnliche Weise wie im *Homo faber*, diesmal allerdings, ohne daß die Gegenwart, das kurze Liebeserlebnis mit einer jungen Amerikanerin, davon zerstört würde, denn: »sein Gefühl vertauscht sie nicht mit andern« (VI,703). – Frischs letztes Drama, *Triptychon*, ist dem Tod gewidmet, der »keine Variante mehr zuläßt« (V,367): Die Toten schweigen, oder sie sagen, was sie ehemals gesagt haben; die verzweifelten Bitten der Lebenden um Änderung des Gewesenen erreichen sie nicht mehr. Alle menschlichen Beziehungen sind schon vor dem physischen Tod der Beteiligten tot gewesen, und aus diesem trübseligen Befund spricht der Appell an die Lebenden, bewußt zu leben, bewußt der Vergangenheit, der Gegenwart und des unabwendbaren Todes, der, recht verstanden, dem Leben des einzelnen die Würde des Einmaligen verleiht.

Von der vielberufenen Identitätsproblematik her nimmt der *Homo faber* eine Sonderstellung im Werk Max Frischs ein, denn hier rebelliert nicht ein Ich gegen die ihm aufgezwungenen Rollen, sondern die beiden Protagonisten Walter Faber und Hanna Landsberg-Piper haben sich selbst auf ihre je andere Rolle fixiert und scheitern an ihrer Vereinseitigung. Mit sich identisch ist das Mädchen Sabeth, und die Leuchtkraft dieser Gestalt strahlt über ihren Tod wie über das Scheitern ihrer Eltern hinaus: »unser Kind, als es sang«.

Literaturhinweise

Ausgaben

Max Frisch: Homo faber. Ein Bericht. Frankfurt a. M.: Suhrkamp, 1957.
– Homo faber. Ein Bericht. Frankfurt a. M.: Suhrkamp, 1962. (Bibliothek Suhrkamp. 87.)
– Homo faber. Ein Bericht. Reinbek bei Hamburg: Rowohlt, 1969. (rororo. 1197.)
– Gesammelte Werke in zeitlicher Folge. Hrsg. von Hans Mayer unter Mitw. von Walter Schmitz. 6 Bde. Frankfurt a. M.: Suhrkamp, 1976. [*Homo faber* in: Bd. 4.] – Textidentische Tb.-Ausg. in 12 Bdn. Frankfurt a. M.: Suhrkamp, 1976. (werkausgabe edition suhrkamp.) [*Homo faber* in: Bd. 7.]
– Homo faber. Ein Bericht. Frankfurt a. M.: Suhrkamp, 1977. (suhrkamp taschenbuch. 354.) [Mit kalendarischen Abweichungen.]
– Gesammelte Werke in zeitlicher Folge. Jubiläumsausgabe in sieben Bänden. Hrsg. von Hans Mayer und Walter Schmitz. Frankfurt a. M.: Suhrkamp, 1986. [*Homo faber* in: Bd. 4.]

Forschungsliteratur

Max Frisch. Aspekte des Prosawerks. Hrsg. von Gerhard P. Knapp. Bern / Frankfurt a. M. / Las Vegas 1978. [Mit Bibliographie.]
Max Frisch. Hrsg. von Walter Schmitz. Frankfurt a. M. 1987. [Mit Bibliographie.]
Frischs *Homo faber*. Hrsg. von Walter Schmitz. Frankfurt a. M. 1983. [Mit Bibliographie.]
Geulen, Hans: Max Frischs Roman *Homo faber*. Studien und Interpretationen. Berlin 1965.
Leber, Manfred: Vom modernen Roman zur antiken Tragödie. Interpretationen von Max Frischs *Homo faber*. Berlin / New York 1990.
Lubich, Frederick A.: Max Frisch: *Stiller*, *Homo faber* und *Mein Name sei Gantenbein*. München 1990.
Müller-Salget, Klaus: Erläuterungen und Dokumente: Max Frisch. *Homo faber*. Stuttgart 1987. [Mit Bibliographie.]

Petersen, Jürgen H.: Max Frisch. Stuttgart 1978. (Sammlung Metzler. 173.) [Mit Bibliographie.]
Schmitz, Walter: Max Frisch. *Homo faber*. Materialien, Kommentar. München/Wien 1977.
– Max Frisch: Das Werk (1931–1961). Studien zu Tradition und Traditionsverarbeitung. Bern / Frankfurt a. M. / New York 1985.

Günter Grass: *Die Blechtrommel*

Von Volker Neuhaus

Günter Grass' erster Roman – erschienen 1959 – ist zugleich bis zum heutigen Tag sein berühmtester. Wenn auch der Autor selbst – und mit ihm sein Bewunderer Salman Rushdie[1] – die *Hundejahre* (1963) höher einschätzt, gilt *Die Blechtrommel* bei den meisten seiner Kritiker auch als sein bester. Der Welterfolg des *Butt* (1977), das selbst von Grass' Intimfeind Marcel Reich-Ranicki gelobte Kabinettstück *Das Treffen in Telgte* (1979) haben es nicht vermocht, den Ruhm von Oskars getrommelten Bekenntnissen in den Schatten zu stellen.

Der blechtrommelnde und glaszersingende Zwerg ist nahezu ein Stück der modernen Mythologie geworden – wenn der Zeichner Walter Hanel Oskar Lafontaine 1988 in einer Karikatur in diese Rolle schlüpfen läßt, kann er offensichtlich davon ausgehen, daß seine Anspielung allgemein verstanden wird.[2] Volker Schlöndorffs Verfilmung der ersten beiden Bücher der *Blechtrommel* von 1979 wurde nicht nur mit der Goldenen Schale des Bundesfilmpreises und der Goldenen Palme der Filmfestspiele Cannes ausgezeichnet, sondern erhielt 1980 als erster deutscher Film überhaupt den ›Academy Award‹ für den besten fremdsprachigen Film, den begehrten ›Oscar‹; als weltweiter Publikumserfolg trug er entscheidend dazu bei, die Popularität Oskars und den Ruhm seines Schöpfers weiter zu mehren. Deshalb wurde Günter Grass anläßlich von Oskars Wiederauftritt in der *Rättin* (1986)

---

1 Vgl. Salman Rushdie, »Ein Reisender über Grenzen im Ich und in der Zeit«, in: *Günter Grass im Ausland. Texte, Daten, Bilder zur Rezeption*, hrsg. von Daniela Hermes und Volker Neuhaus, Frankfurt a. M. 1990, S. 174–180, hier S. 175.

2 Reproduziert in: *Die »Danziger Trilogie« von Günter Grass. Texte, Daten, Bilder*, hrsg. von Volker Neuhaus und Daniela Hermes, Frankfurt a. M. 1991, S. 54.

auch von vielen Kritikern der Vorwurf gemacht, er wolle mit dieser Reprise an den Überraschungserfolg seiner Jugend anknüpfen. Davon wird noch zu reden sein.

Grass' Bevorzugung der *Hundejahre* beruht auf deren größerer Komplexität, Kühnheit und Vielschichtigkeit, bis in die Erzählfiktion hinein, ja auf deren gewissermaßen fragmentarischem Charakter.[3] Daß »allein schon durch den dominierenden Ich-Erzähler Die Blechtrommel geschlossener«[4] ist, räumt Grass selbst ein, auch, daß er dieses Buch in sorgfältigster Weise bewußt komponiert hat – »mit dem Anschlagen von Tönen, die erst hundertfünfzig Seiten später ihr Echo finden etc.«[5]

Wie sehr diese Geschlossenheit und konsequente Polyphonie, dieses dichte ›Gewebe‹[6] Ergebnis eines langwierigen mühsamen Arbeitsprozesses – des »unökonomische[n] Verhalten[s] des Anfängers in Sachen Prosa«[7] – ist, zeigt ein Vergleich mit den drei oder vier in einzelnen Kapiteln erhaltenen Schichten der fälschlich so genannten »Urtrommel«, früheren Arbeitsstufen, die John Reddick 1970 zusammen mit Zeichnungen und anderen Materialien in einem von Grass vergessenen Koffer in dessen früherer Pariser Wohnung fand. Werner Frizen beschreibt den Umformungsprozeß von Schicht zu Schicht und schließlich zur Endgestalt hin als »Schritt vom Kleinbürgerlich-Individuellen hin zum Typisch-Strukturellen«[8]. »Nicht das Verschweißen der Vorformen zur Endgestalt dürfte als Grass' entscheidende redaktionelle Leistung anzusehen sein, sondern vielmehr die

3 Günter Grass / Klaus Stallbaum, »»Der vitale und vulgäre Wunsch, Künstler zu werden‹ – ein Gespräch«, in: *Die »Danziger Trilogie«* (Anm. 2) S. 11–33, hier S. 27.
4 Ebd.
5 Ebd., S. 25.
6 Vgl. ebd.
7 Ebd.
8 Werner Frizen, »Anna Bronskis Röcke – *Die Blechtrommel* in ›ursprünglicher Gestalt‹«, in: *Die »Danziger Trilogie«* (Anm. 2) S. 144 bis 169, hier S. 151.

Überformung des gesamten Konvoluts, das auf dem Handlungsgerüst von heute aufruht, durch eine innere Struktur, eine ›inward form‹, und die Entwicklung von Keimmetaphern zu einem allegorischen Netz.«[9]

Grass selbst datiert diesen letzten Kreativitätsschub, der sich sogleich in sorgfältigste Web- und Kompositionsarbeit umsetzte, auf die endgültige Formulierung der Erzählergestalt und ihrer Erzählposition: »Mit dem ersten Satz: ›Zugegeben: ich bin Insasse einer Heil- und Pflegeanstalt . . .‹ fiel die Sperre, drängte Sprache, liefen Erinnerungsvermögen und Phantasie, spielerische Lust und Detailobsession an langer Leine, ergab sich Kapitel aus Kapitel [. . .].«[10] Die ursprünglich gewählte Erzählfiktion sah dagegen erheblich anders aus: Der Ich-Erzähler trennt sich von seiner Familie, um von nun an sein Leben einerseits »vorwärts zu leben«, andererseits mittels der »Kunst des Zurücktrommelns« auf sein bisheriges Leben zurückzublicken. Er setzt daher nach seinen eigenen Worten am »Mittelpunkt meines bisher vielleicht doch etwas merkwürdigen Lebens« ein.[11] Dies erinnert an Grass' Vorbild Laurence Sterne, der seinen Erzähler Tristram Shandy im berühmten Kapitel IV,13 über das wirkliche Leben nach vorwärts und das erzählende Leben nach rückwärts meditieren läßt: »I [. . .] shall lead a couple of fine lives together.« Beide werden sich nie einholen; wie schnell er auch in Zukunft schreiben wird – in der Tat hat er bislang ein Jahr allein für den ersten Tag seines Lebens gebraucht –, das Erzählte wird das zu Erzählende nie erreichen, immer wird

9 Ebd., S. 150.
10 Grass' Werke werden zitiert nach: Günter Grass, *Werkausgabe in zehn Bänden*, hrsg. von Volker Neuhaus, Darmstadt/Neuwied 1987 [zit. als: WA, mit römischer Bandnummer und arabischer Seitenzahl]; hier »Rückblick auf die Blechtrommel«, WA IX,624–633, bes. 628. Die neue Taschenbuchausgabe der *Blechtrommel*, Hamburg/Zürich 1988 [u. ö.] (Sammlung Luchterhand, 147), die nur mit der Seitenzahl in Klammern zitiert wird, ist seitenidentisch mit der Werkausgabe.
11 Vgl. *Die »Danziger Trilogie«* (Anm. 2) S. 37, wo die erste Seite des »Urtrommel«-Manuskripts reproduziert ist.

das reale Leben dem heraufbeschworenen vergangenen ein
Stück voraus sein.

Der neue Erzähleinsatz der *Blechtrommel* ermöglicht hingegen jene ›Geschlossenheit‹, die Grass diesem Werk atte-
stierte. Zum einen beschreibt er ein präsentisches Sein, wie es
bis zum Schluß gelten wird, wo Oskar immer noch Anstalts-
insasse ist, wenn ihm auch die Entlassung ›droht‹. Mit einer
solch zeitgleichen Beschreibung der gegenwärtigen Situation
wird auch der Roman viele hundert Seiten später schließen,
wenn Oskar die ihn aktuell bedrängende Vision der Schwarzen Köchin im Banne dieser Bedrohung zu Papier bringt.
Dazwischen spannen sich zwei Handlungen: Zum einen der
große Bogen ›ab ovo matris‹, von der Zeugung der Mutter an
der Schwelle unseres Jahrhunderts über die eigene Geburt
1924 bis zu Oskars Verhaftung im September 1952, zum
andern der vom Schreibansatz irgendwann Ende 1952 bis
zum Abend des 30. Geburtstags Anfang September 1954,
wenn Oskar den Füllfederhalter aus der Hand legt.

Auf der Schreibebene sind dabei die zeitgleichen Kommen-
tare zum Erzählvorgang, zum ›Vortrommeln‹ und zum
anschließenden ›Nachschreiben‹, zu trennen von den tage-
buchartigen Nachträgen des jeweils kurz zuvor Geschehe-
nen. Hierzu zählen auch die kurzen Rückblicke auf seinen
Prozeß, die die Lücke zwischen der Verhaftung und der Einlieferung in die Heil- und Pflegeanstalt schließen. Auf Grund
seines dortigen Lebens »etwas abseits« (173) leistet Oskar,
woran Tristram Shandy scheiterte: Die Reduktion des ›Vor-
wärtslebens‹ auf Besuchstage, Arzt- und Pflegergespräche
läßt das »Zurücktrommeln« dominieren und beides zeit-
gleich schließen: Auf der drittletzten Seite wird Oskar verhaftet, was zu seiner Einlieferung in die Anstalt führt, in der
wir ihn als Erzähler auf der ersten Seite kennenlernten. Ein
Kreis hat sich geschlossen, das Ende mündet in den Anfang;
alles ist erzählt und das Erzählen selbst vollendet; Oskars
Leben liegt geschlossen hinter ihm und offen vor seinen
Lesern: »Jetzt habe ich keine Worte mehr« (729); »Oskar

[...] hat keine Worte mehr« (731). Die letzte Nachschrift eines Trommelstücks gilt der präsentischen Vision der Schwarzen Köchin, die Oskars zurückliegendes Leben dominierte und sein zukünftiges mit ihrer Schwärze verschattet, ihr Lied legt er als Abschluß des Ganzen »auf [s]ein Blech« (730).

Auch inhaltlich mündet das Ende in den Anfang: Zweimal fragt sich Oskar am Ende seiner vita activa, wer er eigentlich ist. Zum ersten Mal geschieht dies kurz vor dem Auffinden des verhängnisvollen Ringfingers, das letztlich zu seiner Flucht führt: »Nun warte mal, Oskar. Nun wolln wir doch mal sehen, was du bist, wo du herkommst« (693). Diese Fragen wiederholt er dann auf der Rolltreppe, als er seiner Verhaftung entgegenfährt: »Wo kommst du her? Wo gehst du hin? Wer bist du? Wie heißt du? Was willst du?« (726) Auch auf diese Fragen der sechstletzten Seite antwortet der allererste Satz mit einer ersten Bestimmung: »Zugegeben: ich bin Insasse einer Heil- und Pflegeanstalt [...]« (6).

Dieser erste Satz hat – was Grass und sein Erzähler Oskar wohl auch intendierten – bei Kritikern und Interpreten viel Verwirrung ausgelöst und entscheidend zu den mannigfachen Beschimpfungen und Denunziationen des Erzählerhelden beigetragen.[12] Selbst Enzensbergers sonst so hellsichtige Rezension, die mittlerweile in ihrem Perspektivenreichtum als klassisch gilt, nennt Oskar »Krüppel, Idiot« und *Die Blechtrommel* in Anlehnung an *Macbeth* und Faulkner »a tale told by an idiot, full of sound and fury, signifying nothing«.[13] Georg Just hat als erster darauf hingewiesen, daß dem Einleitungssatz nicht die in der Alltagssprache zwingend gebotene ›aber‹-Konstruktion folgt, in der der Erzähler vor dem Hintergrund des soeben Eingeräumten trotzdem

---

12 Vgl. Volker Neuhaus, *Günter Grass. »Die Blechtrommel«*, München ²1988, S. 50–53.

13 Hans Magnus Enzensberger, »Wilhelm Meister, auf Blech getrommelt«, in: H. M. E., *Einzelheiten*, Frankfurt a. M. 1962, S. 221–227, hier S. 226.

seine Zuverlässigkeit beweist.[14] Was statt dessen folgt, ist das
ganze Buch, in dem bewußt ein vom scheinbar ›Normalen‹
abweichendes Wertesystem aufgebaut wird. In ihm wird
Oskar in einem ganz andern Sinn als im Wortsinn seiner eige
nen Fragen und auch abweichend vom Alltagssinn des Wor-
tes zu einer »fragwürdige[n] Existenz« (728), einer Existenz,
nach der sich zu fragen lohnt, wie es auch Max Frisch mit seinem ebenso berühmten Anfangssatz »Ich bin nicht Stiller«
(1954) und Heinrich Böll mit seinem Titel *Ansichten eines
Clowns* (1963) für ihre Helden intendieren. Weit davon
entfernt, Oskar als »Idioten« zu entlarven, erweist ihn
sein Erzählen der *Blechtrommel* im Gegenteil geradezu als
»a sane element in a crippled society«[15].

Genauso wie der Anfang des ersten Satzes sollen auch
Oskars sich daran anschließende Ausführungen zu seiner
Romanpoetik den Leser zum ›Fragen‹, zum Nachfragen
zwingen. Zum einen ist hier wichtig, daß Oskar selbst in der
Fiktion des Buches nicht etwa seine Autobiographie
schreibt, sondern einen sich an zukünftige Leser wendenden
»Roman« (8 f.), der traditionell Selbsterlebtes und -beobach-
tetes, historisch Beglaubigtes und frei Erfundenes zu der
›Wahrheit‹ mischt, wie sie eben der ›fiction‹ zu eigen ist.
Eberhard Mannack hat darauf hingewiesen, daß sich in
Oskars Einleitung der Anspruch auf Wahrheit und die Freiheit zur Lüge, ›fact‹ und ›fiction‹ mischen, daß er einerseits
seinem Pfleger »Begebenheiten aus [s]einem Leben« »vorge-
logen« (6) haben will, sich andererseits auf sein »hoffentlich
genaues Erinnerungsvermögen« (7) beruft.[16] Grass hat in seinem weiteren Werk dieses in der *Blechtrommel* angelegte
Prinzip bewußt ausgebaut: In *Katz und Maus* läßt er gleich

---

14 Georg Just, *Darstellung und Appell in der »Blechtrommel« von Günter
   Grass. Darstellungsästhetik versus Wirkungsästhetik*, Frankfurt a. M.
   1972, S. 44 f.
15 Irene Leonard, *Günter Grass*, Edinburgh 1974, S. 16.
16 Vgl. Eberhard Mannack, »Die Auseinandersetzung mit literarischen
   Mustern – Günter Grass: *Die Blechtrommel*«, in: E. M., *Zwei deutsche
   Literaturen?*, Kronberg i. Ts. 1977, S. 81.

zu Beginn hinter dem Erzähler Pilenz erstmals den Autor aufscheinen – »der uns erfand, von berufswegen« (WA III,7). Da Pilenz aber auch in seiner Erzählung zweimal dem trommelnden Oskar begegnet (WA III,17.100 f.), steht dieser mit ihm auf derselben ontischen Ebene des ›Erfunden-Seins‹ »von berufswegen«: Er schreibt nicht nur selbst ›fiction‹, er ist auch innerhalb von Grass' Werkkosmos selber ›fiction‹. Mit dem weiteren Ausbau dieses Kosmos werden Oskars Abenteuer teils bestätigt, teils zurechtgerückt.[17] Er war ›tatsächlich‹, wie der Bandenführer Störtebeker-Starusch bestätigt, als »Jesus« spiritus rector der Stäuberbande (WA IV,130 f.), hat ihre Taten begleitet, beeinflußt und das Krippenspiel initiiert (WA IV,14 f.). Das erfolgreiche Sprengen der ideologischen Tribünenkundgebungen von den Nazis über die Katholiken bis zu den polnischen Nationalisten (135–146) entsprang hingegen eher einem Wunschdenken des Erzählers Oskar, wie wir vom Autor-Erzähler des *Butt* (1977) erfahren: In ›Wirklichkeit‹ kam »jener dreijährige Junge, der wütend auf seine Blechtrommel schlug«, nicht »gegen den Lärm« der »Marschmusik« und der »muntere[n] Weisen« (WA V,529) an, mit der die Polizeikapelle des Freistaats die Nazi-Veranstaltungen umrahmte.

Den Höhepunkt erreicht dieses Spiel mit der Fiktion innerhalb der ›fiction‹ in der *Rättin* (1986): Der – wie zuvor im *Butt* – mit zahlreichen Grass-Autobiographica ausgestattete Autor-Erzähler trifft den nun zum Medienzar avancierten Oskar wieder, verhandelt mit ihm über Film- und Videoskripts, ißt mit ihm zu Mittag, besucht einen Empfang zu seinem 60. Geburtstag, kann ihn aber andererseits mit einem Prostataleiden und einem Dauerkatheter ausstatten (WA VII,443) oder ihm im Gespräch drohen, in einem Nebensatz sein Polen-Visum verfallen zu lassen (WA VII,112). Oskar selbst kommentiert dabei wiederholt sein Leben und rückt einiges ins Zwielicht, so den Kellersturz, die Verteidigung

---

17 Eine übersichtliche Zusammenstellung findet sich in: *Die »Danziger Trilogie«* (Anm. 2) S. 94–103.

der Polnischen Post, die Tribünen- und die Stockturmepisode und »das kurze Gastspiel am Atlantik«. Generell warnt er ausgerechnet den Autor-Erzähler: »Besonders Sie sollten nicht alles glauben, was da geschrieben steht«, um dann sibyllinisch fortzufahren: »wenngleich meine frühe Zeit *einfallsreicher* verlief, als sich gewisse Skribenten vorstellen« (WA VII,147, Hervorhebung V. N.). Die generelle Fähigkeit, Glas zu zersingen, und die erfolgreiche Künstlerlaufbahn auf der Blechtrommel werden hingegen uneingeschränkt bestätigt – und auch die von Oskar selbst als wilde Spekulation abgetane Version von der Flucht seines Großvaters Joseph Koljaiczek nach Amerika (33 f.). Er ist tatsächlich nach Buffalo entkommen und hat dort als Joe Colchic »viele im Klein- und Großhandel tüchtige Colchics« hinterlassen (WA VII,194 f.). Als sich Volker Schlöndorff bei der Verfilmung der *Blechtrommel* fragte: »Was wird denn da dargestellt? Gibt es Oskar? Hetze ich nicht von Schwierigkeit zu Schwierigkeit [...], weil alles nur Schein ist? Make-believe, in dem ich mich nicht wiederfinde?«[18], muß er bei Gesprächen mit Grass erstaunt feststellen: »Das meiste, was sich im Buch wie frei fabuliert liest, ist für ihn erlebte Wirklichkeit.«[19]

Die Blechtrommel verwirklicht so schon – in direkter Fortsetzung der frühen Lyrik, Prosa und Graphik – voll das Grass' Gesamtwerk beherrschende Prinzip: »Spieltrieb und Pedanterie diktieren und widersprechen sich nicht« (WA III,144), wie Brauchsel-Amsel, Oskars Schüler im Erzählen (WA III,257), notiert. Märchen und konkrete Zeitgeschichte, krudeste Phantastik und härtester Realismus, Fiktionales und Reales, Mythisches und Politisches schließen sich bei Grass nicht aus, sondern ergänzen sich.

Entsprechend stehen auch am Anfang und am Ende von Oskars Familiengeschichte und Lebenslauf, die zugleich die Chronik der ersten Hälfte unseres Jahrhunderts sind, zwei

18 Volker Schlöndorff, *»Die Blechtrommel«. Tagebuch einer Verfilmung*, Neuwied 1979, S. 80 f.
19 Ebd., S. 39.

mythische Gestalten; Oskars Lebensweg führt geradlinig
von der Großmutter/Großen Mutter zur Schwarzen Köchin.
Die Großmutter in ihren vier zyklisch wechselnden kartof-
felfarbenen Röcken ist Erdmutter Gäa und Fruchtbarkeits-
göttin Demeter zugleich; Alois Wierlacher hat darüber hinaus auch auf Einflüsse der Schutzmantelmadonna-Vorstel-
lung im Kirchenlied »Maria, breit den Mantel aus« hingewiesen.[20] Sie verkörpert ein vormenschliches, vorgeschichtliches,
vorzeitliches Sein; als der verfolgte Brandstifter Koljaiczek
bei ihr Unterschlupf findet, ist es noch einmal »still [. . .] wie
am ersten Tag oder am letzten« (14). Doch mit seinem Auftritt beginnen Zeit und Geschichte als Spiel von Verfolgung
und Flucht, Jägern und Gejagten, und sie beginnen auf eine
für Grass bezeichnende Weise: Beim Erscheinen des noch
namenlosen Flüchtlings und seiner Verfolger wird auf an-
derthalb Seiten sechzehnmal das Wort ›springen‹ variiert,[21]
und diese Paronomasie beginnt mit dem universell neutra-
len: »Es sprang da etwas« (12). Wie der Riß durch die Schöpfung, die ewige Verfolgung der Maus durch die Katze in *Katz
und Maus*, mit dem ›Sprung‹ der Katze nach Mahlkes Maus
einsetzt (WA III,6), so beginnt auch *Die Blechtrommel* mit
einem Ur-Sprung, gemäß Grass' Credo: »am Anfang war der
Sprung« (WA IX, 38).
Dieser Ur-Sprung steht am Anfang allen Lebens und ist
selbst unheilbar, nicht rückgängig zu machen und auch nicht
nach vorwärts zu überspringen. Wenn Oskar sich sein Leben
lang nach den Röcken seiner Großmutter sehnt, so ist dies
die Sehnsucht nach einem vorweltlichen, vorzeitlichen, vor-
existentiellen Sein, das mit dem Begriff des Daseins und der
Existenz, die sich gerade dem uranfänglichen Sprung verdan-
ken, unvereinbar ist – Dasein ist Dasein zum Tode.
So wünscht sich Oskar zwar bei seiner Flucht, sie führe
zu seiner Großmutter, dem »Gegenteil der schrecklichen

---

20 Alois Wierlacher, *Vom Essen in der deutschen Literatur. Mahlzeiten in
    Erzähltexten von Goethe bis Grass*, Stuttgart [u. a.] 1987, S. 197.
21 Diesen Hinweis verdanke ich meinem Doktoranden Bo-Geun Choi.

Schwarzen Köchin« (728), aber die ist es, die ihn in Wirklichkeit erwartet. Die letzte Erfahrung seiner vita activa, von der
Oskar berichten kann, ist »das schrecklich ruhige Antlitz der
Schwarzen Köchin« (729), mit dem auch die Schreibhand-
lung enden wird. Zum ersten Mal taucht sie in seinen Visio-
nen am »Karfreitag des aalwimmelnden Pferdekopfes« (190)
auf: »schwarz, die Köchin kommt« (186). In seiner Trommel-
variation über das Karfreitagserlebnis gestaltet Oskar ein-
dringlicher als in jedem anderen Passus der *Blechtrommel*
das unauflösliche Ineinanderverschlungensein von Leben,
Sexualität und Tod. In der großen Schlußvision erweist die
Köchin sich dann als schwarze Summe der Welt und des
Lebens, in die jede der Episoden, die von Schuld, Leid, Qual,
Schrecken, Verrat, Grausamkeit, Zerstörung, Gewalt, Krieg,
Selbstmord, Mord und Tod, Tod und immer wieder Tod zeu-
gen, einfließt.

Oskar, dessen »geistige Entwicklung schon bei der Geburt
abgeschlossen ist und sich fortan nur noch bestätigen muß«
(46), weiß von dieser Todesverfallenheit allen Seins vom
ersten Augenblick an:

> Einsam und unverstanden lag Oskar unter den Glühbir-
> nen, folgerte, daß das so bleibe, bis sechzig, siebenzig
> Jahre später ein endgültiger Kurzschluß aller Lichtquellen
> Strom unterbrechen werde, verlor deshalb die Lust, bevor
> dieses Leben unter den Glühbirnen anfing; und nur die
> [soeben von der Mutter] in Aussicht gestellte Blechtrom-
> mel hinderte mich damals, dem Wunsch nach Rückkehr
> in meine embryonale Kopflage stärkeren Ausdruck zu
> geben.   (48 f.)

Die titelgebende Blechtrommel, die Oskar dann an seinem
dritten Geburtstag wirklich in Händen hält, woraufhin er
das Wachstum einstellt, erfüllt dabei eine doppelte Funktion:
Zum einen wird sie ihm Fluchtraum, Asyl, in dem er sich
dem sogenannten ›wirklichen‹, für ihn aber belanglosen und
eigentlich unwirklichen Leben in der Alltagswelt (64) entzie

hen kann, zum andern wird sie zum autonomen Kunstraum,
in dem er sein eigentliches Leben führen und sich bilden und
entwickeln kann. Während er äußerlich bewußt stagniert,
erfährt allein seine Kunst »Entwicklung«, »wuchs [...] –
nicht immer zu meinem Besten – und gewann schließlich
messianische Größe« (64). In Oskars Statik nehmen Gottfried Benns »Statische Gedichte« geradezu Gestalt an: »Ent-
wicklungsfremdheit / ist die Tiefe des Weisen [...]« »Rich-
tungen vertreten, / Handeln, / Zu- und Abreisen / ist das
Zeichen einer Welt, / die nicht klar sieht.« Oskar verzichtet
deshalb klarsichtig darauf und begnügt sich mit dem »Linien
anlegen, / sie weiterführen / nach Rankengesetz –«.
In dieser Doppelfunktion ermöglicht die Trommel Oskar die
Synthese aus den traditionellen Formen des deutschen
Picaro- und des deutschen Bildungsromans in der Sonder-
form des Künstlerromans. Das Asyl des Picaros bei Grimmelshausen war die Einsiedlerklause oder sogar die men-
schenleere Insel; nur in der äußersten Distanz vom falschen
Schein der Welt konnte der Büßer sich auf die wahre Wirklichkeit des Jenseits vorbereiten. Nach Grass' eigener Auskunft war die erste Vorstufe des späteren Oskar in der Tat ein
moderner Säulenheiliger, der als »Existentialist, wie es die
Zeitmode vorschrieb«, »des Wohlstandes überdrüssig« der
Welt nach dem Vorbild der religiösen Styliten entfloh. Doch
»der überhöhte Standpunkt des Säulenheiligen war zu statisch [...]. Wenn man will, ist Oskar Matzerath ein umgepol-
ter Säulenheiliger« (WA IX,626 f.). Oskars ›Säule‹, sein Asyl,
wird die Trommel – konsequent wird hier von Grass die traditionelle religiöse Transzendenz durch die Sphäre der Kunst
ersetzt, nach Gottfried Benn die letzte einer entgötterten
Welt verbliebene Transzendenz: »auf alle Schätze dieser Welt
verzichtend, richtete sich mein Sinnen nur und unverrückbar
auf eine Trommel aus weißrot gelacktem Blech« (280); sie
hebt Oskar »hoch, wie Hochwürden Wiehnke während der
Messe die Hostie hob« (260).
Die Trommel ist Zielpunkt seiner Weltflucht, Bedingung sei-

ner Wachstumsverweigerung: »Wie sollte er auf die Dauer
sein dreijähriges Gesicht bewahren können, wenn es ihm
am Notwendigsten, an seiner Trommel fehlte?« (254) Nur
gegenüber Wachstumsverweigerern und Außenseitern gleich
ihm kann er die Maske fallen lassen und sich seinem wahren
Alter gemäß geben, gegenüber Bebra und Roswitha Raguna
(290) und später vor der Stäuberbande, die wie er das Er-
wachsenwerden und die Welt der Erwachsenen ablehnt und
sogar dagegen kämpft (460). Sobald Oskar sich sonst auch
nur im geringsten mit der Welt einläßt, droht ihm Weltverfallenheit wie einst Aegidius Albertinus' Guzman oder
Grimmelshausens Simplicius: Wenn er mit dem todgeweih-
ten Jan und dem sterbenden Kobyella als Fünfzehnjähriger,
der er ist, Skat spielt und spricht, kündigen »heftigste Glie-
der- und Kopfschmerzen« (291) das einsetzende Wachstum
an.
Als er sich beim Tod seines ›Vaters‹ Matzerath bei Kriegsende entschließt, Verantwortung zu übernehmen, endlich
›erwachsen‹ zu werden – er ist fast einundzwanzig, das damalige Alter der Mündigkeit –, begräbt er konsequent seine
Trommel und beginnt zu wachsen. Das Ergebnis ist, daß
er ›verwächst‹, zur »Existenzkarikatur« (89) im Sinne von
Grass' »Jungbürgerrede: Über Erwachsene und Verwach-
sene« (WA IX, 429 ff., vor allem 431 f.) wird. Die Hoffnung
auf einen generellen Neuanfang hat ihn getrogen. Während
vor der Währungsreform »roter Mainsandstein«, »von zer-
bombten Bank- und Kaufhausfassaden stammend«, in
Grabsteinen – der Verkörperung des Erinnerns und der
Trauer – »Auferstehung feierte« (539), kehrt sich das nach
der »lebensbejahende(n)« Wende rasch um: »in den beschä-
digten Sandstein und Tuffstein manches Bank- und Kauf-
hauses mußten Vierungen geschlagen und gefüllt werden,
damit Bankhäuser und Kaufhäuser wieder zu Ansehen
kamen« (585). Die kurze Phase der Nachdenklichkeit und
Besinnung ist nur ein Ritual gewesen, um danach um so
besinnungsloser den Wiederaufbau zu betreiben: »Machen

wir es jetzt ab, dann haben wir es hinter uns und brauchen
später, wenn es wieder aufwärts geht, kein schlechtes Gewissen mehr zu haben« (535). Von dieser Welt, die die alte
geblieben ist, wendet sich Oskar, wie einst bei seiner Geburt
und an seinem dritten Geburtstag, erneut ab und kehrt
in konzentrischen Kreisen allmählich zu seiner Trommel
zurück, wie der in Sünde gefallene Picaro in seine Einsiedelei.
Absolution wird ihm unter der einen Bedingung zuteil, »daß
ich so trommeln mußte, wie ich es als Dreijähriger getan
hatte« (686).

Ist dieses Verhältnis ›Leben in der Welt‹, ›Leben auf der
Trommel‹ wie die Weltverfallenheit und die Weltflucht beim
Picaro rein dualistisch und damit statisch, so findet in seiner
Trommelkunst durchaus eine Entwicklung statt. Damit stellt
sich *Die Blechtrommel* bewußt in die lange Tradition deutscher Entwicklungsromane als Künstlerromane, und Oskars
künstlerischer Werdegang entspricht in vielen Einzelheiten
Grass' künstlerischer Entwicklung bis zum Schreiben der
Blechtrommel.[22] Vom Tonsetzer Adrian Leverkühn aus gesehen erscheint der Blechtrommler als Travestie; vergleicht
man Oskars Instrument mit Noltens Pinsel oder Ofterdin-
gens Dichtkunst, könnte man auch von einer Parodie auf den
Künstlerroman sprechen. Das ändert jedoch nichts daran,
daß in Grass' Kosmos bis hin zur *Rättin* Oskar als bedeutender Künstler im Vollsinn anzusehen ist; Denunziationen wie
»pseudokünstlerisch« verfehlen das Werk.[23]

»Oskars Meister«, dem er es eines Tages mit seiner Arbeit auf

22 Vgl. Volker Neuhaus, »Das dichterische Selbstverständnis und seine
Entwicklung bei Günter Grass«, in: *Metamorphosen des Dichters. Das
Rollenverständnis deutscher Schriftsteller vom Barock bis zur Gegenwart*, hrsg. von Gunter E. Grimm, Frankfurt a. M. 1992, hier S. 279 bis
282.
23 Vgl. Hanspeter Brode, *Günter Grass*, München 1979, S. 79. Diese Fehl-
interpretation soll Brodes Deutung von Oskar als »Hitler-Karikatur«
stützen. Sie ist generell abzulehnen; die offenkundigen Parallelen zu
Hitler dienen dazu, Oskar als Anti-Hitler auszuweisen. Vgl. dazu Neuhaus (Anm. 12) S. 51–53.

der Trommel gleichtun will, ist der Falter, der ihm schon in seiner Geburtsstunde das Ideal vorführt, »zuchtvoll und entfesselt zugleich zu trommeln« (48). Der Falter fliegt gegen eine Glühbirne – die modernisierte Form von Goethes »Seliger Sehnsucht« –; am Licht, das er nie erreichen wird, wird er sterben. Das Aushalten dieser Spannung wird zum Trommeln, zur Kunst, die allein dieses Dasein zum Tode transzendiert. [24]

Das Trommeln wie auch das Glaszersingen, das Oskar nach und nach von einer Schutzfunktion für seine Trommel (69) zu einer Kunst ausbaut, sind dynamisch und entwicklungsfähig, und Oskar »arbeitet« (69) auf seiner Trommel an der Entwicklung seiner Kunst. Sein Trommeln beginnt als reine, absolute, klassische, sich selbst genügende Kunst, wenn er von seinem »in die Aprilluft getrommelten Tempelchen« (110) spricht, der klassischen abendländischen Chiffre für das ästhetisch vollendete Gebilde, das bleibt, wenn der Gott oder die Göttin es längst verlassen haben: »Was aber schön ist, selig scheint es in ihm selbst«. [25]

Auch wenn Trommeln und Glaszersingen zur Protestkunst werden, geschieht dies »aus privaten, dazu ästhetischen Gründen« (146). Deshalb entglast Oskar das Stadttheater mit seiner in seinen Augen falschen Ästhetik, deshalb stört er die Versammlungen jeglicher Couleur, die ihm in ihrer falschen Symmetrie, in »Farbe und Schnitt der Uniformen, Takt und Lautstärke der auf Tribünen üblichen Musik« (146) mißfallen. Ein Inhalt, eine Botschaft jenseits der reinen Ästhetik, ist mit seinem Trommeln nicht verbunden, wie der sein damaliges Tun von seinem jetzigen Standpunkt aus kommentierende Erzähler am Vergleich mit dem Propheten Jona deutlich macht: Obwohl Oskar es besser weiß, warnt er Ninive-Danzig nicht, läßt die Kundgebungsteilnehmer in

---

24 Vgl. Friedrich Gaede, »Grimmelshausen, Brecht, Grass. Zur Tradition des literarischen Realismus in Deutschland«, in: *Simpliciana. Schriften der Grimmelshausen-Gesellschaft* 1 (1979) hier S. 55 f.

25 Eduard Mörike, »Auf eine Lampe«.

ihrem ideologischen Wahn, obwohl er in den Untergang
führt (143).

Oskars Klassizismus steigert sich »während der Blüte- und
Verfallszeit seiner Kunst«, »dem l'art pour l'art ergeben«,
zum »bloße[n] Spieltrieb«, zum »Manierismus einer Spät-
epoche« (78 f.). Silke Jendrowiak kennzeichnet diese Phase
von Oskars Entwicklung treffend als Ästhetizismus; seine
Kunst wird ihm zum ersten und letzten und einzigen Wert,
dem gegenüber herkömmliche moralische Werte überhaupt
nicht in Betracht kommen.[26] Bei aller Teilnahme für den
toten Sigismund Markus plündert er Trommeln aus dessen
Vorrat, lockt er Jan in den Untergang und verrät ihn anschließend – alles um seiner Kunst willen.

Trauriger Höhepunkt dieser Entwicklung ist die Fronttha-
ter-Episode. ›L'art pour l'art‹-Trommeln und -Glaszersingen
werden zum blöden Klamauk für Frontsoldaten und zur
abstoßenden Barbarei für die höheren Chargen (405). Bebra,
der Chef der Truppe, ist eine Karikatur Gottfried Benns,[27]
und Roswitha Raguna, mit ihrem »Mittelmeermund« (393,
394), ihren »Mittelmeeraugen« (205, 206) und ihrer »Mittel-
meerstimme« (393, 423), die »blutjunge uralte« (205), verkörpert seinen ›ligurischen Komplex‹.[28] Sie endet wie ihre
Parallelgestalt, die Ballettänzerin Jenny in den *Hundejahren*,
an der brutalen Wirklichkeit einer Luftmine, der ihre ›ewige‹,
›zeitlose‹ Kunst nicht standzuhalten vermag.

Wenn Oskar nach seiner trommellosen bürgerlichen Phase
über Grabsteinmeißeln, Modellstehen in der Akademie und
Jazzmusik langsam zu seiner Kunst zurückfindet, muß er
sich bei seiner endgültigen Rückkehr zunächst verpflichten,
so zu trommeln, »wie ich es als Dreijähriger getan hatte«

26 Vgl. Silke Jendrowiak, *Günter Grass und die ›Hybris‹ des Kleinbürgers.*
   *»Die Blechtrommel« – Bruch mit der Tradition einer irrationalistischen
   Kunst- und Wirklichkeitsinterpretation*, Heidelberg 1979, S. 161 ff. und
   336, Anm. 46.
27 Vgl. Klaus Stallbaum, *Kunst und Künstlerexistenz im Frühwerk von
   Günter Grass*, Köln 1989, S. 91 ff.
28 Ebd., S. 96 f.

(686). Doch hat er diese Phase damals innerlich schon überwunden, denn inzwischen hat er die »Kunst des Zurücktrommelns« (584) erlernt. Oskar, der sein Buch von diesem
neuen künstlerischen Standpunkt aus trommelt und schreibt,
datiert den zwingenden Bruch mit seiner ›l'art pour l'art‹-
Phase früher, wenn er dies auch damals nicht einsehen wollte:
Mit der ›Reichskristallnacht‹ nahm der vom Nazi-Terror in
den Tod getriebene Spielzeughändler Markus, sein Trom-
mellieferant, »mit sich alles Spielzeug aus dieser Welt« (247);
»mit dem Ende des Spielzeughändlers« hatte »jene frühe
noch verhältnismäßig heitere Spielzeit ihr Ende gefunden«
(252), wie Oskar im nachhinein feststellen muß. Wenn Grass
in seiner Frankfurter Poetik-Vorlesung 1990 sein Frühwerk
unter dem Gesichtspunkt »Schreiben nach Auschwitz«
durchmustert und zum Teil verwirft, legt er genau jenen
Maßstab an, nach dem Oskar beim Schreiben der *Blechtrommel* seine klassizistische und seine manieristische Frühphase
beurteilt.
Die Wirkung von Oskars Trommeln wird im Buch oft gestaltet: Es ist eine mimetische Kunst und vergegenwärtigt Vergangenes in seiner Totalität – eine überlegene Vorform des
Videos, dem sich der Oskar der *Rättin* zugewandt hat. Wenn
Oskar unter den Röcken der Großmutter, wo der Großvater
einst zeugte, den Regen von damals fallen läßt, die Szene
›zurücktrommelt‹, so wirkt das auf die Großmutter wie die
Sache selbst (259). Die drei Einschübe in der *Blechtrommel*,
die nicht von Oskar erzählt sind, erzielen entweder Vergegenwärtigung direkt durch die dramatische Form (409–422,
von Oskar getrommelt 669 f.) oder berichten von den beiden
verblüffendsten Phänomenen von Vergegenwärtigung durch
Oskars Trommeln aus der Zeugenperspektive: Der Pfleger
erzählt, während Oskar nach dem Bericht vom Wachstums-
entschluß erneut ein Stück wächst (516–528), und Vittlar
berichtet von der durch Oskar herbeigetrommelten polnischen Kavallerie (699–715).
Daß mit seinem als reine, zweckfreie Kunst betriebenen

Trommeln eine Botschaft verbunden werden könnte, eine
Prophetenrolle, wie er sie bei der Tribünenepisode ausdrücklich für sich abgelehnt hat, geht ihm erstmals nach der endgültigen Desavouierung des Bebra-Raguna-Konzepts durch
die Kriegswirklichkeit auf, und kein Geringerer als Jesus ist
es, der ihn darauf hinweist. Als Oskar nach vielen Jahren an
der Seite Marias in die Herz-Jesu-Kirche zurückkehrt, versucht er Jesus erneut mit seiner Trommel, und diesmal trommelt das Jesuskind tatsächlich – und zwar Kapitel der
zukünftigen *Blechtrommel* (439). Anschließend beruft er
Oskar, gerade weil der verkündet, »ich hasse dich, Bürsch-
chen, dich und deinen ganzen Klimbim« (440), zur Nachfolge und zum Felsen, auf dem er seine neue Kirche bauen
will.
Im »Zurücktrommeln« wird Oskar zum »Messias«, der
gerade die unerlöste, die gefallene Schöpfung verkündet,
übernimmt er »die Rolle des heilsgeschichtlichen Erlösers im
Unglauben«[29]. Nur der kann der neue Messias sein, der allen
Erlösungslehren, woher auch immer sie kommen, dem Christentum wie dem Marxismus, dem Nationalsozialismus wie
dem Goetheschen Humanismus wie der Wohlstandsreligion,
das Besserwissen seiner Trommel entgegensetzt.
Auf dieser Stufe wird die Blechtrommel, die in einer Betrach-
tungsweise das weltferne Asyl des Picaro bildete, in einer
anderen der Kunst-Raum war, in dem sich die weltabge-
wandte Entwicklung eines Künstlers vollzog, zu etwas Drit-
tem, zum Instrument, das es Oskar ermöglicht, ein großes
Zeit- und Gesellschaftsgemälde aus der ersten Hälfte unseres
Jahrhunderts zu entwerfen. Der Vorgang wird im Buch selbst
wiederholt beschrieben: Alle Kapitel sind Nachschriften von
Trommelstücken Oskars (625 f.). Die höchste, in lebenslan-
ger Arbeit erworbene Fähigkeit des artistischen Trommelns
erscheint in der Kunst des »Zurücktrommelns« im Hegel-

---

29 Stallbaum (Anm. 27) S. 102. Vgl. auch Volker Neuhaus, »Das christli-
    che Erbe bei Günter Grass«, in: Heinz Ludwig Arnold (Hrsg.), *Günter
    Grass*, München ⁶1988 (Text + Kritik, 1/1a), S. 108–119.

schen Sinne ›aufgehoben‹: negiert, eleviert und konserviert. Durch »floskellosestes Trommeln« (46) entlockt Oskar seinem Instrument »alles [...], was an Nebensächlichkeiten nötig ist, um die Hauptsache aufs Papier bringen zu können« (19), macht er seine Künstlerbiographie zum wirklichkeitsgesättigten Zeitroman.[30] Dies wird auch äußerlich daran deutlich, daß der Roman im ganzen zwar der Biographie Oskars mitsamt deren familiärer Vorgeschichte folgt, die Bucheinteilung aber der Zeitgeschichte: Vorkriegszeit, Krieg und Nachkriegszeit. Zudem sind, worauf Werner Frizen hingewiesen hat, Oskars Lebens- und Erzähldaten so gewählt, daß der Kriegsausbruch die Mittelachse bildet: Anfang September 1924 wird Oskar geboren, 15 Jahre später bricht am 1. September der Zweite Weltkrieg aus, und wiederum 15 Jahre später beendet Oskar Anfang September 1954 die Niederschrift der *Blechtrommel*.[31]

Während Ideologen und »Idealisten«, »Leute die aufs Ganze gehen«[32], die Welt – wie »der liebe Gott« beim Fotografieren – »von oben herab, also schrecklich verkürzt« (50) sehen, erstellt Oskar »die Hauptsache« aus den vielen nur scheinbaren »Nebensächlichkeiten«, erzählt tausend Details, bis aus der Summe der individuellen und kontingenten Fehlentscheidungen der Massenwahnsinn wird. Er zertrommelt den bequemen Mythos von der »Kollektivschuld« (535), dividiert sie durch die Beteiligten und stellt jedem unerbittlich seinen Anteil zu, den er als ›Gepäck‹ – Grass' terminus technicus für die in einem Leben angehäufte Schuld – fortan zu tragen hat. »Geschichte« wird eben nicht vom von der Tribüne herab brüllenden Gauleiter Forster »gemacht« (139), sondern von den Tausenden, die wie der gehörnte

---

30 Jendrowiak (Anm. 26) S. 88 hat auf die Parallele zu Thomas Manns *Doktor Faustus* hingewiesen und zitiert Thomas Mann: »Dies eine Mal wußte ich, was ich wollte und was ich mir aufgab: nichts Geringeres als den Roman meiner Epoche, verkleidet in die Geschichte eines hochprekären und sündigen Künstlerlebens.«

31 Vgl. Frizen (Anm. 8) S. 149.

32 Grass/Stallbaum (Anm. 3) S. 33.

Ehemann Matzerath aus persönlichen Frustrationen heraus
zur Maiwiese strömen und sich von Forster und seinesglei-
chen Erlösung erhoffen. Maria, die mit dem Argument, »das
macht man heut so« (444), Oskar den ›Euthanasie‹-Ärzten
ausliefern will, begreift nicht, daß dieses »man« nichts anderes ist als viele Marias. Der Bäcker Scheffler und der Musiker
Meyn, die Sigismund Markus vom Friedhof schleppen,
Meyn, der in der ›Reichskristallnacht‹ durch Menschenquäle-
rei seine Tierquälerei wiedergutmachen will, der Kolonial-
warenhändler Matzerath, der an der brennenden Synagoge
»seine Finger und seine Gefühle« wärmt (242), bereiten
das Pogrom vor und führen es mit Hunderten ihresgleichen,
die alle »wie der Musiker Meyn« (242) aussehen, durch. Nur
wenn sie ihr Gepäck nicht verleugnen, sondern annehmen,
könnten sie aus ›Euthanasie‹, Pogromen und Kriegsverbre-
chen lernen, mit denen sie Oskars Trommel konfrontiert.
Nur bei solcher ›Buße‹ im Sinne des biblischen »Metanoeite!
Denkt um! Ändert euren Sinn!« könnte sich durch die Wandlung des einzelnen in Welt und Gesellschaft etwas ändern.
Sonst bläst Meyn »wieder wunderschön Trompete« (247)
und wartet auf das nächste Pogrom, sonst liefert Maria
»heute noch« Oskar den Todesspritzen der Ärzte aus
(444 f.), sonst jagen die ›Grünhüte‹ den 1939 zum Tode ver-
urteilten »Freischärler« Viktor Weluhn bis in alle Ewigkeit
(709 ff.).
Die größte Gefahr geht dabei von der Verdrängung, vom
zeitlos-diffusen »Es war einmal« des Schlußmärchens im
Ersten Buch aus. ›Historisch werden‹ ist Oskars terminus
technicus für diese Form der Verdrängung. Wir erklären
»heute schon alles zur Historie«, »was uns gestern noch
frisch und blutig als Tat oder Untat von der Hand ging«
(536). »Es war die Verteidigung der Polnischen Post schon
historisch geworden, ehe den Verteidigern das Fleisch von
den Knochen gefallen war« (325). »Die Zeit, die vergehende
Zeit vergeht zugunsten der Täter; den Opfern vergeht die
Zeit nicht«, wie es in *Aus dem Tagebuch einer Schnecke*

heißt (WA IV, 399). Oskars mimetisch vergegenwärtigendes Trommeln, das die Vergangenheit als präsentisch heraufführt, ist das ideale Medium gegen diese Verdrängung. »Trommelnd dem Gedächtnis nachhelfend« (213), kämpft er gegen den »Gedächtnisschwund« (689), erst mit seinen Konzerten, dann mit seinem Roman, den er seinen Trommelstücken nachschreibt. Wenn Grass 1972 zu der Definition findet, »ein Schriftsteller, Kinder, ist jemand, der gegen die verstreichende Zeit schreibt« (WA IV,400), so ist schon Oskar ein Künstler, der gegen die verstreichende Zeit trommelt.

Auf der letzten Stufe seiner Kunst erst übernimmt Oskar in seinem Werk die Funktion des Warners und Propheten, der er sich in seinem Leben bewußt entzogen hatte. Aus der Perspektive der *Rättin* blickt er dreißig und mehr Jahre später auf das frühe l'art pour l'art und das späte Engagement zurück:

> »Sehen Sie«, sagte er und stellte sein Spielbein seitlich, »ich bin von Kindheit an medienbestimmt gewesen. Einem blechernen Ding sprach ich mehr Kraft zu, als ihm gegeben war – und scheiterte jämmerlich. Man hat meiner Stimme, die allerdings schneidend war, mehr Gewalttaten nachgesagt, als ich verbürgen möchte; doch ich verlor mein schützendes Medium in böser Zeit. Als es dann wieder aufwärts ging und die falschen Fuffziger Hoffnung auf mehr und mehr machten, habe ich, weil der Stimmverlust endgültig war, auf das Blech meiner Kindheit zurückgreifen müssen. Indem ich ein überholtes Instrument abermals belebte und auf ihm Vergangenheit beschwor, gelang es mir, so lange Konzertsäle zu füllen, bis jedermann das Vergangene satt hatte [. . .].« (WA VII,449)

Da wurde ihm »die intime Videokassette« (WA VII,449) zum neuen Medium. In direkter Fortsetzung seines früheren Trommelns produziert Oskar Videos gegen die jetzt doppelt verstreichende Zeit, gegen das Historisch-Werden der »fal-

schen Fuffziger« und ihrer Restauration einerseits und andererseits – »fünf Minuten vor Zwölf« (WA VII,299) – Zukunft
vorwegnehmende Videos gegen das unmittelbar bevorste-
hende Ende der Menschheit in Umweltkatastrophe und ato-
marem Holocaust.

Literaturhinweise

Ausgaben

Günter Grass: Die Blechtrommel. Roman. Darmstadt [u. a.]: Luchterhand, 1959.
- Werkausgabe in zehn Bänden. Hrsg. von Volker Neuhaus. Darmstadt [u. a.]: Luchterhand, 1987. [*Die Blechtrommel* in: Bd. 2.]
- Die Blechtrommel. Roman. (Danziger Trilogie 1.) Hamburg/Zürich: Luchterhand Literaturverlag, 1988 [u. ö.] (Sammlung Luchterhand. 147.)

Forschungsliteratur

Brode, Hanspeter: Günter Grass. München 1979.
Enzensberger, Hans Magnus: Wilhelm Meister, auf Blech getrommelt. In: H. M. E.: Einzelheiten. Frankfurt a. M. 1962. S. 221–227.
Gaede, Friedrich: Grimmelshausen, Brecht, Grass. Zur Tradition des literarischen Realismus in Deutschland. In: Simpliciana. Schriften der Grimmelshausen-Gesellschaft 1 (1979) S. 54–66.
Hermes, Daniela / Neuhaus, Volker: Grass im Ausland. Texte, Daten, Bilder. Frankfurt a. M. 1990.
Jendrowiak, Silke: Günter Grass und die ›Hybris‹ des Kleinbürgers. *Die Blechtrommel* – Bruch mit der Tradition einer irrationalistischen Kunst- und Wirklichkeitsinterpretation. Heidelberg 1979.
Just, Georg: Darstellung und Appell in der *Blechtrommel* von Günter Grass. Darstellungsästhetik versus Wirkungsästhetik. Frankfurt a. M. 1972.
Leonard, Irene: Günter Grass. Edinburgh 1974.
Mannack, Eberhard: Die Auseinandersetzung mit literarischen Mustern – Günter Grass: *Die Blechtrommel*. In: E. M.: Zwei deutsche Literaturen? Kronberg i. Ts. 1977. S. 66–83.
Neuhaus, Volker: Das christliche Erbe bei Günter Grass. In: Arnold, Heinz Ludwig (Hrsg.): Günter Grass. München ⁶1988. (Text + Kritik. 1/1a.) S. 108–119.
- Günter Grass. *Die Blechtrommel*. München ²1988.
- Das dichterische Selbstverständnis und seine Entwicklung bei Günter Grass. In: Metamorphosen des Dichters. Das Rollenver-

ständnis deutscher Schriftsteller vom Barock bis zur Gegenwart. Hrsg. von Gunter E. Grimm. Frankfurt a. M. 1992. S. 274–285.

Neuhaus, Volker / Hermes, Daniela (Hrsg.): Die »Danziger Trilogie« von Günter Grass. Texte, Daten, Bilder. Frankfurt a. M. 1991. (Sammlung Luchterhand. 979.)

Schlöndorff, Volker: *Die Blechtrommel.* Tagebuch einer Verfilmung. Neuwied 1979.

Stallbaum, Klaus: Kunst und Künstlerexistenz im Frühwerk von Günter Grass. Köln 1989.

Wierlacher, Alois: Vom Essen in der deutschen Literatur. Mahlzeiten in Erzähltexten von Goethe bis Grass. Stuttgart [u. a.] 1987.

Uwe Johnson: *Mutmassungen über Jakob*

Vexierrätsel, Gesamtdeutsch

Über die Ursprünge von Uwe Johnsons Debutroman
Mutmassungen über Jakob

Von Bernd Neumann

Mit Uwe Johnsons erstveröffentlichtem Roman *Mutmassungen über Jakob* geriet im Herbst 1959 ein Stück Hochlitera-
tur zur auch politischen Sensation der Frankfurter Buch-
messe. Unter Protest verließen mehrere DDR-Verlage die
Messe; wegen eines Buches, das einen Arbeiter und seine
Arbeit in den Mittelpunkt stellte. Bestimmte Pressestimmen
in der Bundesrepublik dagegen wollten in Johnsons furiosem
Erstling ein »trojanisches Pferd« ermittelt haben, den Kom-
munismus im Westen zu verbreiten; wegen des, heute wissen
wir es, einzigen Buches in der gesamten DDR-Literatur, das
die Tätigkeit des Staatssicherheitsdienstes darstellte. Also
wie denn nun?
Sicher erscheint eines: mit Johnsons erster Veröffentlichung
wurde begründet, neben der *Blechtrommel* von Günter
Grass und neben Heinrich Bölls *Billard um halbzehn* auf
eben der Herbstmesse 1959, was dann allgemein die »neue
westdeutsche Weltliteratur« heißen würde. Die Zustimmung
zu diesem Roman vereinigte seinerzeit Kritiker der verschiedensten Couleur (beispielsweise Hans Magnus Enzensberger und Günter Blöcker); sie geriet zur bestandenen Gesel-
lenprüfung des deutschen Feuilletons gegenüber einem
Buch, das von Anfang an (die Wichtigkeit Faulkners für
Johnsons Erzählen!) der Weltliteratur zugehörig war. Dieser
Erfolg prägte das schriftstellerische Image Johnsons, sein literarisches Markenzeichen. Johnson galt nun als ein »schwieriger« Autor, der als der »Dichter der beiden Deutschland« die

aktuelle Problematik des zweistaatlichen Deutschland in einer formal ebenso hochartistischen wie inhaltlich dunklen und mutmaßenden Weise thematisieren würde. In diesem Sinne kommt gerade den *Mutmassungen* ein hoher Grad von Repräsentativität in bezug auf das Bild des Autors Johnson zu, wurden sie für die folgenden Romane Johnsons zu einer Art Verständnis-Filter. Deren lexikalische Festschreibung lautet: »Bedeutender junger Erzähler von experimenteller Prosa im labyrinthischen, andeutenden Stil Faulkners [...] bei weitgehender Dunkelheit des nur mutmaßlichen Wirklichkeitszusammenhanges. Thematisch auf die Situation des geteilten Deutschland bezogen« (*Lexikon der Weltliteratur,* hrsg. von Gero von Wilpert).
Inzwischen sind Quellen bekannt, die einiges Licht ins lexikalisch erfaßte Dunkel bringen können: Johnsons literaturwissenschaftliche Klausuren, die der Student in Leipzig 1956 bei Hans Mayer schrieb, weiterhin die Verlagsgutachten des dann arbeitslosen Absolventen eines Germanistikstudiums zwischen 1956 und 1959. Ferner die Äußerungen der damaligen Freunde in Leipzig Manfred Bierwisch, Klaus Baumgärtner und Eberhard Klemm, die zusammen mit »Ossian« (so Johnsons studentischer Übername) einem Freundeskreis zur Debatte der Moderne in der Kunst angehörten. Die Klausuren und Gutachten sind im Februar des Jahres 1992 im Suhrkamp Verlag unter den Titeln *Entwöhnung von einem Arbeitsplatz* und *Wo ist der Erzähler auffindbar?* in zwei Bänden erschienen.[1] »Ursprünge« im Sinn des Walter Benjaminschen Denkens (der seinerseits Johnsons literaturtheoretischer Eideshelfer gewesen ist) sollen also im folgenden beleuchtet werden, mithin das, was in Benjamins Vorwort zum *Trauerspiel*-Buch festgeschrieben wird wie folgt:

---

1 Uwe Johnson, *Entwöhnung von einem Arbeitsplatz,* mit einem philologisch-biographischen Essay, hrsg. von Bernd Neumann, Frankfurt a. M. 1992 (Schriftenreihe des Uwe-Johnson-Archivs, Bd. 3); und U. J., *Wo ist der Erzähler auffindbar?,* hrsg. von Bernd Neumann, Frankfurt a. M. 1992 (Schriftenreihe des Uwe-Johnson-Archivs, Bd. 4).

Die Kategorie des Ursprungs ist also nicht [...] eine rein logische, sondern historisch. [...] Denn jeder Ursprungs-nachweis muß vorbereitet auf die Frage nach der Echtheit des Aufgewiesenen sein. Kann er sich als echt nicht beglau-bigen, so trägt er seinen Titel zu Unrecht. [...] Die Folge-rung jedoch ist nicht, daß unverzüglich jedes frühe »Fak-tum« als wesensprägendes Moment zu nehmen wäre. Viel-mehr beginnt die Aufgabe des Forschers hier, der ein sol-ches Faktum dann erst für gesichert zu halten hat, wenn seine innerste Struktur so wesenhaft erscheint, daß sie als einen Ursprung es verrät.[2]

Erkenntnisinteresse und weibliche Mittelpunktsfigur

Die im Leipziger Freundeskreis versammelt waren, gehörten einer Generation an, Klaus Baumgärtner hat dies einleuch-tend deutlich gemacht, die nach der kulturell-ideologischen »Stunde Null« des Kriegsendes zur unterdrückten Moderne der zwanziger Jahre zurückstrebten; einer Moderne also, die durch die beiden totalitären Systeme auf deutschem Boden, von Hitler ebenso wie von Stalins deutschen Statthaltern, unterdrückt worden war. Die anti-modernistische, die anti-experimentelle, schließlich die anti-kosmopolitische, in ihrem Kern spießbürgerliche und verdeckt auch antijüdische Ausrichtung der offiziellen Kunstdoktrin der SED um 1952 war nahezu lückenlos kompatibel mit dem Kunstverständnis der Nationalsozialisten gewesen. Von solch unvermuteter, bedrückender Kongruenz zeugt Uwe Johnsons Güstrower Abituraufsatz von 1952 mit Eindrücklichkeit; die Mitglie-der des Freundeskreises besaßen ähnliche Erfahrungen. Die die Formalismus-Debatte hatten erleiden müssen, sie began-nen sich gerade deshalb für die Formalisten und »Dekaden-ten« überhaupt zu interessieren. Uwe Johnsons Erwähnun-

2 Walter Benjamin, »Erkenntniskritische Vorrede«, in: W. B., *Ursprung des deutschen Trauerspiels*, Frankfurt a. M. 1972, S. 30.

gen des verdienten Anti-Modernismus-Kämpfers Wilhelm
Girnus in den *Begleitumständen*³ gehören sämtlich in diesen
Zusammenhang.

In Uwe Johnsons Fall lag die Sensibilität bereits in seiner
Herkunft begründet: Ernst Barlach war ein Verfolgter beider
totalitären Systeme auf deutschem Boden gewesen, Girnus
hatte hier im Namen der Staatspartei, im »Neuen Deutschland« von 1951/52, das Seine getan, und der Verteidiger Barlachs Brecht stand immer selbst in Gefahr, des »Formalis-
mus« angeklagt zu werden. Im Leipziger Freundeskreis
kumulierten sich unter diesem Aspekt identische Erfahrungen und daraus geborene Interessen. Auf beides aber antwortete vor allem das Interesse an der »Kritischen Theorie«, wie
es in diesen Jahren auch im Westen Deutschlands Schritt für
Schritt Fuß faßte. Dieser Prozeß erfuhr durch die Veröffentlichung der Schriften Adornos und Benjamins im Suhrkamp
Verlag in den fünfziger Jahren entscheidende Beförderung.
Diese Aussage gilt ganz allgemein ebenso wie im verhandel-
ten konkreten Fall. Die Bekanntschaft zwischen Klemm und
Bierwisch, die älter war als Johnsons Leipzig-Aufenthalt, sie
war einst zustande gekommen dadurch, daß man Theodor
W. Adornos *Minima Moralia* (1951) gegen dessen *Philoso-
phie der Neuen Musik* (1949) tauschte. Das kam in diesen
Jahren einem nicht ungefährlichen Akt der ideologischen
Subversion gleich; doch es war andererseits sehr wohl mög-
lich, ohne ein allzu großes Risiko einzugehen. Man durfte
solche Interessen freilich nicht öffentlich dokumentieren.
Wegen der Lektüre des *Monat* war Manfred Bierwisch 1952
im fahrenden Zug verhaftet worden, es geschah im Beisein
Eberhard Klemms, und es brachte dem Studenten ein und ein
halbes Jahr Gefängnis ein, aus dem ihn dann erst die im
Zusammenhang mit dem 17. Juni verkündete Amnestie
befreite. Es stellte also durchaus riskantes Handeln dar, wenn
Baumgärtner sich vom Frankfurter Suhrkamp Verlag Ador-

3 Uwe Johnson, *Begleitumstände. Frankfurter Vorlesungen*, Frankfurt a. M. 1980, S. 107.

nos *Prismen* (1955) beschaffte und Uwe Johnson selbst 1955 die gerade erschienene Werk-Ausgabe des Walter Benjamin, der dann sein literaturtheoretischer Eideshelfer werden sollte.

Im Leipziger Freundeskreis, von 1954 an, erschloß sich dem langen Blonden aus Mecklenburg endgültig die Welt der Moderne in Kunst und Philosophie. Gegenüber Baumgärtner wie Bierwisch offenbarte Johnson, was er dann ganz ähnlich auch Hans Mayer eröffnen würde, nachdem er diesen auf der Polizeiwache als selbst einen outcast erlebt hatte, der seine Auslandsreise genehmigen lassen mußte: daß er nämlich an einem Roman arbeitete, der unter den herrschenden politischen Verhältnissen für einige Jahre Zuchthaus gut sein könne. Mit solcher Eröffnung gehörte der lange Blonde, der im Seminar, gewiß bei Hans Mayer, den Freunden Baumgärtner und Bierwisch als ein interessanter Mensch aufgefallen war, zum Freundeskreis. Man diskutierte Literatur, die für die *Mutmassungen* und darüber hinaus das Gesamtwerk Johnsons von entscheidendem Einfluß sein würde: Faulkners Romane und Walter Benjamins Arbeit über *Das Kunstwerk im Zeitalter seiner technischen Reproduzierbarkeit* (1963) etwa. Von daher schreibt sie dann des Erzählers Johnson Opposition gegen das Prinzip Photographie, wie es seinen Verlagsgutachten und auch den *Mutmassungen* eingeschrieben ist. Man wird Adornos Resümee zum »Standort des Erzählers im modernen Roman«, 1954 in *Akzente* erschienen und zugänglich im Lesesaal der Deutschen Bücherei, ebenso gekannt haben, wie man den Aufsatz Jean-Paul Sartres über den Zeitbegriff bei Faulkner diskutierte, auf den im Zusammenhang mit der Interpretation der *Mutmassungen* noch zurückzukommen sein wird. Leipzig wurde für »Ossian« zur Schule der Modernität in der Kunsttheorie, und das auch noch interdisziplinär. Denn den Freundeskreis hielt zusammen das Interesse an der Moderne in Kunst und Philosophie, sei es das an der Musik Bartóks, Strawinskys, Weills oder Schönbergs, an der Philosophie Blochs und Sar-

tres, am Kubismus, an Kandinsky und Picasso, oder, für
Johnson von entscheidender Wichtigkeit, an den Romanen
des Nobelpreisträgers und avantgardistischen Erzählers William Faulkner. Uwe Johnson würde den Amerikaner übrigens dann 1961 in den USA eigens aufsuchen (und ihn dann
ein wenig mit literaturtheoretischen Fragestellungen ennu-
yieren).

Leipzig stellte insgesamt, von der Erzähltheorie wie vom
Personalbestand her betrachtet, die Bedingungen für die Entstehung der *Mutmassungen* bereit. Durch die Liebe zu Elisabeth Schmidt, seiner späteren Frau, veränderte sich Johnsons
Personal: Gesine verdrängte in der Literatur Ingrid ziemlich
genau so, wie Elisabeth im Leben das »Waldgesicht«, Johnsons Rostocker Freundin, ersetzte (aber nicht ohne diese
artig zuvor gefragt zu haben). Gesine wird zu einer der Mittelpunktsfiguren der *Mutmassungen*; ist, mit Blick auf Johnsons Gesamtwerk gesprochen, als die ganz zentrale Figur seiner literarischen Welt anzusehen. Sie ist erfunden, selbstverständlich; und dennoch gleicht sie in vielem Elisabeth
Schmidt. »Man hat in diesem Beruf kein anderes Material als
seine Erfahrungen«, wird Johnson später in einem Interview
(Meras) ausführen. »Da ist eine Menge Elisabeth hineinge-
arbeitet«, sagte einer, der beide in Leipzig gut kannte. Im
Freundeskreis liebte »Ossian« die Version zu erzählen, ganz
so wie in den *Mutmassungen* Dr. Jonas Blach seiner Gesine,
sei auch er auf der Straße Elisabeth Schmidt zum ersten Mal
begegnet. Johnson habe Elisabeths Anblick »wie ein Blitz-
schlag« getroffen, gibt Manfred Bierwisch wieder, der zugleich erwähnt, daß diese Darstellung von ihrer Seite nie so
recht bestätigt worden sei. Die Darstellung blitzschlagarti-
gen, atemlos machenden Verliebens auf den ersten Blick findet sich im Buch. Elisabeth alias Gesine trug bei dieser Gelegenheit übrigens einen braunen Dufflecoat, beide haben
dieses Detail nie vergessen.

Das sind inhaltliche Züge, wie sie im Aufenthalt in Leipzig
ihren Ursprung besitzen. Als biographische Rückrechnung

sind sie nicht von Belang; wohl aber darin, daß sie den »Ursprung« der Mittelpunktsfigur Gesine bezeichnen, einer literarischen, erfundenen Figur von höchster Attraktivität, die zwei Männer um sich versammelt wie eine Zentralsonne ihre Gestirne (oder auch, diesen Vergleich zu wählen, wie die Ingeborg Holm in Thomas Manns *Tonio Kröger,* so intensiv war der junge Johnson von Manns Text 1951 beeindruckt worden). Wer dieser Zentralsonne, sie wird auch die episch ausgedehnte Welt der späteren »Jahrestage« erleuchten, zu nahe kommt, der verbrennt wie Ikarus im griechischen Mythos: mit einer (tschechischen) Flugmaschine vom Typ Cessna stürzt dann D. E. ab. D. E. steht für Dietrich Erichson; Dietrich hieß Johnson mit anderem Vornamen und sein Vater, der seinerseits noch der Sohn eines Schweden war, trug den Vornamen Erich.

Fragen der Biographie und der Standort des Erzählers

Zu diesen Aspekten inhaltlicher »Ursprünge« gesellen sich solche der Form. Die Form des Buches wurde nämlich revolutioniert mit dem Fluchtpunkt eines von Johnson lange gewünschten »erzählerlosen Erzählens«. Formal bedeuteten die *Mutmassungen* gegenüber der *Ingrid Babendererde* (1953) ja ohne Zweifel eine literarische Revolution. Johnson schrieb schon bald das erste, noch konventionell erzählte Kapitel der *Mutmassungen* um; ab 1957 entstand die polyperspektivische, »verfaulknerte« Form der Dialog-Erzählungen. Und für diesen Prozeß der ästhetischen Umwälzung gab der Diskussionsraum des Leipziger Freundeskreises einen hochwichtigen Resonanzraum ab. Die dialogischen, polyphonen Enstehungsbedingungen kehren im Werk als dessen charakteristisch dialogischer, polyphoner Erzählcharakter wieder. Dagegen war die *Babendererde* noch auf dem Papier entworfenes allwissendes, aber auch einsames Erzählen gewesen; nun herrschte die Diskussion vor, sie regte den Kopf des Verfassers an, in dem die Geschichte der *Mutmassungen* nun aus- und zu Ende gedacht wurde, bevor die Schreibmaschine sie endgültig auf das Papier brachte. Was Johnson aufschrieb, das hörte er als Stimmen in seinem Kopf: hier zum ersten Mal war diese Gabe des intensiv Erfindenden zur Stelle.

Der Freundeskreis hörte Ernst Blochs und Hans Mayers Vorlesungen »ziemlich komplett und systematisch«; was sie lehrten, kann bei Johnson voraussetzen, wer die *Mutmassungen* verstehen will. Man diskutierte dementsprechend auch einen »gegen den Strich gebürsteten Marxismus« (Bierwisch), und überhaupt gingen die Diskussionen dieser Jahre in das Buch ein als dessen philosophisch-ideologischer Diskurs um die Individualität und ihre Ableitbarkeit (»Jedem sein eigener Blutkreislauf«, aber keiner kann »für sich aus der Physik austreten«), und weiterhin um die Fragen der Demokratisierung eines autoritär deformierten Sozialismus. In den *Mutmassungen* gilt dem ein eigener Essay, den Blach schreibt und vor dem Zugriff der Stasi bei Freunden hinterlegt. Diesen Aufsatz sollte der Freund Bierwisch schreiben, Johnson wollte ihn zitieren wie einen fiktiven Text. So wäre ein weiterer »Ursprung« entstanden. Mit Brief vom 8. August 1958 an Bierwisch forderte Johnson diesen »Bewusstseinsessay« ein (»Du Trödeljahn«), den er aber nie erhielt, wiewohl er halb fertig geschrieben bereits existierte. Beide waren sich jedenfalls einig, daß der »Oktober 1956«: also die polnischen und ungarischen Ereignisse, zentral stehen sollte. Und das tun sie dann ja auch: das Buch enthält eine komplette »ungarische Dimension«.

Und Einigkeit herrschte auch darüber, daß Jean-Paul Sartres Arbeiten kennen mußte, wer modern erzählen wollte. Sartre war da bereits offiziell verpönt, in Hans Mayers *Ein Deutscher auf Widerruf* kann man nachlesen, wie er im Lager des »real existierenden Sozialismus« im Gleichtakt mit der zunehmenden Intensität des »Kalten Krieges« Schritt für Schritt exkommuniziert wurde. Uwe Johnson hat dies möglicherweise bereits im Deutschunterricht der Schule erfahren,

findet sich doch im vierten Band der *Jahrestage* (S. 1820) folgende Erwähnung des Franzosen und seines philosophi-
schen Hauptwerks (das Bierwisch gelesen und gegenüber
Johnson brieflich erwähnt hatte; 1952 war es in deutscher
Übersetzung erschienen): »Aber was anfangen mit Jean-Paul
Sartre? Die Schülerin Gesine schlug vor: dieser Mensch habe
ein Buch namens *L'Etre et le Néant* 1943 in Paris veröffentlicht, unter der nazideutschen Besatzung; eine Eins bekam
sie.« Damals galt das noch; es sollte sich schnell ändern, weil
Sartre sich nie der Disziplin der Kommunistischen Partei
unterordnete.

Sartre spielte eine bedeutende Rolle im Briefwechsel zwischen Johnson und Bierwisch, insbesondere in den ersten
Inkubationsjahren der *Mutmassungen* Ende 1956 und 1957.
Zum empfindsam-emphatischen Sturm-und-Drang-Stil des
Briefwechsels dieser Jahre, man redete einander mit »Bruder« an und Bierwisch wünschte den »weiten Ozean« Johnson, wünschte die verschlossene, sich auch bewußt verrät-
selnde Persönlichkeit seines »Kammerbruders« »Ossian« zu
erkunden, fügte sich die existentialistische Überzeugung von
der »unaussprechlichen Eigenart des Subjekts« (Brief vom
6. Juni 1955). In die gegenseitige »Dunkelheit ihrer Existenz« (Bierwisch, 9. Juli 1955) wollen beide eindringen, in
eine Dunkelheit, die aber auch als ein »historischer Zustand«
zu verstehen sei und als »Produkt zahlloser Formungsakte«.
Bierwisch glaubt allerdings, daß die Aufhebung solcher
Dunkelheit erreichbar wäre: »das wird schlagartig möglich
sein nach Kenntnis Deiner Geschichte«. Die Geschichte
eines Menschen aber ist, gerade existentialistisch verstanden,
nichts anderes als seine Biographie. Die Biographie-Diskus-
sion, wie man sie in diesen Jahren auch schon bei Max Frisch
finden konnte, ragte also in die Diskussionen des Freundeskreises hinein. So wie im Buch die Diskussionspartner,
waren auch die Freunde sich nicht unbedingt einig in dieser
Frage; Johnson vertrat die These von der »Einmaligkeit des
hohen Subjekts« (nach Bierwischs Brief vom 17. September

1955), wie ihm Bierwisch als Sprecher der mehr »marxistisch« denkenden Freunde irritiert vorhalten konnte. Insofern entspringen die *Mutmassungen* mit ihrer »dunklen« Mittelpunktsfigur Jakob allerdings der Sartre-Diskussion im Freundeskreis, in der der Marxismus mit seiner These von der Ableitbarkeit der Persönlichkeit aus den gesellschaftlichen Umständen gegen die existentialistische These von der sich selbst entwerfenden, nicht sozial bedingten und unaufhebbar »dunklen« Individualität gestellt wurde. Johnsons Roman ist geradezu ein Statement zu dieser Diskussion und wurde von den Freunden nach dem Erscheinen der *Mutmassungen* auch so verstanden.

Die dargestellte Sartre-Diskussion spielte hinein in die zentrale Frage nach der Rolle des Erzählers. Auch hierin war Manfred Bierwisch der bevorzugte Partner »Ossians«. Im Sommer 1957 las auch er den Joyceschen *Ulysses* (1922, deutsch 1927) und fand das Buch, dessen Kenntnis er bei seinem »Kammerbruder« voraussetzen konnte, »ungeheuer wichtig«. Johnson bestätigte ihm das, insbesondere mit Blick auf den Gebrauch des Inneren Monologs in Joyces modernem Epos. In diesen Sommer 1957 fiel Johnsons endgültige Entscheidung, die *Mutmassungen* nicht-traditionell, »modernistisch« zu erzählen. Zugleich wies Bierwisch ihn auf die Arbeiten Sartres zur Literatur hin, vor allem auf dessen Aufsatz zu Faulkner. Das geschah im Zusammenhang mit Uwe Johnsons damaligen Plänen zur radikalen Abschaffung des Erzählers, er wollte doch tatsächlich den »Schiedsrichter ... arbeitslos« machen, das Bewußtsein der Personen allein sollte ausreichen. So hatte es ja auch Faulkner gehalten; hatte Faulkner es wirklich so gehalten? Am Ende stand der rudimentär beibehaltene Erzähler der *Mutmassungen* und mithin ein »Sieg« der Bierwischschen Einsicht, daß die ganz konsequente Liquidierung des Erzählers ein Widerspruch in sich sei. (Manfred Bierwisch sah übrigens in Faulkners Erzählen ein Modell, dem Brechtschen »diametral« entgegengesetzt. Bei Bertolt Brecht seien fast immer zwei Abläufe

nebeneinander gegeben, während Faulkners Erzählen, entsprechend der bei ihm gegebenen Zukunftslosigkeit, die analytische, fast schicksalshafte, nur in die Vergangenheit hinein
erzählte Schilderung des einen Ablaufs biete. Hierin hatte
Bierwisch von Sartres Sicht auf Faulkner gelernt.) Wiederum
Johnson hat, das Zitat steht in den *Begleitumständen* neben
der Photographie von Leipzigs Hauptbahnhof als dem
Wahrzeichen des Metropolencharakters dieser Messestadt,
geschrieben:

> Das ist die Position des Beobachters. Er sieht sich an, was
> da ist, er zählt es. Und da ihr ihn habt unterrichten lassen
> über die Funktion der Vorsilbe »er-« im Deutschen, wird
> er am Ende geraten ins Erzählen.[4]

An diesem Zitat fällt bei unbefangenem Lesen das denn doch
merkwürdige »Zählen« der Vorgänge durch den Er-Zähler
ins Auge. Für die spätere Konzeption des *Jahrestage*-Epos
ist sicherlich Döblins Berlin-Epos ebenso wichtig gewesen
wie Dos Passos' Thematisierungen der Megastadt New
York. In ihnen aber werden Vorgänge »GEZÄHLT«, jedenfalls nach Jean-Paul Sartres Meinung. Johnson scheint diese
Position hier wörtlich übernommen zu haben. Laut Sartre
bewahrt das Vergangene noch »im Exil« den »Reiz der
Gegenwart«, es bleibe, was es »eines Tages, einen einzigen
Tag lang war: unerklärbarer Tumult aus Farben, Tönen, Lei-
denschaften. Jede Begebenheit ist ein grelles, einsames *Ding*,
das sich aus keinem anderen verbindet: ein Unreduzierbares.
Erzählen bedeutet für Dos Passos addieren. Daher auch das
lockere Gefüge seines Stils: ›und . . . und . . . und . . .‹«
Das lockere Gefüge des addierenden (parataktischen) Satz-
stils wird dann auch, mit der Veröffentlichung der *Mutmassungen* beginnend, das Kennzeichen Johnsons werden. Vor
allem wird er Gedächtnis-Romane schreiben wollen, in
denen sich ein autonomer, vom traditionellen Erzähler unab-

4 Ebd., S. 117.

hängiger Gedächtnisraum eröffnet, ein Vorgang, der schließlich zu einer Autonomie von Erinnerung führen kann, die dann durch die ganz objektive Rekonstruktion, wie sie zum Beispiel der antike, kommentierende Chor als die nicht-subjektive Instanz par excellence vornahm, gewährleistet wird. In Sartres Dos-Passos-Aufsatz lesen wir:

> Oft jedoch fällt auch der Erzähler nicht mehr ganz mit dem Helden zusammen: was er sagt, hätte der Held nicht ganz so sagen können, und doch spürt man zwischen ihnen eine geheime Komplicenschaft; der Erzähler erzählt von außen, wie der Held gewünscht hätte, daß erzählt würde. Mit Hilfe dieser Komplicenschaft bringt uns Dos Passos dazu, unbemerkt den Schritt zu tun, den er anstrebt: Plötzlich sitzen wir im Innern eines schrecklichen Gedächtnisses, dessen einzelne Erinnerungen uns aufschrecken, das uns entwurzelt und das nicht mehr das Gedächtnis der Gestalten noch das des Autors ist: man hat den Eindruck, ein Chor erinnere sich, ein sentenzenreicher, mitwissender Chor [. . .].[5]

Genau dieser Vorgang: der Transport des Erzählerstandpunkts ins Innere des Werks selbst, die Eröffnung eines autonomen Erinnerungsraums für die Personen, so daß das Werk zum sozusagen selbst diskutierenden Ort vergangener Ereignisse, zum Gedächtnis in sich selbst werden kann, macht die Differenz zwischen der *Ingrid Babendererde* und den *Mutmassungen* aus. Genau diesen Vorgang: den versuchten Transport des Erzählerstandpunkts hinein in das Werk selbst, kennzeichnete übrigens bereits die Überarbeitung der *Ingrid Babendererde*, wo diese auf Erzähltechnisches ging: nämlich in der Einführung des »Zeugen« Erichson. Hier ist der Ort, das noch einmal in Erinnerung zu rufen. Im Lau-

5 Jean-Paul Sartre, »Über John Dos Passos und *Neunzehnhundertneunzehn*« (1938), in: J.-P. S., *Gesammelte Werke*, hrsg. von Traugott König, Schriften zur Literatur, Bd. 1: *Der Mensch und die Dinge*, Reinbek bei Hamburg 1986, S. 18.

fe der Überarbeitungsgeschichte der *Babendererde* mußte
Johnson sich immer mehr auf die Notwendigkeit des Verlas-
sens der DDR einlassen; daneben experimentiert er mit dem
»Zeugen« Erichson, der die Erzählung betritt (und dann aber
auch wieder verläßt). Die Tendenz der Überarbeitungen, darüber besteht in der Forschung Einmütigkeit, ging darauf, die
Geschichte von eigenen Bewertungen des Erzählten freizu-
machen und sie immer objektiver darzubieten. Zugleich will
Johnson, was mit dieser Absicht in genauem Zusammenhang
steht, den Erzähler selbst in die Geschichte hineinversetzen.
Das epische Bewußtsein soll unter die Figuren transportiert
werden. Deshalb reist der Student der Anglistik Erichson,
wie Johnson selbst ein Sohn des Erich und mit dessen Cha-
rakteristika Pfeife und Paddelboot ausgerüstet, dazu mit
Johnsons Rostocker Erfahrungen versehen (der große Pro-
testauftritt in Sachen »Junge Gemeinde«), zum Ort der
Handlung. So sollte die Erzählerposition Teil der Erzählung
selbst werden; mit Brechtscher »Verfremdung«, wie man das
zuweilen lesen kann, hat dieser Vorgang gar nichts zu tun.
Die Einführung des Zeugen Erichson leistet vielmehr im
Ansatz das gleiche, was dann die Gelungenheit der *Mutmassungen* ausmachen wird: eben die Integration der Erzählerposition in die erzählte Welt. Sie scheiterte im Erstling noch,
weil Erichson der EINZIGE Zeuge blieb. Einmal eingeführt,
okkupierte er nämlich immer mehr Wissen und näherte sich
selbst dem, was seine Einführung hatte bekämpfen sollen:
dem auktorialen Erzähler. Solche unversehens und unter des
Erzählers Hand restituierte Gottähnlichkeit würde dann erst
die PLURALITÄT der Zeugen, wie sie in den *Mutmassungen*
gegeben sein wird, verhindern können. Ohne diese Pluralität
mußte das Experiment scheitern; Erichson drohte am Ende
den traditionellen Roman auf die gleiche Art wieder herzustellen, wie, ein Johnson bekanntes Beispiel zu wählen, der
Zeuge von Leverkühns Leben in Thomas Manns *Doktor
Faustus* (1947), der Erzähler Zeitblom, es tut.
Um leisten zu können, was Johnson bereits 1956 intendierte:

sich vom Guckkasten-Roman des Realismus zu verabschieden, bedurfte es mehrerer, zudem in ihren Erkenntnisinteressen pluralistischer Zeugen. Das würden dann erst die *Mutmassungen* leisten können und es läßt sich beschreiben als Adaption Adornoscher Theorie »modernistischen« Erzählens einerseits und Faulknerscher Praxis dialogischen Erzählens andererseits. Das Interesse des Freundeskreises galt der »Kritischen Theorie« und ihrem hauptsächlichen Ästhetiker Theodor W. Adorno. So werden sie bei Adorno gelesen haben, der Aufsatz erschien 1954 in *Akzente*, und er war in der Deutschen Bücherei ebenso wie in Hans Mayers Institut erreichbar, was der Gelehrte unter dem (für Uwe Johnson zentralen) Aspekt der »Stellung des Erzählers« und ausgehend von dem Paradox: »es läßt sich nicht mehr erzählen, während die Form des Romans Erzählung verlangt«, ausgeführt hatte:

Wenn Lukács in seiner Theorie des Romans vor fast vierzig Jahren die Frage aufwarf, ob die Romane Dostojewskys Bausteine zukünftiger Epen, wo nicht selbst bereits solche Epen seien, dann gleichen in der Tat die heutigen Romane, die zählen, jene, in denen die entfesselte Subjektivität aus der eigenen Schwerkraft in ihr Gegenteil übergeht, negativen Epopöen. Sie sind Zeugnisse eines Zustands, in dem das Individuum sich selbst liquidiert und der sich begegnet mit dem vorindividuellen, wie er einmal die sinnerfüllte Welt zu verbürgen schien. Mit aller gegenwärtigen Kunst teilen diese Epopöen die Zweideutigkeit, daß es nicht bei ihnen steht, etwas darüber auszumachen, ob die geschichtliche Tendenz, die sie registrieren, Rückfall in die Barbarei ist oder doch auf die Verwirklichung der Menschheit abzielt, und manche fühlen sich im Barbarischen allzu behaglich. Kein modernes Kunstwerk, das etwas taugte und nicht an der Dissonanz und dem Losgelassen auch seine Lust hätte. [...] Die Einziehung der ästhetischen Distanz im Roman heute, und damit dessen

Kapitulation vor der übermächtigen und nur noch real zu
verändernden, nicht im Bilde zu verklärenden Wirklichkeit, wird erheischt von dem, wohin die Form von sich aus
möchte.[6]

Genau diesen Schritt, den implizit zu fordern Adornos Ausführungen kennzeichnet: daß nämlich der Leser nicht mehr
vor der Bühne des Romans, sondern mitten auf der Szene
selbst zu stehen kommt, zwischen den Figuren, denen er
zuhört, das wird in den *Mutmassungen* Ereignis. Adorno
benannte zudem den Vorgang, der mitten im Zentrum der
sich herauskristallisierenden *Mutmassungen* steht: die »Einziehung der epischen Distanz«. Die konsequente Zurücknahme des Erzählers, Zurücknahme wohlgemerkt, nicht
seine Liquidierung, sollte »negative Epopöen« schaffen
anstelle des hergebrachten Romans. Einzig in »negativen
Epopöen« sollte die Wahrheit der Epoche noch faßbar sein,
und das ging nicht ohne Absage an den Ästhetiker vor sich, in
dessen Einflußbereich »Ossian« und seine Freunde lebten:
die Absage an Georg Lukács, wie sie im obigen Zitat deutlich
wurde.

Die Zukunftslosigkeit des Erzählens

Hinzu kam die Entdeckung, durch das Studium der Faulknerschen Erzählpraxis vermittelt, daß man auch eine Mehr-
zahl von Zeugen als Erzähler verwenden konnte (selbst
wenn man dabei den auktorialen Erzähler als koordinie-
rende Instanz beibehielt). Der Erzähler, derart unter seine
Figuren versetzt, verlor aber auch deren Zukunft aus dem
Blick. Das war der Hauptgegenstand von Sartres Analyse des
Faulknerschen Erzählens gewesen, in das einprägsame Bild

6 Theodor W. Adorno, »Standort des Erzählers im zeitgenössischen
Roman«, zuerst veröffentlicht in: *Akzente* 1 (1954) H. 5, wiederabge-
druckt in: Th. W. A., *Noten zur Literatur 1*, Frankfurt a. M. 1958, S. 71 f.

vom Erzähler Faulkner gefaßt, der aus dem fahrenden Auto
heraus den Blick ausschließlich noch nach rückwärts richten
kann. Die spezifisch Faulknersche Zukunftslosigkeit, sie war
es, die aus dem hergebrachten Erzählen einen Vorgang des
»Zählens« machte. Das bereits in Johnsons Erinnerungen
nachgewiesene merkwürdige Wort taucht auch im (im folgenden zitierten) Text Sartres über »Die Zeitlichkeit bei William Faulkner« auf:

> [. . .] die Gegenwart bei Faulkner ist ihrem Wesen nach
> etwas Katastrophisches, ein Ereignis, das über uns kommt
> wie ein Dieb, gewaltig, unausdenkbar, das über uns
> kommt und wieder verschwindet. Jenseits dieser Gegen-
> wart gibt es nichts, da die Zukunft nicht ist. Die Gegen-
> wart taucht plötzlich auf, man weiß nicht woher, und
> vertreibt eine andere Gegenwart; sie ist eine ewig neu be-
> gonnene Summe. »Und . . . und . . . und dann.« Wie Dos
> Passos, doch viel unauffälliger, macht Faulkner aus seinem
> Bericht eine bloße Aufzählung: auch die Handlungen,
> sogar in der Sicht der Handelnden selbst, zerspringen und
> zersplittern, sobald sie in die Gegenwart eindringen: »Ich
> ging zur Kommode und nahm die Uhr, die noch mit dem
> Zifferblatt nach unten lag. Ich zerschlug das Uhrglas an
> der Ecke der Kommode, sammelte in der Hand die Splitter
> und legte sie in den Aschenbecher, dann drehte ich die Zei-
> ger ab und legte sie in den Aschenbecher. Die Uhr tickte
> weiter.« Das zweite Merkmal dieser Gegenwart ist ihr *Ver-
> sinken*. Ich gebrauche diesen Ausdruck in Ermanglung
> eines besseren, um die regungslose Bewegung dieses
> unförmigen Ungeheuers zu kennzeichnen. Bei Faulkner
> gibt es niemals ein Fortschreiten, nichts, was aus der
> Zukunft kommt.[7]

---

7 Jean-Paul Sartre, »Die Zeitlichkeit bei William Faulkner«, in: *Gesam-
    melte Werke* (Anm. 5) S. 52.

Aus diesen Passagen würde dann Walter Jens in *Statt einer Literaturgeschichte* von 1957 die Poetik des modernen Erzählens ableiten.

Daß Uwe Johnson gerade dieser Zeit-Aspekt des Faulknerschen Erzählens interessierte, wird deutlich darin, daß er sich in dem Band mit den gesammelten Gesprächen Faulkners, er besaß ihn in seiner Bibliothek, gerade die Anmerkung des Amerikaners anstrich, der zufolge der Erzähler Herr der Zeit sein müsse. Faulkners zukunftslose Welt: sie entsprach gerade jetzt auch der besonderen Situation Johnsons. Die *Babendererde* war zwar von Fassung zu Fassung immer konsequenter auf die endliche Flucht Klausens und Ingrids hin angelegt worden. Und natürlich kam ein Umschreiben, daran dachte auch der positiv eingestellte Aufbau-Gutachter Herbert Nachbar, das darauf hinausgelaufen wäre, Klaus und Ingrid in die »Demokratische Republik« zurückkehren zu lassen, nicht in Frage. Doch mit Jürgen Petersen blieb die am meisten selbstbiographisch unterfütterte Person in der *Babendererde* in der »Demokratischen Republik« zurück; bei aller unerbittlichen Kritik war der Text denn doch geschrieben worden, auf daß die Verhältnisse dort sich bessern sollten. Von den *Mutmassungen über Jakob* kann dies so nicht mehr gesagt werden. Jakob, er wird als »Sozialist« bezeichnet noch in den *Jahrestagen*, kann zwar im »zukunftslosen« Westen nicht leben. Er scheint von dessen »gesetzmäßig« bevorstehendem Untergang so überzeugt wie der Prophet Jonas vom Untergang der Großen Sündigen Ninive. Einzig Gesine kann fortgehen, nach dem 17. Juni. Die Lösung, Jakob in die DDR zurückkehren zu lassen, um dort zu leben, Uwe Johnson hat sie, übrigens, erwogen und dann fallengelassen. Er selbst hat sich bis zuletzt dagegen gewehrt, die DDR zu verlassen, bis hin zum Vorhaben, die *Mutmassungen* unter Pseudonym im Westen erscheinen zu lassen. Jakobs Tod am Ende setzt eine (negative) Utopie; doch die Utopie kann auch als übersprungene Zukunft, eben als bloßer Vorschein dessen, was einmal sein könnte, be-

zeichnet werden, lang entfernt vom offiziell erforderten
detaillierten Aufweis einer verklärten Zukunft gemäß den
damals diskutierten Modellen eines »sozialistischen Realismus«. Und vollends das analytische Erinnerungserzählen,
wie die *Mutmassungen* es praktizieren, ihre Nähe zum
Detektivroman im Sinne Ernst Blochs, ist ja definiert durch
mutmaßend-erzählendes Aufhellen dessen, was zuvor, also
in der Vergangenheit, vorgefallen ist. Stets geht die Richtung
des Blicks in die Vergangenheit. Jakobs Tod setzt vielleicht
eine Utopie, aber er besiegelt zuallererst alle Hoffnungen auf
Veränderungen in der damaligen »Jetztzeit«. Mit der Nieder-
schlagung des Ungarn-Aufstands und der Suez-Invasion
und dem anschließenden Sieg Walter Ulbrichts im innenpoli-
tischen Machtkampf in der »Demokratischen Republik« war
alle Zukunft verbaut und der Absolvent Johnson nicht nur
arbeitslos, sondern zu einem potentiell Verfolgten, qua Gutachten des Aufbau Verlags zur »Gehirnwäsche« Ausge-
schriebenen, geworden. Er mußte sich hüten, in seiner Arbeit
aufzufallen, so wie auch Jakob es tut. Es herrschte eine gesellschaftliche Situation, die nach Veränderung, Revolution
schrie, in der aber keine Veränderung mehr denkbar, alle
Zukunft abgeschnitten erscheinen konnte. Genau so aber hat
Sartre Faulkner gelesen; und genau so las es Johnson in seiner
zukunftslosen Leipziger Situation bei Sartre.
Uwe Johnson ging es in jener Inkubationsphase der *Mutmassungen* also um die Aufhebung des, Adorno zufolge, Guck-
kasten-Charakters des hergebrachten realistischen Romans.
Die zitierten literaturtheoretischen Texte illuminieren dies;
sie sollten Licht auf die Ursprünge des Romans werfen, nicht
aber »Quellen« für seine Konzeption namhaft machen. Hier-
her gehört auch die Lesung von »The Sound And The Fury«
in Elisabeths geräumigem Leipziger Zimmer durch Uwe
Johnson, eine Art Simultanübersetzung aus diesem Buch.
Hierbei waren, es versteht sich, avancierte Englischkennt-
nisse erforderlich. Solche Beschäftigung changierte zwischen
Belehrung und Unterhaltung; war auch Begleitmusik zur

erzähltheoretischen und überhaupt kunsttheoretischen Diskussion zwischen den Freunden, wie sie zwar permanent, aber natürlich sporadisch vor sich ging. Soweit man sie rekonstruieren kann, zeigt sie, daß Adorno, Sartre und natürlich Faulkner für den Ursprung der *Mutmassungen* mindestens ebenso wichtig waren, wie andererseits Brechts Theorie des Epischen Theaters es zweifellos noch gewesen ist.

Aus diesen Ursprüngen entstand die Beschreibung der Lage im zweistaatlichen Deutschland in kühl-objektiver Manier und betrieben aus souveräner Distanz. Doch so paradox verhält es sich dabei: die neue Distanz und Objektivität, sie wird zum literarischen Markenzeichen des Uwe Johnson geraten, sie entstand nicht aus der Entfernung des Erzählers von seinen Figuren, sondern im Gegenteil daraus, daß dieser sich konsequent unter sie mischte. Der Verzicht auf seine auktorialen Vorrechte bestand darin, daß er lediglich ordnende, anordnende, eben dispatchende Funktionen noch innehatte. Er stand nun unter seinen Figuren und ließ deren Erinnerungszüge passieren, wenn es zum Gesamtplan des Buches paßte. Der Erzähler Johnson wurde zum Dispatcher Jakob. Gerechtigkeit zeichnet ihn insofern aus, als er alle zu Wort kommen läßt, den Stasi-Mann Rohlfs ebenso wie Gesine; hier koordinierte einer, anstatt zu zensieren. Der Erzähler befindet sich zusammen mit seinen Figuren auf der gleichen Erinnerungsbühne; er bewegt sich unter ihnen im ungeheuren Raum des Gedächtnisses, wo die vorgefallenen Vorgänge ge- und erzählt werden. Darin löst die Anlage der *Mutmassungen* in der Tat ein, was Johnson bei Sartre über die Bücher Dos Passos' und Faulkners hatte lesen können. Als Erzähler der *Mutmassungen* ist der Autor Johnson der Dispatcher Jakob, der im Mittelpunkt des Buches steht. Wie dieser die Zug-Vorgänge, so steuert Johnson die Erzählvorgänge. Wie dieser über die Abfolge der Züge, verfügt jener über Einsatz und Abbruch der einzelnen Erzählstränge, über deren Koordination. Er verfügt, was den Kosmos des Buches betrifft, über die Zeit, über die erzählte Zeit ebenso wie über die Erzählzeit.

Der Kopf des Autors wird zum literarischen Stellwerk, in dem Johnson seine Tage und Nächte zubrachte, so wie es der Jakob des Romans tut. Beide verfügen über Vorgänge, die unabhängig von ihrem Willen sich ereignen. Das ist wörtlich zu nehmen und indiziert eine revolutionäre Umwälzung nun auch in der Art und Weise, wie der Autor Johnson, mit den *Mutmassungen* beginnend, seine Literatur hervorbringen wird. Von jetzt an wird er die Geschichte erst aufschreiben, wenn sie im Kopf bereits fertig ist; und in seinem Kopf werden sich Gesprächsvorgänge zutragen, die der intensiv Erfindende als objektiv, als unabhängig von seinem Willen erleben wird. Die *Babendererde*, sie war noch Zug für Zug in verschiedenen Entwürfen zu Papier gebracht worden, übrigens unter Benutzung der gesamten Breite der Seite und nicht mit einem Drittel freier Korrekturspalte wie dann die *Mutmassungen*; diese Art der Niederschrift, diese Art des Produzierens gehörte nun endgültig der Vergangenheit an. Und das galt nicht nur für ihr Personal, sondern für den gesamten Modus des literarischen Produzierens. Der Autor Johnson war in ein neues Stadium eingetreten, war nicht mehr der (in seiner Auktorialität leicht eingeschränkte) Beobachter von Vorgängen wie noch im Erstling (»Sie waren wohl allmählich müde. Aber (so weit sich das von Land aus beurteilen lässt:) es ging ihnen gut«[8]), sondern existierte nun inmitten seiner Figuren, die er reden hörte.

Photographie und Erinnerung; das Katzensymbol

Die Zukunftslosigkeit der Faulknerschen Romane, wie Sartre sie diagnostiziert und in Faulkners gesellschaftlicher Situation begründet gesehen hatte: sie herrscht im gewissen

8 Uwe Johnson, *Ingrid Babendererde. Reifeprüfung 1953*, mit einem Nachw. von Siegfried Unseld, Frankfurt a. M. 1985, S. 239.

Sinn auch in den *Mutmassungen*. Einzig die Erinnerung
eröffnet noch den Zutritt zum vergangenen, lebendigen
Leben; ihr wachsen deshalb in Faulkners Romanen die Ei-
genarten eines geradezu magischen Ritus zu, der zelebriert
wird im erinnerungstrunkenen, raunenden und beschwören-
den Erzählen oder in Gespräch und Mutmaßung im Kreise
Gleichgesinnter, die zusammenkommen, um aus den Bruch-
stücken ihrer persönlichen Erinnerung das Bild des vergangenen guten Lebens zusammenzufügen.
Dies geschieht stets in der Absicht, die verflossene gute Zeit
»aufzuheben« im doppelten Wortsinn, sie zu bewahren als
vergangene und gegenwärtige zugleich. Der Strom der Zeit
soll erstarren wie unter dem Blick der Medusa, wenn Faulkners Figuren sich erinnernd über ihn beugen, weil einzig im
Stillstand er den über ihn gebeugten Sehnsüchtigen das Bild
des lebendigen Lebens als zeitlos strahlendes noch zurück-
zuspiegeln vermag. In solcher Beschwörung der Vergangenheit stecken politische und historische Implikate, die es
noch einmal ins Gedächtnis zu rufen gilt. Die beschriebenen
Erzählsituationen datieren in Faulkners Romanen sämtlich
nach Ausgang des Bürgerkrieges. Die sich zusammenfinden,
gehören ausnahmslos zu den Geschlagenen. Sie finden sich
zusammen, um in gemeinsamer Erinnerung ein mythisch-
verklärtes, zeitloses Bild der vergangenen Feudalordnung
zu errichten, das sie der Gegenwart protestierend entgegen-
halten. Diesen Personen ist darüber hinaus gemeinsam, daß
sie das gegenwärtige Leben als verödet und erstarrt erfahren. •
William Faulkners *Absalom, Absalom!* (1936, deutsch 1938)
setzt ein mit dem Erstarren des Lebens in der PHOTOGRA-
PHIE. Rosa Coldfield ruft Quentin Compson zu sich, den
Enkel von Thomas Sutpens erstem und einzigem Freund.
Quentin betritt ihr Haus und glaubt die Sutpens zu sehen,
»sie alle vier aufgebaut zu einer Familiengruppe, wie zu
jener Zeit üblich, mit steifem und leblosem Anstand, und es
sah aus als hinge eine Vergrößerung der verblaßten alten

Photographie an der Wand hinter und über der Stimme«.[9]
Das starre photographische Bild und die erzählende Stimme
gehen eine spezifische Verbindung ein. Die Stimme, indem
sie Vergangenes erinnernd beschwört, erweckt das zur Photographie gefrorene Leben zu neuer Gegenwärtigkeit. Rosa
vermittelt Quentin vor ihrem Tod die Erinnerung an Thomas Sutpen und Charles Bon als an die Stellvertreter der gleichermaßen rätselhaften wie verlockenden Identität der Old
South. Rosas Erinnerungen sind unvollständig; sie erfahren
eine Ergänzung durch die Erinnerungen von Quentins Vater
und durch die Mutmaßungen von Quentin und dessen Stu-
dienfreund Shrevlin. Gleichsam probeweise setzen Quentin
und Shrevlin Motive, Charakterzüge und Handlungsseg-
mente in den durch Rosas Erzählen vorgegebenen Hand-
lungsrahmen ein, um an deren Stimmigkeit den Wahrschein-
lichkeitsgrad ihrer Mutmaßungen ablesen zu können. Im
Zuge dieses Verfahrens verlebendigt sich das anfänglich
starre und tote Bild der Vergangenheit; indem die je aktuellen
Interessen und Mutmaßungen in es eingehen, gewinnt es eine
neue Qualität und wird zum Medium der Selbstverständi-
gung. Als lebendiges konstituiert sich also das Bild des vergangenen guten Lebens jeweils neu in der aktuellen Rezeption der Zuhörer bzw. Leser – die zugleich diesem Bild aktuellen Sinn verleihen. Dies gilt sowohl für Faulkners *Absalom,
Absalom!* wie für Johnsons *Mutmassungen über Jakob*, und
es verleiht beiden Romanen eine besondere rezeptionsstrate-
gische Dimension.
Bei Faulkner erweist sich dieses neue, zweite Leben als problematisch und zwielichtig. Es bleibt dem dämmrigen
Zwischenreich des lebendig Toten verhaftet, ein Zombie
gleichsam, der sein Dasein der literarischen Magie verdankt
und der am Ende die, deren Verehrung ihm zum Leben ver-
half, mit sich hinunternimmt in das Reich der Schatten. Im
Sinne magischer Beschwörung gilt es, den »demon« Sutpen

9 William Faulkner, *Absalom, Absalom!*, aus dem Engl. übers. von Hermann Stresau, Hamburg ²1948, S. 14.

zu erlösen, indem seiner gedacht wird. Rosa Coldfields be-
schwörendes Erzählen erweckt die Toten zu neuem Leben;
sie beweisen erneut ihre attrattiva (im Sinne dessen, was
Goethe an Egmont wahrnahm), deren Strahlkraft zu ihren
Lebzeiten die Zeitgenossen bannte. Insbesondere Charles
Bon, der rätselhaft-bestrickende, elegant-nonchalante Mu-
latte bewährt seine Emanation über den Tod hinaus. Im
Fortgang der Erzählung verfallen ihr Quentin und sein
Freund Shrevlin bis zur Obsession. Sie verstricken sich in
permanente und hitzige Mutmaßungen über das Faszinosum
Bon, bis sie am Ende in bedingungsloser Identifikation die
Beziehung zwischen den Halbbrüdern Charles und Henry
nacherleben. Quentin fällt der Vergangenheit total anheim:
»[...] sein eigener Körper war geradezu eine leere Halle in
der sich das Echo klangvoll verschollener Namen fing; er war
[...] ein Miethaus voll von hartnäckig rückblickenden
Gespenstern [...]«.[10] Angesaugt von der Aura Bons, schießt
Quentins mutmaßende Imagination in die Freiräume ein, die
Rosa Coldfields unvollständige Erinnerung offen läßt.
Quentins fiebriges Bekenntnis zum Old South auf den letzten Zeilen des Romans (»I don't. I don't hate it!«) wird besiegelt durch seinen Tod: er stirbt, 20 Jahre alt, dem verlockenden Bild des guten, lebendigen Lebens nach.
Das lebendige Leben kann, da an die historisch überlebte
Feudalordnung des Old South gebunden, ironischerweise
nur im eigenen Tod erfahren und bewahrt werden. Wohl vermag noch die Attraktivität des »großen« Individuums ganze
Gruppen zusammenzuführen. Die Magie des bannenden
Erzählens vermag die Vergangenheit noch einmal heraufzu-
beschwören; wer aber dieser Magie verfällt, wer der Vergangenheit phantasierend sich anzuverwandeln trachtet, dem
bleibt am Ende der Rückweg in die Gegenwart versperrt.
In Faulkners *Absalom, Absalom!* wie in Johnsons *Mutmassungen über Jakob* steht also die Definition des »eigent-

10 Ebd., S. 11.

lichen« Charakters verstorbener Personen zur Debatte,
deren Identität zugleich die signifikanten Züge einer historisch bestimmten Gesellschaftsformation in sich versammelt
und zur sinnlichen Erscheinung bringt: wie Thomas Sutpen
und Charles Bon Aufstieg und Fall des Old South verkörpern, inkarnieren sich in Jakob Abs die Hoffnungen und
Probleme einer bestimmten Entwicklungsetappe der DDR.
Deren Handeln, Fühlen und Denken soll der Leser rekonstruieren aus verschiedenen Redebeiträgen, deren Sprecher
teilweise ausgespart werden, die aber zu erschließen sind.
Diese Sprecher berichten und mutmaßen über ihren Gegenstand, wobei Perspektive und Wissen der Autoren Faulkner
wie Johnson nicht über das Wissen und die Perspektive dieser Sprecher hinausreichen. So entstehen »weiße Stellen«
innerhalb der epischen Landkarte des Erzählten, in denen
die mutmaßende Phantasie des Hörers bzw. Lesers sich
ansiedeln kann. Diese »Einladung« an den Rezipienten,
intellektuell und emotional an der endgültigen Gestalt des
Werkes mitzuarbeiten, wird akzentuiert durch die Wahl fas-
zinierender Mittelpunktsfiguren, deren Attraktivität verfällt, wer ihnen begegnet.
Solche Mittelpunktsfiguren, die gleich Zentralgestirnen die
restlichen Personen (und auch die Einbildungskraft der Rezipienten) in einer Kreisbahn um sich versammeln, sind Jakob
Abs in den *Mutmassungen* und Charles Bon in *Absalom,
Absalom!* Der eine freilich ist ein Südstaaten-Dandy; der
andere ein hart arbeitender Sozialist. Bon würde niemals
körperliche Arbeit verrichten; Jakob nie ein Seidenhemd tragen. Wie kommen diese beiden Welten zueinander?
Beide werden in das Bild der Katze gefaßt, präziser gesagt,
sie assoziieren beim faszinierten Betrachter den Vergleich
mit einer Katze als dem Symbol des selbstgewissen, unentfremdeten, verlockend lebendigen Lebens. Als Jonas Blach in
den *Mutmassungen* auf den ihm bis dahin unbekannten
Jakob Abs stößt, verspürt er geschockt und gebannt zugleich
die Emanation des selbstgewissen, in Technik und Natur

gleichermaßen beheimateten, unentfremdeten Lebens. Er nennt Jakob »wie eine Katze so unbedenklich« und konstatiert: »ich habe einen gesehen, den man das Leben ansehen kann.« Von Charles Bon, der einsam, unstet und selbstgenügsam sein Leben lebt, heißt es, daß ihm »wie einer Katze, ein Ort wie der andere war – das kosmopolitische New Orleans so gut wie das ländliche Mississippi [. . .]!«[11] Jakob Abs wie auch Charles Bon stehen im Zentrum erinnernder und mutmaßender Gespräche, die in leidenschaftlicher Anteilnahme ihre attrattiva zu ergründen suchen. Gesine, Jakobs Ziehschwester und seine Geliebte, führt mit dem SSD-Hauptmann Rohlfs lange Streitgespräche über das Wesen Jakobs, der sie beide bestrickte: war Jakob, der sich in der hochtechnisierten Welt seines Dispatcherdaseins sicher und freundlich wie eine Katze bewegte, Sozialist? Für Gesine hat dieses Gespräch zugleich den Stellenwert einer Auseinandersetzung mit dem DDR-Sozialismus, den sie verlassen hat. In kritischer Aufarbeitung der Vergangenheit trachtet sie, ihr neues Selbstverständnis als Bürgerin der BRD vor Rohlfs zu explizieren, ebenso, wie dieser für sich in Anspruch nimmt, die Interessen des Arbeiters Jakob vertreten zu haben und zu vertreten. In vergleichbarer Weise suchen bei Faulkner Quentin und Shrevlin ihr gegenwärtiges Selbstverständnis zu fixieren, indem sie ihre Beziehung zur eigenen Vorgeschichte, zum Lebensideal des Old South, in Unterhaltungen über Charles Bon thematisieren. Gemeinsam aber ist beiden Erzählsituationen: als die Personen zu erzählen beginnen, ist es bereits vorbei; sind der Old South ebenso wie der attraktive Arbeiter Jakob unwiederbringlich zugrunde gegangen.

Bei Faulkner erscheint das Bild des guten, lebendigen Lebens an die Bedingungen der Südstaatengesellschaft gebunden, wie sie vor dem Sezessionskrieg bestanden. Daß es hier einer schmalen Oberschicht weißer Herren möglich war, ein im

11 Ebd., S. 313.

subjektiven Bewußtsein unentfremdetes, genießendes Leben
im Einklang mit dem Kreislauf der Natur zu führen, ist ohne
weiteres einsichtig. Solche Humanisierung des Lebens
begründet sich bei Faulkner in doppelter Weise; auf die
Humanisierung der Natur (durch die Arbeit der Sklaven, die
gleichsam als die eigene empfunden wird) einerseits und auf
die Naturalisierung des Menschen (Einbindung der Pflanzer
in den Kreislauf von Säen und Ernte etc.) andererseits.
Zugleich bestimmt sich das Charakteristikum dieser rück-
wärtsgewandten Utopie dadurch, daß deren Bedingung: die
Arbeit als Mittel der Naturbemeisterung und als mühevoller
Akt der täglichen Reproduktion des Lebens, nicht störend
ins Bewußtsein der Herren dringt. Deren Eudämonie beruht
also gerade auf der absoluten Inhumanität der Organisation
der Arbeit in der Sklavenhaltergesellschaft. Die Kategorie
der Arbeit, dieser im materialistischen Verstande bedeutend-
ste Faktor im Leben des Menschen wie im Prozeß der
Humanisierung der Natur, kann in Faulkners Konzept des
guten Lebens entfallen.
In Johnsons *Mutmassungen* tritt an die Stelle der vorbürger-
lichen Gesellschaft eine – zumindest in ihrem eigenen
Anspruch – nachbürgerliche, »sozialistische« Gesellschaftsformation: eben die DDR in ihrer sozialistischen Aufbau-
phase. Im genauen Gegensatz zum Faulknerschen Konzept
soll Eudämonie hier wirklich werden im Vollzug der huma-
nisierten Arbeit selbst. Humanisierung der Natur und Naturalisierung des Menschen also kommen hier zusammen im
Vollzug der Arbeit selbst als in einem Akt gesamtgesell-
schaftlich geplanter ebenso wie individuell bereichernder
Naturbemeisterung – was freilich nicht heißt, daß der Roman
diese Utopie in Staat und Gesellschaft der DDR von 1956
verwirklicht sehen würde. Im Gegenteil: die unterlegte
Dimension des Ungarnaufstands weist gerade darauf hin,
daß die Selbstbestimmung als Voraussetzung wirklich wer-
dender Eudämonie im »real existierenden Sozialismus« fehlt.
Dennoch stellt Johnsons Roman den Arbeiter und die Ar-

beitswelt in den Mittelpunkt, wie sonst nur noch die Bücher des »Bitterfelder Wegs«.

In *Absalom, Absalom!* erschien Charles Bon als raffinierter Lebemann Beardsleyscher und Wildescher Provenienz, der seine Rolle spielte in Überdruß und Langeweile, versehen mit allen Insignien des Fin-de-siècle-Menschen: in Seide gehüllt und von androgyner Erscheinung, agierte er die Rolle der bestrickenden Zentralfigur in blasierter Welterfahrenheit und mit dem Charme der Dekadenz: »dieser Überdrüssige, der Fatalist, katzenartig unverbesserliche Einzelgänger«. Die Figur Charles' ist die des Dandys, ihre Konstituanten erweisen sich jenem Konzept des Dandyismus verpflichtet, das der französische Symbolismus entwarf (der seinerseits die Anfänge Faulkners entscheidend prägte): laut Baudelaires Poe-Interpretation etwa macht den Dandy aus, daß seine dezidiert antibürgerliche Lebensweise als einzige zeitgenössische etwas von der ursprünglich-vitalen Lebenssicherheit des »Wilden« zu bewahren vermag. Das Archaische steht hier neben dem Modernsten. Der moderne spezialisierte bürgerliche Mensch erfinde »die Philosophie des Fortschritts, um sich über seine Abdankung und seinen Verfall hinwegzutrösten; der Wilde indessen – gefürchteter und geachteter Gatte, zu persönlicher Tapferkeit gezwungener Krieger, Dichter in seinen schwermütigen Stunden, wenn die untergehende Sonne ihn einlädt, die Vergangenheit und seine Ahnen zu besingen – streift viel näher den Rand des Ideals. [...] Er hat den Dandy, die höchste Inkarnation der Idee des Schönen, übertragen ins materielle Leben, den, der die Formen vorschreibt und die Manieren bestimmt«.[12] Einzig der Dandy bewahre unter den Bedingungen der modernen, großstädtischen »Jetztzeit« etwas von den Fähigkeiten des »Wilden«, zu dessen Zeiten das Leben noch lebte – deshalb

---

12 Charles Baudelaire, »Neue Anmerkungen zu Edgar Poe«, zit. nach: Michel Butor, *Ungewöhnliche Geschichte. Versuch über einen Traum von Baudelaire*, hrsg. von Klaus Wagenbach, aus dem Franz. übertr. von Helmut Scheffel, Frankfurt a. M. 1964, S. 134.

sei der »Dandymus [...] der letzte Ausbruch von Heroismus in den Zeiten der Dekadenz«.[13]

Gegenüber dem faszinierenden Einzelgänger Bon, dessen Unabhängigkeit bis zur Asozialität vorangetrieben wird, erscheint Jakob Abs geradezu als Kontrapunkt. Er ist angelegt als der bedachtsam-freundliche, jederzeit zur Kommunikation bereite, hart arbeitende Sozialist, dessen individuelles Arbeitsleben sich in der Einbindung in die Interessen der Gesamtgesellschaft erfüllt. Während der Dandy Bon nur Freizeit zu kennen schien, kennt der Sozialist und Arbeiter Jakob nur seine Arbeit, die er freilich nicht aus einer verbissenen Pflichterfüllung heraus erfüllt, die ihm eine »Moral«, und sei es auch eine »sozialistische«, auferlegen würde, sondern die ihm zum Selbstzweck wird, weil er sich in ihr verwirklicht. Das unterscheidet ihn auch vom Radfahrer Achim in Johnsons Roman *Das dritte Buch über Achim* (1961). Gerade im Arbeitsbereich Jakobs errichten die *Mutmassungen* in konkret-utopischem, spielerischem, versuchsweisem Vorgriff das Marxsche »Reich der Freiheit«, in dem »das Arbeiten, das durch Not und äußere Zweckmäßigkeit bestimmt ist, aufhört«. In der Figur Jakobs – so läßt sich folgern – unternehmen die *Mutmassungen* den Versuch, die Emanzipations- und Protestpotenzen, wie sie im französischen Symbolismus als der exemplarischen literarischen »Moderne« stecken, zu »beerben« und utopisch im Sinn der Philosophie Ernst Blochs einzulösen.

Johnsons Altenberg-Gutachten und das Gutachten zu Karl Mundstock

Uwe Johnsons Altenberg-Gutachten, seine Äußerungen zum Roman Karl Mundstocks legen nahe, diese Interessenrichtung der Synthetisierung der Gegensätze bei ihm als signifikant anzunehmen. Jakob erschiene dann als die Synthese aus Café und Fabrik, aus »dekadenter« Wiener oder

13 Ebd., S. 135.

Pariser Moderne einerseits und der Graubrotliteratur des
DDR-spezifischen »Bitterfelder Wegs« andererseits. Beide
Romane lehnen die Photographie als eindimensionale
Reproduktion von Wirklichkeit ab. Als Maßstab an das
Wesen von Charles Bon und Jakob Abs gelegt, offenbart sie
deren Verschiedenheit. »Als Cresspahl sich an Jakob erin-
nerte, lächelte er vor lauter Gegenwärtigkeit, denn Jakob
erstarrte nicht in den Bildern des Abschieds sondern blieb im
Gedächtnis als eine Wirklichkeit von Lächeln und Antwort
und Spass und Leben überhaupt: wie eine Gebärde.« (170)[14]
So steht es bei Johnson.

Gesine vollzieht gleichsam die Probe auf das Exempel, wenn
sie Jakob photographiert und das Bild an die Wand ihres
Zimmers in Westdeutschland heftet. Als Jakob eintritt,
glaubte »Gesine so etwas wie ein leises Kopfschütteln zu
bemerken [...] ›Ich glaub es ist nicht richtig ... so zu fotografieren ...‹ sagte er. [...] Gesine trat um ihn herum und
betrachtete das Bild von der anderen Seite. Ihr Blick ging
langsam zu Jakob und verglich ihn mehrmals mit dem Bild.
Endlich schüttelte auch sie den Kopf, aber ihre Lippen waren
vorgestützt dabei.« (291) Charles Bon hingegen arrangiert
sein Bild im Bewußtsein der anderen wie der Photograph
die Aufnahme: er bringt sich »selbst auf die Platte, in einem
Bilde wie er es haben will; ich kann mir ausmalen wie er
das anstellt, wie er mit der kalten Berechnung, der innerlich unbeteiligten Geschicklichkeit eines Chirurgen die Aufnahme leitet, kurze Belichtungen, Blitzlichtaufnahmen im
Stakkato macht«.[15]

Die Opposition der *Mutmassungen* gegen Photographie und
Film als Medien der »modernen« Realitätserfassung (Johnson im Interview mit Bienek: »es ist doch so, daß das allgemeine Denken unserer Zeit von der Fotografie entschei-

---

14 Hier und im folgenden wird der Roman mit Seitenangaben in Klam-
    mern nach der Taschenbuchausgabe zitiert: Uwe Johnson, *Mutmassun-
    gen über Jakob*, Frankfurt a. M. 1974 (suhrkamp taschenbuch, 147).
15 *Absalom* (Anm. 9) S. 109.

dend beeinflußt ist«) wird freilich ganz entschieden über jene
Relativierung hinausgetrieben, der die Photographie auch in
den Romanen Faulkners unterliegt. Es geht ihm vielmehr um
eine Aneignung der Welt im Sinne der Anmerkungen Bertolt
Brechts »Über Film«:

> Die Lage wird dadurch kompliziert, daß weniger denn je
> eine einfache ›Wiedergabe der Realität‹ etwas über die
> Realität aussagt. Eine Photographie der Kruppwerke oder
> der AEG ergibt beinahe nichts über diese Institute. Die
> eigentliche Realität ist in die Funktionale gerutscht. Die
> Verdinglichung der menschlichen Beziehungen, also etwa
> die Fabrik, gibt die letzteren nicht mehr heraus.[16]

Jakob selbst kann ebensowenig auf die Platte gebannt werden wie etwa Rohlfs: »Es sieht aus als wär alles eins, verstehst
du: als könnt Rohlfs auch bei Eurem Geheimdienst sein . . .?«
(291) Hier ist vor allem auch an Walter Benjamins große
Arbeit über die Photographie als das selbst zwieschlächtige
Medium der Moderne zu erinnern, die der Autor der *Mutmassungen* Johnson bereits kannte.

Inzwischen liegt neues Material zu diesen Komplexen der
Photographie und des Katzen-Symbols vor. Hier muß man
zunächst das umfangreiche Peter-Altenberg-Exposé kom-
mentieren, das Uwe Johnson im Frühjahr des Jahres 1958, da
bereits ganz intensiv mit der Arbeit an den *Mutmassungen*
befaßt, geschrieben und ebenfalls dem Aufbau Verlag einge-
reicht hat. Es wurde am 29. März 1958 eingesandt, und am
18. April 1958 erhielt der arbeitslose Absolvent eines Germanistikstudiums dafür 645 DDR-Mark überwiesen. Die
Altenberg-Arbeit: ich halte sie teilweise für eine der Selbst-
identifikation, in einem Maße, das sonst selten bei Johnsons
Verlagsarbeiten gegeben ist. Sie war überwiegend ein Resultat eigener Wahl und ergab eine Quelle für Anregungen. Im
Altenberg-Komplex besitzt offenbar seinen »Ursprung« (im

---

16 Bertolt Brecht, »Über Film« (1922), zit. nach: B. B., *Gesammelte Werke
    18, Schriften zur Literatur und Kunst 1*, Frankfurt a. M. 1967, S. 161 f.

Sinn des Benjaminschen »Ursprung«-Denkens), was in Uwe
Johnsons Werk ganz zentral stehen wird: das Katzen-Sym-
bol. Selbst die Johnson-Philologie, die inzwischen dem Liba-
non der Deutschen Philologie gleicht, ist sich ausnahmsweise
darin einig, daß das Katzen-Symbol ganz zentral steht in
Johnsons Werk. Die Katze als Symbol erst selbstgewissen
Lebens, das sich aller seiner Erinnerungen noch sicher ist
(*Mutmassungen*), dann als Symbol epischen Gedächtnisses
(*Jahrestage*) und schließlich direkt identifikatorisch als alter
ego des Autors Johnson, wie er es sich in der Spielfigur des
Joachim de Catt zugeschrieben hat (»Skizze eines Verunglückten«), das alles hat seinen Ursprung in der »Dekadenz«
des Fin-de-siècle-Komplexes. Peter Altenberg gehörte zu
diesen »Dekadenten«, wie auch auf ihre Weise natürlich
Charles Baudelaire, weiterhin dessen Bewunderer Walter
Benjamin und auch noch William Faulkner. Ausnahmslos
galt, daß diese »Dekadenten« sich im Bild der Katze wieder-
erkannten. Die Katze als Bild für den Dandy und den Poeten
zugleich. Der Jakob der *Mutmassungen*, er gleicht ebenfalls
einer Katze, und diese laufen ihm zu. Statt des Dandys aber
nun der Arbeiter im Zentrum. Dieser Umstülpung wiederum liegen durchaus kritisch rezipierte Konzepte des
»sozialistischen Realismus« zugrunde, ablesbar an Johnsons
– später kommentierten – Gutachten zu Karl Mundstocks
Helle Nächte.
Der pointillistisch schreibende, übersensible Wiener Altenberg interessierte den bedächtigen Mecklenburger; aus
Altenbergs Werk hat er sich, u. a., die folgende Erkenntnis
festgehalten: ›Die Katze ist ästhetisch‹, sagte der Dichter, ›das
ist unser einziger Masstab. Sie ist schön, sie ist beweglich wie
die Dichterseele.‹« Als einzigen Maßstab mochte Johnson
diesen Ästhetizismus nicht akzeptieren; er kritisierte u. a. die
»liebenswürdig romantische Wiederaufnahme der Trouba-
dour-Position, deren literarischer Ausdruck [. . .] als impres-
sionistische Poetik von bemerkenswerter Intensität zu wür-
digen sei«. Doch daß die Katze die Seele des Dichters verkör-

pere: das hielt der angehende Autor von Büchern voller Kat-
zen-Symbole gewiß für wahr. Dies allerdings; wobei hier
nicht etwa behauptet wird, Johnson hätte sein Katzen-Symbol bei der Altenberg-Lektüre »gefunden«. Wohl aber, daß
der gesamte literaturgeschichtliche und geistesgeschichtliche
Kontext dieses Symbols, so wie er in Peter Altenbergs Werk
gegeben ist, zur Genese dieses Symbols in den *Mutmassungen* als andererseits auch einer kritischen Adaption von
Faulkners *Absalom, Absalom!* so überraschend stimmig und
schlagend evident sich fügt, daß Altenbergs zitierter Text
allerdings als ein nun aufgefundener »Ursprung« im Sinne
des Benjaminschen Denkens gelten muß.
Weiterhin kommt hier das in den *Mutmassungen* zum überhaupt ersten Mal angeschlagene Photographie-Thema zu seinem Recht. Peter Altenberg hatte selbst als Definition seiner
Literatur ausgeführt, sie gebe »Photographien«. Der Gutachter Johnson nahm ihn beim Wort: »Das künstlerische
Ideal ist ein fotographisches«. Altenbergs affirmative, um-
standslose Übernahme des photographischen Prinzips freilich konnte für seinen Begutachter, der nun schon mit Walter
Benjamins großer Arbeit über die Photographie vertraut
gewesen war, nicht mehr akzeptabel sein. Epische Objekti-
vierung, überindividuelle Verbindlichkeit im Sinn der Thomas Mannschen Altenberg-Kritik bei gleichzeitiger Bewahrung subjektivster Darstellung: nichts anderes strebte Johnson an, wenn er als Kritik des Altenbergschen Verfahrens
formulierte: »Die Beschränkung auf die Oberfläche lässt die
Mitte der Darstellung nicht erkennen.« Diesem Tatbestand
gilt dann die implizite Photographie-Diskussion in den *Mutmassungen*. Hier wird es Jakob sein, der nicht in den »Bildern des Abschieds erstarrt«. Das epische Prinzip, dazu
äußerste Genauigkeit in der Dingbeschreibung erst ver-
möchten Altenbergs Methode die nötige Objektivität verleihen, könnte sie gegen die berechtigte Kritik Thomas Manns
immunisieren: »Den Situationen fehlt die überzeugende
Kraft des wirklich vorhandenen Sachverhalts oder Tatbe-

stands«, schrieb der Gutachter Johnson – also fehlte ihnen genau das, was die *Mutmassungen* dann bis zur Überfülle auszeichnen wird. Überall schimmert hier durch Johnsons gutachterliche Formulierungen hindurch, womit der Autor der entstehenden *Mutmassungen* seine Tage füllte.

Johnson kannte den auf Altenberg bezogenen Text seines großen Anregers Mann ebenso, wie er damals auch schon die Arbeiten Theodor W. Adornos kennengelernt hatte. Und immerhin Adorno hatte Altenberg 1932 bestätigt, in seinem Werk herrsche eine »Dialektik im Umschlag«, die von Fall zu Fall eine »Vorwegnahme besserer gesellschaftlicher Zustände« meinen würde. Die Darstellung des Besseren in seiner Aussparung; statt der positiven die Utopie qua Negation als die einzig noch glaubwürdige nach den Erfahrungen unseres 20. Jahrhunderts mit seinen totalitären Verwirklichungen positiver Utopien von Shdanov bis Rosenberg: darauf kann Uwe Johnson bei seiner Altenberg-Lektüre verfallen sein. Die utopische Intention als Kritik der Unzulänglichkeit bestehender Zustände, geleistet durch deren unerbittlich genaue Beschreibung: das ist nichts anderes als die utopische Gerichtetheit der *Mutmassungen*. Der Autor des Altenberg-Exposés Johnson war schon ganz bei sich selbst, will sagen: bei der Konzeption der *Mutmassungen* angelangt.

Eine einzigartige Verbindung also: das Alte, für die damalige offizielle DDR-Ästhetik längst Versunkene neben dem ganz Neuen; höchst tüchtiger, aufbauender Sozialrealismus neben abgründig wienerischer »Dekadenz«. Was wäre dem an die Seite zu stellen in der deutschsprachigen Literatur nach 1945? Die Genese dieses außerordentlichen Phänomens aber kann studieren, wer das Altenberg-Gutachten (möglichst neben das Mundstock-Gutachten gelegt) aufmerksam liest.

Wenn das die eine, die »modernistische« Seite der poetologischen Reflexionen war, die sich in den Gutachten finden, die Johnson beim Schreiben der *Mutmassungen* begleiteten, so findet die andere, die »sozialrealistische« Seite sich in Uwe

Johnsons Gutachten zu Karl Mundstocks Produktionsroman *Helle Nächte*. Das Gutachten wurde am 21. Dezember 1957 dem Mitteldeutschen Verlag abgeliefert, der wohl über eine Neuauflage des für die DDR-Literatur ja programmatischen Mundstock-Romans nachdachte.

Der angehende Autor der *Mutmassungen* las Mundstocks Buch über die Baustellen von Eisenhüttenstadt als ein sozusagen vorweggenommenes Dokument des »Bitterfelder Wegs«; in Johnsons erstveröffentlichtem Roman werden durchaus die Gestaltung der Arbeit und der tätige Arbeiter im Mittelpunkt stehen. Doch Johnson wird das Thema in hochartifizieller Durcharbeitung angehen, mit Blick auf das Eigenleben der einzelnen Kapitel, deren Zuordnung zu den verschiedenen »Gesten« der Erzählung im Erstling konstituierende Bedeutung gewinnen wird. Mundstock aber bekommt vorgehalten: »Ein Kapitel ist aber keine Portion sondern eine Form, die wenn schon benutzt dann bewältigt werden sollte, ein folgendes Kapitel sei nicht nur das sondern ein neues auch.«[17] Das ist so richtig erkannt wie trefflich formuliert; angesichts von Mundstocks »ungegliedertem Monster« kristallisierten sich Johnsons eigene Formvorstellungen, den eigenen Erstling betreffend, desto deutlicher heraus. *Mutmassungen* würde dem Debütanten zu einem geradezu herausfordernd genau ziselierten, vollkommen durchkomponierten Stück Prosa geraten, ein Buch ohne ein Gramm Fett und darin eines der vollkommensten der deutschen Literaturgeschichte. Wenn der Gutachter am Ende dem Begutachteten empfiehlt, das Buch neu zu schreiben, gleichzeitig aber weiß, daß dieser dies nicht tun wird: so denkt er an das eigene Buch, das gerade entsteht. Wir lesen weiterhin, als Johnsons Kritik an Mundstocks Roman: »Grundsätzlich ist die Einführung des Autors in die Wirklichkeit seines Werkes eine heikle und bedenkliche ästhetische Haltung, die Fiktion des Dabeigewesenseins wird vom Leser bald als Kunden-

---

17 Johnson, *Wo ist der Erzähler auffindbar?* (Anm. 1), S. 156.

dienst durchschaut; [...]. Wird nun ein solcher Versuch unternommen, so ist der bisherige Rekord dieser Disziplin (Dr. Serenus Zeitbloom: der Freund Leverkühns) wenn nicht als Norm so doch immerhin als vorhanden zu berücksichtigen, das will in diesem Falle sagen: die Erzählung hätte von vornherein und unablässig im Gesichtskreis der als Autor eingeführten Person eingerichtet werden müssen.«[18] Gefordert wird also die Abschaffung des allwissenden Erzählers, die Offenlegung der Tatsache, daß er erfindet, und argumentiert wird mit dem unverdächtigsten Beispiel (das dennoch nicht nur aus taktischen Gründen, sondern aus tiefem Respekt gewählt wird): mit dem auch in der damaligen DDR so hoch angesehenen Thomas Mann. Doch auf diesen wiederum beruft sich Johnson mit Brechtischer List: er zitiert nämlich Manns »modernistischstes« Werk, den *Doktor Faustus*, und er meint vor allem den dazugehörigen »Roman eines Romans«, also die Erzählung über die Entstehung des *Doktor Faustus*, eine heillos modernistische Veranstaltung und als solche auch einzigartig im Gesamtwerk des »Zauberers«. Der Erzähler soll und kann zwar nicht gänzlich abgeschafft werden; doch er soll in seiner obsoleten Allwissenheit drastisch eingeschränkt werden, dem Leser soll aufklärerisch vorgeführt werden, wo und wie und unter welchen Prämissen der Erzähler im Text arbeitet. Nur so konnte in den *Mutmassungen* ein Werk mit unerhört avancierter rezeptionsstrategischer Dimension entstehen. Damit aber war die Geburtsurkunde der *Mutmassungen* als eines »nicht-aristotelischen« Romans ausgestellt, auf dem Vorweg der literaturtheoretischen Reflexion und ein rundes Jahr, bevor der Text auf der Herbstmesse in Frankfurt ausgestellt sein würde, wo er Skandal unter den aus der DDR angereisten Verlagen machen würde. Wer die Gutachten liest, hat die Geburt mitverfolgt; sie resultierte aus kritischer Verschmelzung »westlicher« und »östlicher« Literaturtheorie und Literaturproduk-

18 Ebd., S. 164.

tion, und man kann also folgern, daß es ein gesamtdeutscher Zeugungsakt gewesen ist, der im Herbst 1959 die neue westdeutsche Weltliteratur, repräsentiert neben der *Blechtrommel* vor allem in Uwe Johnsons phänomenalen *Mutmassungen über Jakob*, zur Welt gebracht hat. Es war, so zu formulieren, eine Hochzeit zwischen dem sehr tüchtigen proletarischen Schriftsteller Karl Mundstock und dem Wiener Dekadent Peter Altenberg, zwischen Stahlwerk und Café, zwischen Arbeit und Muße, zwischen dem damals bereits gestrigen Heute der aktuellen sozialrealistischen Literatur und der immer noch höchst heutigen, wiewohl inzwischen fast ein Jahrhundert zurückliegenden literarischen Kultur des Wiener *fin de siècle*.

Als der bislang konsequenteste Versuch innerhalb der deutschen Literatur, einen nicht-aristotelischen Roman zu schreiben, erweist sich Uwe Johnsons erster veröffentlichter Roman auch heute noch von ungebrochener Lebendigkeit und Aktualität. Daß darüber hinaus im Falle der *Mutmassungen* von einer Neubegründung dessen, was die französischen Symbolisten als die Ahnherren der literarischen Moderne für eine moderne, avancierte erzählende Literatur hielten, gesprochen zu werden vermag, können schließlich Charles Baudelaires Sätze belegen, die sich in dessen Edgar-Poe-Studie von 1852 finden (und die sich geradezu als ein Programm für die Romane Faulkners wie auch Johnsons lesen lassen): »Ich möchte auf eine sehr kurze und bestimmte Weise die Literatur Poes charakterisieren, denn es ist eine völlig neue Literatur. Was ihr einen wesentlichen Charakter verleiht und sie vor allen anderen auszeichnet, ist, man verzeihe mir diese merkwürdigen Ausdrücke, der Mutmaßungscharakter und Probabilismus.«[19]

19 Zit. nach: Butor (Anm. 12) S. 131.

»Mutmassungen« als Verheißung von »Heimat« im Sinne Blochscher Philosophie?

Faulkner wie Johnson geht es um die »Naturalisierung des Menschen« und um die »Humanisierung der Natur« als um die dialektisch verschränkten Konstituanten eines eudämonistischen Lebens.

Faulkner freilich bleibt dem Natur-Verständnis der frühen Menschheit weitgehend verhaftet; er bestimmt Natur noch als ursprünglich-»dämonische«, als den mythischen Ort des Lebens selbst, dem Geschichte wie Technik als solche feindlich sein müssen. »Naturalisierung« des Menschen meint bei Faulkner teilweise seine Barbarisierung, »Humanisierung« der Natur kann bei ihm nur als ihre Bemeisterung auf niedriger technischer Stufe mittels der barbarischsten Form von Ausbeutung gedacht werden: mithilfe eben der Sklaverei. Das Bild des fackelbeschienenen, trunken-orgiastischen Ringkampfes zwischen Sutpen und seinen Negersklaven resümiert dieses Konzept in sinnlicher Prägnanz. Bei Johnson hingegen kann von einer Mythisierung von Natur oder Heimat ebensowenig die Rede sein wie davon, daß bei ihm das Glück umstandslos an »einfaches Leben«, an einen niedrigen Stand der Technik und an individuelle Naivität gebunden aufträte. Vielmehr: die *Mutmassungen* begreifen Natur nicht als unbefragbares mythisches Substrat des Lebens schlechthin, sondern konträr als Material menschlicher Praxis, dessen Anverwandlung gesellschaftskritisch hinterfragt werden kann im Sinne des Satzes von Walter Benjamin: »Wessen Mühlen treibt dieser Strom? Wer fischt in ihm? – so fragt die kritische Theorie und verändert das Bild der Landschaft, indem sie nicht nur die physischen, sondern auch die gesellschaftlichen Kräfte beim Namen nennt, welche in ihr am Werke sind.«[20]

In den *Mutmassungen* heißt es aus der Perspektive Rohlfs':

20 Walter Benjamin, »Fragment über Methodenfragen«, in: *Kursbuch* 20 (1970) S. 1.

Wer dieses Land bei Nachtzeit durchstreift zum Spass und
zur Erholung sozusagen ([. . .] auf der Suche nach einem
Land, das ferne leuchtet wie man hört) sollte sich klarma-
chen in jedem Falle dass wir nicht fragen werden nach dem
eiszeitlichen Oberflächenaufbau der Landschaft und nicht
nach einer Heimat der Erinnerung sondern etwa ob einer
sich das vielleicht anders denkt mit den erkennbaren Verbesserungen des menschlichen Befindens. Soll der Kapita-
lismus zurückkehren in die Landwirtschaft? (Der Boden
der vertriebenen Grundherren ist verteilt unter die Tage-
löhner und Flüchtlinge, die Urkunden sind ungültig, die
Schlösser sind zu Altersheimen Schulen Kulturhäusern
Ferienhotels gemacht.) Wer soll dann noch baden dürfen in
der Ostsee. Der schimmernde ebenmässige Bau des
Schlosses, der aufsteigt aus dem nächtlichen Wald und
den Blick des Betrachters an sich zieht durch die Alleen
des Parks, ist nicht Architektur und stehengebliebene
Geschichte, sondern ein Denkmal der Ausbeutung. [. . .]
Es wird gefragt werden wer ist für uns und nicht wie
gefällt dir die Nacht mit den dunklen Dörfern zwischen
den Falten des Bodens unter dem mächtig bewölkten
Himmel.   (186)

Wiederum beides: die unscharf-innerliche, romantische
Sehnsucht nach dem »Land, das ferne leuchtet«, und Rohlfs'
revolutionär-asketischen Utilitarismus bringt Jakob zur
glücklichen Synthese. Von allen Personen des Romans vermag einzig er sich in dieser Landschaft mit vollendeter,
instinktiv anmutender Sicherheit zu bewegen (er findet die
Wege nach Jerichow bei Regen und Nacht quer durch Wälder
und Felder mit der Sicherheit einer Katze). In ihm treten
nicht nur Intellekt und Sinnlichkeit zu neuer Synthese
zusammen, er besitzt auch zur Natur das gleiche vertraute
Verhältnis wie zu seiner hochtechnisierten Arbeitswelt.
Doch entspringt dies im Konzept der *Mutmassungen* keineswegs einer instinktiven, vorgeschichtlichen Verwurzelung im

Heimatboden. Johnsons erster Roman thematisiert auf diese Weise, als ein Werk der Kunst, das spielen darf, wie der Student in Hans Mayers Schiller-Vorlesungen gelernt hatte, die klassenlose, utopische Einlösung des alten und nie abgegoltenen Versprechens der griechischen Polis-Demokratie. Als auch ein nicht-aristotelischer Roman im Sinn Brechts, als eine Adaption der avancierten Erzähltechniken Faulkners gestalten die *Mutmassungen* als ästhetischen, utopischen Vor-Schein, was als Perspektive Ernst Blochs *Prinzip Hoffnung* beschließt:

> Mit diesem Blick also gilt: Der Mensch lebt noch überall in der Vorgeschichte, ja alles und jedes steht noch vor Erschaffung der Welt, als einer rechten. [. . .] Die Wurzel der Geschichte aber ist der arbeitende, schaffende, die Gegebenheiten umbildende und überholende Mensch. Hat er sich erfaßt und das Seine ohne Entäußerung und Entfremdung in realer Demokratie begründet, so entsteht in der Welt etwas, das allen in die Kindheit scheint und worin noch niemand war: Heimat.[21]

Doch auch dies gilt nur, sieht man den Roman von seiner »sozialrealistischen« Seite aus an; die andere, die »modernistische« Seite verweist auf Gegenteiliges: auf den in der Zweiten Natur der großen Städte unbehausten, unstet umherstreifenden modernen Poeten nach dem Bild der Wiener und Pariser »Dekadenten«, der Peter Altenberg und Charles Baudelaire. Wie diese in ihren Metropolen, so aber streifte Johnson in seiner »Demokratischen Republik« umher, an drei verschiedenen Wohnsitzen gemeldet, als er die *Mutmassungen* schrieb. Unerkennbar, unauffällig wie der Dispatcher Jakob außerhalb seiner Arbeit wünschte auch er zu bleiben, womöglich in der Furcht davor, des Aufbau-Cheflektors Max Schroeder Aufforderung zur »Gehirnwäsche«, die vom Herbst 1956 an beim Staatssicherheitsdienst liegen konnte,

---

21 Ernst Bloch, *Das Prinzip Hoffnung. In fünf Teilen*, zit. nach: E. B., *Gesamtausgabe*, Bd. 5, Frankfurt a. M. 1959, S. 1628.

könnte vollstreckt werden. Dann hätte sich womöglich reali-
siert, was der »Nachruf zu Lebzeiten« als Schreckbiographie
entwirft: Uwe Johnson als eine Art Günter Guillaume der
deutschen Literatur. Eindeutigkeit läßt sich hier nicht her-
stellen; *Mutmassungen über Jakob* bleibt, was es immer
schon war: ein Vexierrätsel. Daß dieses Buch in seiner enor-
men Polyvalenz und Polyperspektivität nicht zu vereinfa-
chen ist, das macht es groß. Über die gesamtdeutschen
Ursprünge der Vielschichtigkeit dieses genialen Debutro-
mans freilich wissen wir nun etwas genauer Bescheid.

Literaturhinweise

Ausgaben

Uwe Johnson: Mutmassungen über Jakob. Roman. Frankfurt a. M.: Suhrkamp, 1959.
– Mutmassungen über Jakob. Roman. Frankfurt a. M.: Suhrkamp, 1974 [u. ö.]. (suhrkamp taschenbuch. 147.)

Forschungsliteratur

Baukloh, Friedhelm: Uwe Johnson und die DDR-Literatur. In: Volkshochschule im Westen. Organ des deutschen Volkshochschulbundes 18 (1966) H. 1. S. 46–51.

Bock, Stephan: Literatur – Gesellschaft – Nation. Materielle und ideelle Rahmenbedingungen der frühen DDR-Literatur (1949 bis 1956). Stuttgart 1980.

Buck, Theo: Zur Schreibweise Uwe Johnsons. In: Positionen im deutschen Roman der sechziger Jahre. Hrsg. von Heinz Ludwig Arnold und Theo Buck. München 1974. S. 86–109.

Dolinar, Darko: Die Erzähltechnik in drei Werken Uwe Johnsons. In: Acta Neophilologica (Ljubljana) 3 (1970) S. 27–47.

Durzak, Manfred: Wirklichkeitserkundung und Utopie. Die Romane Uwe Johnsons. In: Manfred Durzak: Der deutsche Roman der Gegenwart. Entwicklungsvoraussetzungen und Tendenzen. 3., erw. und veränd. Aufl. Stuttgart [u. a.] 1979. S. 328–403, 507 bis 512.

Geisthardt, Hans Jürgen: Das Thema der Nation und zwei Literaturen. Nachweis an: Christa Wolf – Uwe Johnson. In: Geschichte der deutschen Literatur aus Methoden. Westdeutsche Literatur von 1945–1971. Bd. 2. Hrsg. von Heinz Ludwig Arnold. Frankfurt a. M. 1972. S. 223–239.

Gerlach, Ingeborg: Auf der Suche nach der verlorenen Identität. Studien zu Uwe Johnsons *Jahrestagen*. Königstein i. Ts. 1980. (Monographien Literaturwissenschaft. 47.)

Gerlach, Rainer / Richter, Matthias (Hrsg.): Uwe Johnson. Frankfurt a. M. ²1988.

Guggenheimer, Walter Maria: Nachwort. In: Uwe Johnson: *Karsch, und andere Prosa*. Frankfurt a. M. 1964. S. 87–96.

Jackiw, Sharon Edwards: The Novels of Uwe Johnson. Diss. Cornell University 1969.

Jäger, Manfred: Uwe Johnson in die DDR heimholen? In: Deutschland-Archiv 19 (1986) H. 3. S. 238–241.

Jens, Walter: Das Bild der Jugendlichen in der modernen Literatur. In: Die Jugend in der geistigen Auseinandersetzung unserer Zeit. Vorträge gehalten auf der Tagung der Joachim Jungius Gesellschaft der Wissenschaft in Hamburg, Oktober 1961/62. Göttingen 1962. S. 103–118.

Knopf, Lothar: Die Rezeption von Uwe Johnsons Roman *Mutmassungen über Jakob*. Mannheim 1977. (Mannheimer Wissenschaftliche Abhandlungen. 2.)

Kolb, Herbert: Rückfall in die Parataxe. Anläßlich einiger Satzbauformen in Uwe Johnsons erstveröffentlichtem Roman. In: Neue deutsche Hefte 10 (1963) H. 96 (Nov./Dez.). S. 42–51.

Mayer, Hans: DDR 1956: Tauwetter, das keines war. In: Frankfurter Hefte 31 (1976) H. 11. S. 15–23 und H. 12. S. 29–38.

Mecklenburg, Norbert: Zeitroman oder Heimatroman? Uwe Johnsons *Ingrid Babendererde*. In: Wirkendes Wort 36 (1986) S. 172 bis 189.

Neumann, Bernd: Ingrid Babendererde als Ingeborg Holm. Über Uwe Johnsons ersten Roman. In: Germanisch-Romanische Monatsschrift 37 (1987) H. 2. S. 218–226.

– Utopie und Mimesis. Zum Verhältnis von Ästhetik, Gesellschaftsphilosophie und Politik in den Romanen Uwe Johnsons. Kronberg i. Ts. 1978.

– Erläuterungen und Dokumente: Uwe Johnson, *Mutmassungen über Jakob*. Stuttgart 1989.

Pokay, Peter: Utopische Heimat. Uwe Johnsons *Jahrestage*. In: Beiträge zur Literatur der Bundesrepublik Deutschland. Hrsg. von Stefan H. Kaszynski. Posnan 1982. S. 51–76. (Studia Germanica Posnaniensia.)

Popp, Hansjürgen: Einführung in *Mutmassungen über Jakob*. In: Uwe Johnson. Hrsg. von Rainer Gerlach und Matthias Richter. Frankfurt a. M. ²1988. S. 49–69.

Post-Adams, Ree: Uwe Johnson: Darstellungsproblematik als Romanthema in *Mutmassungen über Jakob* und *Das dritte Buch über Achim*. Bonn 1977. (Studien zur Germanistik, Anglistik und Komparatistik. 64.)

Raddatz, Fritz J.: Traditionen und Tendenzen. Materialien zur Literatur der DDR. Frankfurt a. M. 1972.

Reich-Ranicki, Marcel: Registrator Johnson. In: Marcel Reich-Ranicki: Deutsche Literatur in Ost und West. [Erstveröff. 1963.] Stuttgart 1983. S. 236–250, S. 406.

Riedel, Ingrid: Wahrheitsfindung als epische Technik. Analytische Studien zu Uwe Johnsons Texten. München 1971.

Riedel, Nicolai: Untersuchungen zur Geschichte der internationalen Rezeption Uwe Johnsons. Ein Beitrag zur empirischen Rezeptionsforschung. Hildesheim [u. a.] 1985. (Germanistische Texte und Studien. 21.)

Schmitz, Walter: Uwe Johnson. München 1984. (Autorenbücher. 43.)

Schubbe, Elimar (Hrsg.): Dokumente zur Kunst-, Literatur- und Kulturpolitik der SED. Stuttgart 1972.

Steger, Hugo: Rebellion und Tradition in der Sprache von Uwe Johnsons *Mutmassungen über Jakob*. In: Hugo Steger: Zwischen Sprachen und Literatur. Drei Reden. Göttingen 1967. S. 46–69.

Storz-Sahl, Sigrun: Erinnerung und Erfahrung. Geschichtsphilosophie und ästhetische Erfahrung in Uwe Johnsons *Jahrestagen*. Frankfurt a. M. 1988. (Europäische Hochschulschriften. Reihe 1: Deutsche Sprache und Literatur. 1094.)

Unseld, Siegfried: Nachwort. Die Prüfung der Reife im Jahre 1953. In: Uwe Johnson: *Ingrid Babendererde. Reifeprüfung 1953.* Frankfurt a. M. 1985. S. 249–264.

Zimmermann, Peter: Literaturpolitik in der DDR. In: Tendenzen der deutschen Gegenwartsliteratur. Hrsg. von Thomas Koebner. 2., neuverf. Aufl. Stuttgart 1984. S. 500–548.

Heinrich Böll: *Ansichten eines Clowns*

Theseus, der nette Narr. Aus dem klassischen Altertum der Bundesrepublik

Von Karl Heinz Götze

Heinrich Böll ist der umstrittenste Schriftsteller der Bundesrepublik Deutschland. Das war er seit den sechziger Jahren, das blieb er als Nobelpreisträger, das blieb er selbst noch nach seinem Tode, wie z. B. die 1991 von einer Notiz Eckhard Henscheids entfachte Polemik zeigt.[1] Wer, wie Karl Heinz Bohrer, die Kultur dieses Landes entprovinzialisieren und die Ästhetik von der Bindung an die Ethik entlasten will,[2] muß sich immer noch an Bölls Werk reiben, dessen »Sprengkraft [. . .] längst nicht erschöpft ist«[3], wie *Die Zeit* beim Erscheinen des posthum publizierten Erstlingsromans *Der Engel schwieg*[4] notierte.

Ansichten eines Clowns[5] ist neben *Die verlorene Ehre der Katharina Blum* (1974) der umstrittenste Roman des umstrittensten Autors. Schon der Vorabdruck in der *Süddeutschen Zeitung* provozierte Waschkörbe voller Leserbriefe, vor allem von amtskatholisch inspirierter Seite, die »Angriffe gegen alles Katholische und Kirchliche« und »stellenweise

---

1 Eckhard Henscheid, »Zu: *Und sagte kein einziges Wort*«, in: *Der Rabe* 30 (1991) S. 220.
2 Karl Heinz Bohrer, »Die Grenzen des Ästhetischen«, in: *Die Zeit*, Nr. 37 vom 4. September 1992.
3 Ulrich Greiner, »Nicht versöhnt«, in: *Die Zeit*, Nr. 36 vom 28. August 1992.
4 Heinrich Böll, *Der Engel schwieg*, Köln 1992.
5 Erstausgabe Köln/Berlin 1963. Im folgenden wird der Text durch einfache Angabe der Seitenzahl in Klammern nach der dtv-Taschenbuchausgabe zitiert: Heinrich Böll, *Ansichten eines Clowns. Roman*, München 1967 (dtv 400).

schamlose[] Bettgeschichten«[6] monierten. Im Sommer 1963,
als der Roman erschien, meldete sich die deutsche Kritik in
ihren prominentesten Vertretern so massiv zu Wort, wie nie
zuvor zu einem einzelnen Buch: Rudolf Augstein vom *Spiegel*[7], Günter Blöcker in der *Frankfurter Allgemeinen Zeitung*[8], Peter Härtling in *Der Monat*[9], Joachim Kaiser in der
Süddeutschen Zeitung[10]. Das Feuilleton der *Zeit* stand über
vier Nummern ganz im Zeichen eng gedruckter, aufgeregter
Rezensionen zu Bölls Buch: Reich-Ranicki[11], Rudolf Walter
Leonhard[12], Ivan Nagel[13], Reinhard Baumgart[14] u. v. a. stritten untereinander und stritten mit Böll. So fein gesponnen
und so verwickelt die Argumentationsfäden damals auch
gewesen sein mögen, laufen sie aus heutiger Sicht doch zu
einem Knotenpunkt zusammen: Böll hatte einen Roman in
Bonn, im Zentrum des CDU-Staates angesiedelt, und man
diskutierte, ob dieser Staat »richtig« dargestellt worden war.
Es ging um das westdeutsche Selbstbild. Wo von Kunst überhaupt die Rede war, stritt man meist um die »Stimmigkeit«,
die »Glaubwürdigkeit« des Clowns, also um die ästhetische
Legitimität des Ich-Erzählers als Statthalter des Autors im

---

6 Stellungnahme der »Katholischen Aktion« zum Vorabdruck von *Ansichten eines Clowns*, in: *Süddeutsche Zeitung*, Nr. 118 vom 17. Mai
   1963.
7 Rudolf Augstein, »Potemkin am Rhein«, in: *Die Zeit*, Nr. 24 vom
   14. Juni 1963.
8 Günter Blöcker, »Der letzte Mensch«, in: *Frankfurter Allgemeine Zeitung*, Nr. 109 vom 11. Mai 1963.
9 Peter Härtling, »Ein Clown greift an«, in: *Der Monat* 15 (1963) S. 75 ff.
10 Joachim Kaiser, »Ansichten über Heinrich Böll. Ein Schlußwort zum
    Abdruck seines Romans«, in: *Süddeutsche Zeitung*, Nr. 118 vom
    17. Mai 1963.
11 Marcel Reich-Ranicki, »Die Geschichte einer Liebe ohne Ehe«, in: *Die
    Zeit*, Nr. 19 vom 10. Mai 1963.
12 Rudolf Walter Leonhard, »Ein Roman stiftet verwirrende Ordnung«,
    in: *Die Zeit*, Nr. 25 vom 21. Juni 1963.
13 Ivan Nagel, »Glaubwürdigkeit anstelle von artistischer Mache«, in: *Die
    Zeit*, Nr. 23 vom 17. Juni 1963.
14 Reinhard Baumgart, »Unglücklich oder verunglückt«, in: *Die Zeit*,
    Nr. 25 vom 21. Juni 1963.

Roman, mithin um die ästhetische Rechtsgrundlage des kriti-
sierenden Autors. Daß in erster Linie Politik verhandelt
wurde, kommt auch darin zum Ausdruck, daß sich politische
Publizisten wie Augstein in den Streit mischten, während
sich die Dichter auffällig zurückhielten.[15] Bölls *Ansichten
eines Clowns* erschien, ohne das zu wissen oder auszubeuten zu
wollen, gegen Ende der »Ära Adenauer«. Das Buch wurde
Anlaß, ihr öffentlich Bilanz zu machen. Die meisten großen
deutschen Literaturdebatten seit 1945 waren so motiviert –
bis hin zum Streit um Christa Wolf nach dem Ende der
DDR.
Der heutige Blick auf Bölls Buch kann von der damaligen
Diskussion nicht absehen, denn sie ist nun einmal eingesenkt
in den Text. Er kann sie aber auch mit Sinn nicht einfach ver-
längern, denn die Diskussion um die Ära Adenauer ist 1989
endgültig historisch geworden. Ein deutscher Gegenwartsroman, der in Bonn spielt, ändert sich natürlich, wenn die
deutsche Hauptstadt nach Berlin verlegt wird. Geändert hat
sich aber nicht nur die deutsche Politik, sondern auch die
Sicht auf das, was damals unmittelbar Skandal machte, die
»wilde Ehe«, die Verteidigung der Naturehe gegen die kirch-
lichen, staatlichen und publizistischen Ordnungshüter. Böll
selbst schrieb in einem Nachwort von 1985, es sei zwanzig
Jahre später kaum mehr begreiflich, »wieso ein solch harm-
loses Buch seinerzeit einen solchen Wirbel hervorrufen
konnte [. . .]. Unverheiratet zusammen zu leben ist nicht nur
gebräuchlich, es ist akzeptiert, in katholischen Kreisen wie in
nichtkatholischen.«[16]
Schließlich hat sich auch die Position der Künstler gegenüber
der Macht seit den sechziger Jahren verändert, die der

---

15 Die prominenteste Ausnahme ist Albrecht Goes, der nicht im Geruch
des Avantgardismus steht: »Die Zahnpastatube in *Ansichten eines
Clowns*«, in: *In Sachen Böll. Ansichten und Einsichten*, hrsg. von Marcel Reich-Ranicki, München 1971, S. 218–222.
16 Heinrich Böll, *Ansichten eines Clowns*, mit Materialien und einem
Nachwort des Autors, Köln 1985, S. 414.

Clowns ohnehin und die der Schriftsteller auch: »Böll und die Bundesrepublik, der Kampf gegen die Adenauer-Restauration und den Verbandskatholizismus [. . .]: Das war einmal. Wer alt genug ist, der erinnert sich daran wie an die Sagen des klassischen Altertums, als die Helden des Geistes gegen das Natterngezücht aus Politik und Ökonomie kämpften.«[17] Das war einmal – und trotzdem mündet gerade diese Feststellung in den eingangs zitierten Satz, daß die Sprengkraft von Bölls Werk längst nicht erschöpft sei.

Bölls schriftstellerisches Werk setzt ein, wo auch die Bundesrepublik Deutschland einsetzt, eingesetzt wird: in der Zeit nach dem Zweiten Weltkrieg. Es setzt ein in Trümmern, im Elend, aber damit auch in der Freiheit des möglichen Neuanfangs. Als *Ansichten eines Clowns* erscheint, sind die wesentlichen Entscheidungen gefallen, die den westdeutschen Staat ausmachen: die beiden deutschen Staaten sind (gegeneinander) gegründet; der westliche unter der Kanzlerschaft Adenauers nach Westen gewendet; die Wiederaufrüstung durchgesetzt; die kapitalistische Wirtschaftsform unter dem Namen der Sozialen Marktwirtschaft restauriert; der Nationalsozialismus vergessen. Der bescheidene, aber allmählich wachsende Wohlstand überdeckt die Legitimationsprobleme des neuen Weststaates, der sich diese Legitimation bei der katholischen Kirche holt und seine Eliten bisweilen ungeniert unter den Eliten des Hitlerstaates. 1959 stimmt die SPD den Grundentscheidungen der Ära Adenauer zu, die Mitte rückt zusammen, fundamentale Opposition verliert an Heimat. Die DDR mauert sich ein und erstickt damit die Alternative, die sie zu schützen vorgibt. Der starke alte Mann an der Spitze, die Übergriffe der Exekutive, wie sie sich paradigmatisch um die *Spiegel-Affäre* darboten, die geplanten Notstandsgesetze nähren die Angst vor dem Funktionsverlust des Parlaments, ja vor dem Demokratieverlust überhaupt.

17 Greiner (Anm. 3).

An all das erinnern wir uns nicht zuletzt durch Bölls politische Publizistik, die die Entwicklung des CDU-Staates kontinuierlich begleitet hat. Böll ist freilich nicht der »Meckermann« mit breitem Sortiment, als den man ihn gern sehen mochte,[18] sondern er verfolgt hartnäckig »seine« Linien der Kritik. Immer wieder steht das »Hast Du was, dann bist Du was«[19] zur Kritik, immer wieder wird gegen das Vergessen des Nationalsozialismus angeschrieben, vor allem aber streitet Böll gegen den Katholizismus, dem er selbst entstammt, den er aber von seinen prominentesten Vertretern zu unseligen Zwecken des Staates mißbraucht sieht. Hintereinander gelesen, ergeben die Titel von Bölls essayistischen Reden und Schriften, die in den Jahren vor der Arbeit an *Ansichten eines Clowns* entstanden, fast schon so etwas wie die Umrisse eines Programms: »Hierzulande«;[20] »In der Bundesrepublik leben?«;[21] »Ich gehöre keiner Gruppe an«;[22] »Zur Verteidigung der Waschküchen«;[23] »Die Sprache als Hort der Freiheit«;[24] »Poesie des Alltäglichen«.[25]

Alle diese Motive kommen vor in dem Roman, der in Rede steht. Und da der Roman nicht nur in der Gattungstheorie des frühen Georg Lukács die Form ist, die versucht, »gestaltend die verborgene Totalität des Lebens aufzudecken und aufzubauen«,[26] lag es so fern nicht, daß die *Ansichten eines Clowns* als eine Art Summa der politischen Publizistik Bölls betrachtet und zuvörderst danach befragt wurden, ob das Abbild der Totalität des Bonner Staatswesens, das man vor

---

18 »Böll, dieser Meckermann, macht's möglich.« Arnim Eichholz, »Warum ist es am Rhein so fies?«, in: *Münchener Merkur* vom 11./12. Mai 1963.

19 In: Heinrich Böll, *Werke*, hrsg. von Bernd Balzer, Köln [1977–78], *Essayistische Schriften und Reden 1: 1952–1963*, [1978], S. 455–458.

20 Ebd., S. 366–376.

21 Ebd., S. 535–540.

22 Ebd., S. 596–599.

23 Ebd., S. 298–301.

24 Ebd., S. 301–306.

25 Ebd., S. 599–601.

26 Georg Lukács, *Die Theorie des Romans*, Neuwied/Berlin ³1965, S. 57 f.

sich zu haben glaubte, denn richtig getroffen und richtig ausgeführt sei. Böll freilich hat seinen Roman nicht als romanes-
ken politischen Essay sehen wollen. Er besteht gegenüber
seinen Kritikern – gegenüber allen seinen Kritikern – auf
dem, was er in den »Frankfurter Vorlesungen« als das »Mini-
mum« aller literarischen Kritik bezeichnet: »die jeweils
gewählte Optik zu erkennen, sie anzunehmen [. . .], sogar ein
vergleichsweise realistischer Roman hat eine komplizierte
Dämonie [. . .].«[27] Und was wäre dann in diesem Sinne die
Optik der *Ansichten eines Clowns*? Jedenfalls wäre sie
gerichtet im Sinne des Böllschen Gesamtwerkes, das Böll
selbst als Fortschreibungsprozeß sieht, als »ständige Variation« eines »einzige[n] Themas«.[28] Und welches wäre das
Thema, die »mythologisch-theologische Problematik, die
immer präsent ist«?[29] 1967 hat Böll sie in einer vielzitierten
Äußerung wie folgt umrissen: »Aber im Grunde interessieren mich als Autor nur zwei Themen: die Liebe und die Religion.«[30]
Es besteht Anlaß, Böll hier beim Wort zu nehmen. Schließlich spricht noch die schon zitierte Rezension von Bölls nach-
gelassenem Erstlingsroman summierend von der »spezifisch
Böllsche[n] Trias: die Religion, die Liebe, die Zigarette.«[31]
Jedenfalls ist der Roman *Ansichten eines Clowns* an einer der
Stellen angesiedelt, wo der Fortlebensprozeß der Bundesrepublik Deutschland sich schneidet mit der Kurve des Böllschen Fortschreibungsprozesses, an einer Stelle also, wo
Staatlichkeit mit Liebe und Religion kollidiert.

27 Heinrich Böll, »Kein Schreihals vom Dienst sein«, Interview mit Mar-
    cel Reich-Ranicki am 11. August 1967, in: *Werke* (Anm. 19), *Inter-
    views 1*, [1978], S. 68.
28 Heinrich Böll, »Drei Tage im März«, Gespräch mit Christian Linder
    vom 11.–13. März 1975, in: *Interviews 1* (Anm. 27) S. 397.
29 Heinrich Böll, »Eine deutsche Erinnerung«, Interview mit René Wint-
    zen, Oktober 1976, in: *Interviews 1* (Anm. 27) S. 516.
30 Böll (Anm. 27) S. 68.
31 Greiner (Anm. 3).

Genaueres ist dem einläßlichen Blick auf den Text vorbehalten. Er hat mit dem Titel zu beginnen: *Ansichten eines Clowns*. Im Wort »Ansichten« liegt in nuce die ganze ästhetische Problematik des Romans beschlossen. Ursprünglich nämlich sollte der Titel »Augenblicke« heißen. Ausgeführte Vorarbeiten aus dem Jahre 1962, die unter diesem Titel standen, sind erhalten, aber gegenwärtig der Forschung noch nicht allgemein zugänglich.[32] Immerhin spielen die »Augenblicke« auch in der gedruckten Fassung eine zentrale Rolle, denn sie bezeichnen die menschliche wie künstlerische Perzeptionsweise des Clowns:

›Was bist du eigentlich für ein Mensch?‹ fragte er. ›Ich bin ein Clown‹, sagte ich, ›und sammle Augenblicke.‹   (246)

Augenblick – das ist etwas Plötzliches, aus dem Kontinuum der Zeit Herausgesprengtes. Augenblicke sind plötzlich und unwiederholbar. Sie werden unmittelbar aufgenommen von einem Sinnesorgan, – den Augen eben –, ohne schon durch den Filter der Reflexion gegangen zu sein. Augenblicke können nie das Ganze wahrnehmen, sondern erfassen Details. Und Details, beobachtete wie erinnerte, machen denn auch einen wichtigen Teil von Bölls Roman aus. Dem Augenblick, dem Detail kommt in der künstlerischen Optik des Clowns ein privilegierter Wahrheitsstatus zu. Das Ganze kann lügen, kann umgelogen werden – der Augenblick nicht.

[Die zurückgekehrten Emigranten] begriffen nicht, daß das Geheimnis des Schreckens im Detail liegt. Große Sachen zu bereuen ist ja kinderleicht: politische Irrtümer, Ehebruch, Mord, Antisemitismus – aber wer verzeiht einem, wer versteht die Details?   (190)

32 Vgl. dazu Arpád Bernáth, »Auftritt um halbzehn? Über den Roman *Ansichten eines Clowns* von Heinrich Böll«, in: *The University of Dayton Review* 17 (1985) H. 2, und Dorothee Römhild, *Die Ehre der Frau ist unantastbar. Das Bild der Frau im Werk Heinrich Bölls*, Pfaffenweiler 1991, S. 37–91, wo Teile der unveröffentlichten Vorarbeiten analysiert werden.

Aber der Titel »Augenblicke« wurde verworfen, ebenso wie die ursprünglich gewählte Er-Erzählperspektive durch den Augen-Blick einer weiblichen Erzählerin. »Ansichten« nehmen ihren Ausgangspunkt gleichfalls vom optischen Sinn her, aber das Wort meint nicht nur den plötzlichen sinnlichen Eindruck, sondern ein Moment der Kontinuität (der langsamen Betrachtung), der Reflexion und des totalisierenden Überblicks. »Ansichten« haben immer auch zu tun mit »Welt-Anschauung«, wenngleich sie sich nicht zu einer Weltanschauung schließen müssen. Vor allem aber sind Ansichten subjektiv. Ohne Augen kein Augenblick, ohne Subjekt keine Ansichten. Die Geltung der jeweiligen Ansicht steht in direktem Verhältnis zur Geltung dessen, der diese Ansichten hat. Böll hat sich für »Ansichten« entschieden, für eine Ich-Erzählung aus der subjektiven Perspektive seines Protagonisten. Unter den großen Romanen Bölls ist das eine Ausnahme. Es steigert die Intensität, aber um den Preis, daß die »Augenblicke« überformt werden von einem Konzept aus »Ansichten«, um den Preis auch, daß das erzählende Subjekt großzügig aufgewertet werden muß mit Kunsttheorie[33] oder theologischer Rhetorik. Die radikal subjektive, dabei sehr einheitliche Erzählerperspektive ist gewiß auch dafür verantwortlich, daß die narrative Komplexität des Romans, das komplizierte Spiel von Schilderung, Erinnerung, Beschreibung, von Monolog und Gespräch, von Realem und Phantastischem, von Gegenwart und Vergangenheit, wie sie der Böllsche Kompositionsplan festgehalten hat,[34] bei der ersten Lektüre kaum wahrgenommen wird – die Individualität des Erzählers garantiert allemal die Aufhebung von »Augenblicken« in einem historischen, lebensgeschichtlichen und

33 Vgl. insbesondere die zahlreichen Bezüge auf Kleists Aufsatz *Über das Marionettentheater.* Dazu Römhild (Anm. 32), S. 51–56, und Ralf R. Nicolai, »Die Marionette als Interpretationsansatz. Zu Bölls *Ansichten eines Clowns*«, in: *The University of Dayton Review* 12 (1976) H. 2, S. 25–32.
34 Abgedruckt in: Bernd Balzer, *Heinrich Böll. Ansichten eines Clowns*, Frankfurt a. M. ²1992, S. 38–42.

narrativen Kontinuum. So gewinnt man tatsächlich den Eindruck, wie Böll es formulierte, einen »relativ realistische[n] Roman«[35] zu lesen.

Der da seine »Ansichten« kundgibt, ist »ein Clown, offizielle Berufsbezeichnung: Komiker« (7). »Pantomime, Artistik« gehört dazu, die Verwandtschaft zum »Pierrot«, er wird in der Tradition von »Grock und Chaplin und den Narren in Shakespeares Dramen« gesehen (101). Im dreizehnten Jahrhundert, so sagt er selbst, »wäre ich ein netter Hofnarr gewesen« (95). Jedenfalls ist er Künstler, was ausdrücklich unterstrichen wird (112); ein Künstler aus der Tradition der Artes minores; ein Künstler, der wie sein närrischer Ahnherr bei Hofe wirkt und ihm trotzdem nicht wirklich zugehört.

Das Motto bezeichnet eine Hoffnung und ein Wunschpublikum, mithin auch eine Wunschleserschaft: »Die werden es sehen, denen von Ihm noch nichts verkündet ward, und die verstehen, die noch nichts vernommen haben.« Im Nachwort von 1985 bemerkt Böll, man hätte dieses Motto »getrost als eine Art Schlüssel zum Roman benutzen können«, und gibt die Quelle an, den »Römerbrief, Kapitel 15, Zeile 20«.[36] Was hätte der »Schlüssel« an Einsicht eröffnen können? Paulus, der Verfasser des Römerbriefs, richtet seine Hoffnung auf die Heiden, ihnen gilt sein apostolisches Wirken, nicht den Statthaltern der Macht, den Priestern und Schriftgelehrten, die Mitschuld an Jesu Tod tragen. Die Heiden tragen die Hoffnung. Der Clown Hans Schnier ist Heide (»keiner Kirche steuerpflichtig«, 7), wenn auch ein theologisch überaus versierter. Die Heiden – und die Schwachen. »Wir aber, die wir stark sind, sollen der Schwachen Gebrechlichkeit tragen und nicht Gefallen an uns selber haben.« Mit diesem Satz beginnt das 15. Kapitel des Römerbriefs, in diesem Zusammenhang steht das Motto. Damit ist ein programmatischer Vor-Satz des Schriftstellers Heinrich Böll bezeichnet: »Die Literatur

---

35 Siehe Anm. 27.
36 Tatsächlich Zeile 21. Der Text ist seinerseits ein Zitat aus dem Alten Testament, Jes. 52,15.

kann offenbar nur zum Gegenstand wählen, was von der Gesellschaft zum Abfall, als abfällig erklärt wird.«[37]

Die Erzählperspektive ist damit umrissen. Ort der Handlung ist Bonn. Auf dem Bonner Hauptbahnhof bekommen wir den Clown zuerst in den Blick, in Bonn folgen wir ihm in seine Wohnung, auf der Treppe des Bonner Hauptbahnhofs verlassen wir ihn etwa vier Stunden später, ungefähr nach der Zeit, die wir für die Lektüre des Romans gebraucht haben. Hans Schnier, der siebenundzwanzigjährige Clown, entstammt einer reichen rheinischen Industriellenfamilie, mit der er innerlich schon am Kriegsende bricht, als er zehnjährig miterlebt, wie seine Eltern die kaum ältere Schwester Henriette zum Volkssturm und damit in den Tod schicken. Äußerlich vollzieht sich der Bruch mit dem Elternhaus während der Nacht, in der Hans zum ersten Male mit der gläubig-katholischen Marie Derkum schläft, die aus bescheidenen Verhältnissen stammt. Hans begreift diese Nacht als Nacht einer Eheschließung, einer Verbindung auf ewig. Er entschließt sich, als Clown zu arbeiten, Marie zieht mit ihm von Auftritt zu Auftritt durch die Republik, bis sie die weder staatlich noch kirchlich beglaubigte Lebensform nicht mehr erträgt und ihn unter massiver geistlicher Einflußnahme zugunsten von Züpfner verläßt, der als Graue Eminenz des deutschen Laienkatholizismus gilt. Der verlassene Clown, der mit Marie seine Liebe und zugleich seine Muse verloren hat, kommt beruflich, psychisch und wirtschaftlich sehr rasch herunter.

Soweit die Ausgangslage, als Hans Schnier berufsunfähig und mit einer letzten Mark in der Tasche auf der ersten Seite des Buchs in Bonn eintrifft. Aus ihr ergeben sich seine Vorhaben: Er will Marie zurückgewinnen und er will sich Geld besorgen. Beide Vorhaben scheitern. Von den Mitgliedern des »Kreises fortschrittlicher Katholiken«, mit denen er sich telephonisch in Verbindung setzt, erfährt er schließlich, daß

37 Heinrich Böll, »Frankfurter Vorlesungen«, in: *Werke* (Anm. 19), *Essayistische Schriften und Reden 2: 1964–1972*, [1978], S. 71.

Marie Züpfner geheiratet hat und auf Hochzeitsreise in Rom ist. Die Mitglieder des »Kreises« unterstützen ihn finanziell ebensowenig wie seine Mutter, sein Vater oder sein Bruder Leo. Völlig verlassen, mit dem sozialen Tod konfrontiert, gewinnt der Clown am Ende seine Handlungsfähigkeit zurück. Er entschließt sich, als Bettler auf den Stufen des Bonner Hauptbahnhofs zu singen, auf Barmherzigkeit und auf Marie zu warten.

Die Figur des Kreises bestimmt in mehrfacher Hinsicht die Struktur der Geschichte. Der Kreis, den der Clown zieht, beginnt am Bahnhof und endet am Bahnhof. Es ist der einsame Kreis eines »Außenseiter[s]«, eines »radikale[n] Vogels«, der sich nicht mehr hoch aufzuschwingen vermag (31). Aber dieser Kreis ist offen, offen für die Barmherzigkeit anonymer Passanten, offen für die Hoffnung auf die Rückkehr Maries. Seine Kreisbahn trifft auf den geschlossenen Kreis der Familie, auf diese Familie, die zu den besseren Kreisen gehört, auf die mörderische Herzlosigkeit seiner Mutter, das Effektivitätsdenken seines Vaters, die Ordnungsbeflissenheit seines priesterlichen Bruders. Und sie trifft auf den »Kreis fortschrittlicher Katholiken«, in den ihn einmal Marie eingeführt hatte, um ihm »intelligente Katholiken vorzuführen«. Er besteht aus Kinkel, Sozialdemokrat, »einer unserer fähigsten Sozialpolitiker« (85), aus Blothert, »so etwas wie der ›rechte‹ Gegenspieler zu Kinkel, Politiker wie dieser« (108), aus Züpfner, »die weltliche und [aus] Prälat Sommerwild sozusagen [als] die geistliche Eminenz des deutschen Katholizismus« (94), aus Fredebeul, »der um jeden Preis Karriere machen will und seine Großmutter ›fallen lassen‹ würde, wenn sie ihm hinderlich wäre« (84). Links oder rechts, fähig oder unfähig, geistlich oder weltlich – alle, die da um sich selbst kreisen und doch die Republik lückenlos eingekreist haben, sind, aus dem Blickwinkel des Clowns gesehen, gleich weit entfernt vom Mittelpunkt des Lebens und der Religion.

Kreisförmig erscheint schließlich auch die historische Zeit,

die der Roman abdeckt. Sie erstreckt sich zwischen Erinnerungen aus dem Frühjahr 1945 und der Gegenwartshand-
lung, also zwischen Faschismus und den sechziger Jahren.
Die Zäsur des Kriegsendes, des versuchten Neuanfangs, das
alles wurde umkurvt, die »Spurer« (191) sind wieder dort,
wo sie 1945 auch waren, der Kreis hat sich erneut geschlossen.

Auch die Themen des Romans bilden Kreise, freilich keine
geschlossenen. Dafür sorgt der Clown, der mit seinen Erinnerungen, seinen Sinneseindrücken, seinen Ansichten, seiner
Erzählweise erreicht, daß nicht alles so rund erscheint, wie es
erscheinen soll. Der Katholizismus ist das augenfälligste dieser Themen, Hengst nennt ihn sogar das »die Fabel beherrschende Thema«.[38] Als der Roman entstand, beherrschte dieser Katholizismus in einer heute schwer vorstellbaren Weise
die öffentliche Diskussion der Republik. Im gleichen Jahr
1963 war Hochhuths Drama *Der Stellvertreter* erschienen
und Carl Amerys Streitschrift *Die Kapitulation oder Deutscher Katholizismus heute*. Der erste Christ, der in den
Ansichten auftaucht, ist Kostert vom »christlichen Bildungs-
werk«, Schniers Agent. Er ist zynisch, unbarmherzig, aufs
Geld versessen, aber dennoch sympathischer als die feineren
katholischen Kreise (10 ff.). Der »Kreis« bagatellisiert voll-
mundig und satt die Armut (17 ff.), moralisiert verlogen
unter gestohlenen Madonnenstatuen (91), legitimiert überhaupt doppelte Moral (89). Der Amtskatholizismus trennt,
was die Liebe gefügt hat; er läßt seinen künftigen Priestern in
den Konvikten Kohlsuppe zur Dämpfung der Fleischeslust
servieren (71 f.). Böll ist die Kritik an der Praxis wie an der
Theorie dieses Katholizismus so wichtig, daß er seinem heid-
nischen Clown viel Theologie mitgibt: Schnier kennt sich aus
in der Dogmengeschichte seit Augustinus und weiß dem Prä-
laten Sommerwild gegenüber seine Auffassung vom Sakra-

---

38 Heinz Hengst, »Die Frage nach der ›Diagonale zwischen Gesetz und
   Barmherzigkeit‹. Zur Rolle des Katholizismus im Erzählwerk Bölls«,
   in: *Text und Kritik*, H. 33: *Heinrich Böll*, München 1974, S. 24.

ment der Ehe mit theologischem Scharfsinn zu verteidigen (127 ff.). Immerhin: Es gibt nicht nur unter den Heiden katholische Theologen, sondern es gibt unter den Katholiken auch ein paar wirkliche Christen, z. B. den Kaplan Heinrich Behlen, der nach dem Prinzip lebt, daß die Barmherzigkeit Gottes »wohl größer ist als das mehr juristische Denken der Theologen« (197). Freilich scheidet dieser Kaplan schließlich aus dem Dienst der Kirche, ein deutlicher Hinweis darauf, daß Böll sich am Anfang der sechziger Jahre eine Verwirklichung seiner Vorstellungen über die katholische Kirche nicht mehr vorstellen konnte. Marie Derkums Frage nach der »Diagonale zwischen Gesetz und Barmherzigkeit« (197 f.) bleibt unbeantwortet. Die Diagonale ist die direkte Verbindung zweier Ecken, die nicht auf der gleichen Seite liegen. Genau diese direkte Verbindung ist in *Ansichten eines Clowns* nicht mehr möglich. Kreise kennen keine Diagonalen, weil sie keine Ecken haben. Kreise kennen nur ein Innen und eine Peripherie. Und der Clown andererseits duldet kein Gesetz über sich.

Schon Hochhuth hatte die Komplizenschaft von Katholizismus und Nationalsozialismus ins Gedächtnis der Westdeutschen zurückzurufen versucht. Böll erweitert das Thema und stellt ein Land dar, dessen Eliten die gleichen sind wie vor dem 8. Mai 1945 – und die im Kern gleich geblieben sind. In der Karriere von Hans Schniers Lehrer Brühl kommt das paradigmatisch zum Ausdruck. Brühl hatte zusammen mit dem HJ-Führer Kalick die harte Verurteilung des zehnjährigen Hans wegen volksfeindlicher Äußerungen gefordert. Nach 1945 wird er Professor an einer Pädagogischen Akademie und bildet die neuen Lehrer aus (25). Daß Böll ihn ausgerechnet an einer Pädagogischen Akademie wirken läßt, hat gewiß auch damit zu tun, daß der erste deutsche Bundestag zunächst in der Bonner Pädagogischen Akademie tagte. In das Denken und in die Politik des neuen Staates geht hochdotiert das Denken der totalen Krieger ein. Auch Kalick führt weiter, nun aber die

Sozialpolitik der SPD und erhält dafür schließlich das Bundesverdienstkreuz. Die Welt der *Ansichten eines Clowns* ist reich bevölkert mit »Wendehälsen« (wie man bei späterer Gelegenheit sagen wird), die auch im neuen Staat wieder Staat machen. Die Antifaschisten von damals hingegen bleiben in der Bundesrepublik außerhalb der Zirkel der Macht. Züpfners Vater, der von den Nazis Berufsverbot erhalten hatte, lehnt es 1945 ab, Minister zu werden und arbeitet wieder in der Schule. Maries Vater, der »unbelastet« den Grundstock zu einem großen Zeitungsverlag hätte legen können, fristet sein Dasein kümmerlich mit einem kleinen Schreibwarenladen.

Damit die grundlegende Kontinuität der Machtausübung über das Jahr 1945 hinaus als Diskontinuität erscheinen kann, wie es das Selbstverständnis des neuen Staates erfordert, muß vergessen werden, muß vergessen gemacht werden. »Vergessen« ist das Schibboleth von Frau Schnier, die, obgleich nicht Mitglied der NSDAP, 1945 ihre eigene Tochter zum sinnlosen Kampf gegen die »jüdischen Yankees« geschickt hatte und nun als Vorsitzende des »Zentralkomitees der Gesellschaft zur Versöhnung rassischer Gegensätze« fungiert. »Das kannst du wohl nie vergessen, wie?« sagt sie am Telephon zu ihrem Sohn. »Vergessen? Sollte ich das, Mama?« (32) In dieser Szene liegt die Spezifik der Kritik frei, die der Clown am westdeutschen Umgang mit der nationalsozialistischen Vergangenheit formuliert: Das Problem ist für ihn nicht in erster Linie, daß frühere Faschisten wieder in höchste Stellungen gelangt waren, das Problem ist vielmehr, daß sie zwar ihre Ideologie geändert haben, aber die gleichen (Un-)Menschen geblieben sind. An dieser Stelle ist Hans Schnier unversöhnlich. Er glaubt wie sein Autor nicht an die behauptete Wandlung, mit der der westdeutsche Staat seine Legitimität moralisch begründet. Er glaubt nicht daran, weil er sich an Details, an Augenblicke erinnert, und er glaubt nicht daran, weil die Blicke gleich geblieben sind, die Gerüche – und weil die Inhumanität sich in der Sprache verrät, im Namen des »Zentralkomitees zur Versöhnung rassischer Gegensätze« zum Beispiel.[39]

Jochen Vogt hat im Anschluß an Margarethe und Alexander Mitscherlichs Studie *Die Unfähigkeit zu Trauern* (15. Aufl. 1983) darauf aufmerksam gemacht, daß die Melancholie des Clowns in ursächlichem Zusammenhang mit der kollektiven Verdrängung des Nationalsozialismus zu sehen ist: Hans Schnier leistet individuell die Trauerarbeit, die von der Nation verweigert wird.[40]

Das Vergessenwollen kennzeichnet die Mutter des Clowns, das Vermehrenwollen seinen Vater. Das Verhältnis zum Geld ist ein weiteres großes Thema, das den Roman durchzieht. Den breitesten Raum nimmt es im 15. Kapitel ein, wo sich Hans Schnier und sein Vater begegnen. Der Vater ist Industrieller, Repräsentant des Industriellenverbandes und eigentlich ein gütiger Mann. Dennoch gibt er seinem Sohn keine einzige Mark, weil sich dieser weigert, sich in den Karriereplan zu fügen, den er für ihn entworfen hat. Vater Schnier weiß, wie man Erfolg organisiert. Er hat ein künstlerisches Expertengutachten eingeholt, ist bereit, eine kontrollierte Ausbildung zu finanzieren. Der Sohn möchte keine Karriere, er möchte seine künstlerische Identität behalten. Er möchte einfach Geld, Geld zum Ausgeben. Der Vater aber gibt kein Geld aus, er investiert nur. »Was machte diesen liebenswürdigen Mann, meinen Vater, so hart und so stark [. . .]. Es konnte doch nur das Geld sein, nicht das konkrete, mit dem man Milch kauft und Taxi fährt, sich eine Geliebte hält und ins Kino geht – nur das abstrakte.« (175) Das abstrakte Geld ist das Geld, das man ausgibt, um später mehr zurückzuerhalten, das abstrakte Geld ist Kapital. Der Kapitalist im Vater siegt über dessen liebenswürdiges Naturell, überformt die Menschlichkeit und den Charakter. Nur wer nicht an Geldvermehrung denkt, kann Mensch bleiben, so wie Derkum, der einmal mit dem letzten Kleingeld geholfen hatte.

39 Zu Bölls Sprachkritik vgl. Balzer (Anm. 34) S. 49–52.
40 Jochen Vogt, *Heinrich Böll*, München 1978, S. 86 ff.

Der Clown setzt der Ökonomie der Vermehrung die Ökonomie der Verausgabung entgegen. Aber so zu formulieren, heißt Böll auf Gesellschaftskonzepte zu beziehen – auf die von Marx und Bataille etwa – mit denen er Berührungspunkte hat, die aber nicht seine Konzepte sind. Er selbst hat den Gegensatz, der im Roman Gestalt geworden ist, anders ausgesprochen, als Gegensatz zwischen abstraktem Reichtum und den »elementare[n] Dingen« wie eben Milch zu kaufen, Zigaretten zu kaufen, Taxi zu fahren, ins Kino zu gehen, »Schuhe, Miete zahlen, Essen [. . .]«.[41] In den »Frankfurter Vorlesungen« stellt er ausdrücklich »das Wohnen, die Nachbarschaft und die Heimat, das Geld und die Liebe, Religion und Mahlzeiten«[42] ins Zentrum einer Ästhetik des Humanen. Balzer hat gezeigt, daß sich um die »elementaren Dinge«, die mit dem konkreten Geld erworben werden, bei Böll Gemeinschaft definiert, ja, daß sie als Voraussetzung von Brüderlichkeit, Frieden und Freiheit geradezu sakramentalen Charakter tragen.[43]

In dem Moment, in dem Hans Schnier in einem plötzlichen »acte gratuit« nach dem Besuch des Vaters seine letzte Mark aus dem Fenster wirft (182), wird beiläufig deutlich, daß es Böll keineswegs nur um Sozialkritik oder gar Sozialpolitik, auch nicht nur um die Trauerarbeit oder die Verbesserung des Katholizismus geht: der Clown zieht den Realismus grundsätzlich in Zweifel, in dessen Namen Wirtschaft, Staat und Kirche geleitet werden. »Manchmal weiß ich nicht, ob das, was ich handgreiflich realistisch erlebt habe, wahr ist, oder das, was ich wirklich erlebe.« (196) Das ist im Sinne eines radikalen erkenntniskritischen Subjektivismus gemeint, aber auch, wie bei den Absencen der »gefallenen« Schwester Henriette, als träumende Weigerung, das Spiel weiter zu spielen. (Vgl. 30.) Wie wichtig Böll die Aufkündigung des gemeinplätzlichen Realitätsbegriffs ist, läßt sich daran ermessen, daß

41 Böll (Anm. 28) S. 371.
42 Böll (Anm. 37) S. 34.
43 Vgl. Balzer (Anm. 34) S. 74 ff.

er den Clown gerade über diesen Punkt in Konflikt mit dem
Bruder und der geliebten Frau geraten läßt. Hans Schniers
Opposition gegen seine Gesellschaft ist nicht nur eine punk-
tuelle Opposition. Sie ist dies *auch*. Es werden in vielen wichtigen Fragen Gegenpositionen bezogen und begründet. Aber
die radikalisieren sich bis hin zur Aufkündigung gemeinsamer Wirklichkeitssicht. Die Opposition ist eine auf Leben
und Tod: »Ich glaube, daß die Lebenden tot sind, und die
Toten leben [. . .].« (29)
Hegelianisch gesprochen: die konkrete Negation nähert sich
an vielen Stellen der abstrakten, der totalisierten Negation.
Das gilt trotz aller Nuancierung auch für die Darstellung der
Institutionen insgesamt, für CDU und SPD, für die katholische und die evangelische Kirche, für BRD-Kapitalismus und
DDR-Kommunismus. Die DDR wird beiläufig als ein Staat
gekennzeichnet, der ebenso legalistisch und machtgeschützt
von oben über die Menschen regiert, wie das im Westen der
Fall ist (221 f.).
Rot, Schwarz oder Braun sind keine Alternativen für den
Clown, wenn auch die sympathischen (Neben-)Figuren des
Romans eher rotgefärbt sind. Die Alternative ist Anarchie im
ursprünglichen Wortsinne, ist die Vorstellung herrschafts-
freier Beziehungen konkreter Menschlichkeit außerhalb aller
Institutionen. Es geht nicht nur um heute harmlos schei-
nende Dinge wie eine Ehe ohne Trauschein, sondern es geht
durch sie hindurch um radikalen Affront gegen alle Macht.
Bölls sanftem Clown sind anarchistische und nihilistische
(»Denk an nichts. [. . .] denk an den Clown [. . .].« 140) Züge
eingeschrieben, die dazu führten, daß die *Ansichten eines
Clowns* zwar im politischen Tagesstreit benutzt werden, aber
von keiner Gruppierung für sich beansprucht werden konn-
ten. Daß das gemeinhin als linkslastig apostrophierte Buch in
der DDR nicht veröffentlicht wurde, ist dafür ein deutliches
Zeichen.

Aber: nicht einverstanden zu sein, radikal nicht einverstanden zu sein mit der Ordnung, das macht noch keinen Roman. Das gilt um so mehr, wenn da ein armer, kranker, kaum handlungsfähiger Einzelgänger einer festgefügten, reichen, pausbäckig-gesunden Ordnung gegenübersteht. Man weiß, daß so etwas schlecht ausgeht und wenn es dann noch von einem Ich-Erzähler berichtet wird, so liegt die Gefahr der Larmoyanz nahe, welcher der »Clown« denn auch häufig bezichtigt worden ist.[44]

Vom allerersten Roman an balancieren bei Böll die Liebe und die Religion das – auch ästhetisch – erdrückende Ungleichgewicht aus, das aus der Wirklichkeit auf die Kunst kam. Ohne diesen Leitfaden stürzt Bölls Romankunst zusammen, verliert sie ihren Mittelpunkt wie die Kleistsche Marionette, die im Verweisungszusammenhang des Romans eine so wichtige Rolle spielt. Die schon zitierte Feststellung Heinrich Bölls, ihn interessierten eigentlich nur zwei Themen, »Liebe und Religion«[45], bezeichnet nicht das womöglich temporär begrenzte Objekt einer Neugier, sondern es reflektiert auf die unverrückbare Grundlage seines Werks, seiner Existenz. Dabei sind die beiden Schlüsselworte nicht einfach additiv zu verstehen, sondern als weitgehend deckungsgleich. Schon im ersten Roman ist die »keusche Liebesbegegnung zugleich ein Gottesdienst der sinnlichsten Art«[46]. Die Liebe als geheiligte Gegenwelt zur Heillosigkeit der Welt, das wird fortan ein immer erneut variierter Grundzug der Böllschen Romane. Balzer hat darauf aufmerksam gemacht, daß Böll die erzählerische Realisierung dieser Liebesverhältnisse zunächst nur »im quasi von der übrigen Gesellschaft abgeschirmten, geschützten Raum« gelinge.[47] *Ansichten eines Clowns* bricht mit diesem Paradigma. Böll setzt die Liebesbeziehung der

44 So etwa von Carl Zuckmayer, »Gerechtigkeit durch Liebe«, in: *In Sachen Böll* (Anm. 15) S. 52.
45 Böll (Anm. 27) S. 68.
46 Greiner (Anm. 3).
47 Balzer (Anm. 34) S. 16.

Ordnung aus und läßt sie daran zerbrechen, ein Verfahren, das, wie schon früh bemerkt wurde, dem Realismus des Romans zugute kommt.[48] Handlungslogisch gesehen, ist es der Kampf zwischen Clown und »Kreis« um Marie, der den Roman hervortreibt. Auch die »größtenteils gesellschaftspolitisch motivierten Erkenntnisse der Böllschen Clownsfigur sind ohne ihren privaten Anlaß, die Geschichte einer ›verhinderten Liebe‹, so nicht denkbar«.[49]

Böll hat selbst auf die wichtige Rolle hingewiesen, die der Konflikt um Marie für die Konstruktion seines Romans spielt:

> [. . .] wenn Sie einen Roman, eine Erzählung schreiben, die von einer Liebesgeschichte getragen wird, muß es Belastung und Spannung und Konflikt geben. Den üblichen Konflikt, das sogenannte Dreieck, finde ich langweilig. [. . .] Wenn Sie das genau analysieren, [die] Beziehung der Frauen in meinen Romanen, dann sind das eigentlich alles Arten des Zusammenlebens, die nicht rechtlich verankert sind [. . .]. Ich glaube, daß es ein Irrtum war oder ist, Dinge wie Erotik, Sexualität, Liebe, auch Ehe zu verrechtlichen.[50]

Man sieht: die Liebe – und damit auch die Geliebte – hat bei Böll schwer zu tragen an Konflikten und an Hoffnungen. Der Frau obliegt nicht nur der Alltag, (»Ich fand es furchtbar und großartig, diesen Alltag, mit Kaffeetopf und Brötchen und Maries verwaschener blauweißer Schürze über dem grünen Kleid, und mir schien, als sei nur Frauen der Alltag so selbstverständlich wie ihr Körper.« 54), ihre Hände putzen nicht nur, ordnen und kochen Essen, sondern in sie ist zugleich wie ein Sakrament die Hoffnung gelegt:

48 Iring Fetscher, »Menschlichkeit und Humor: *Ansichten eines Clowns*«, in: *In Sachen Böll* (Anm. 15) S. 216.
49 Römhild (Anm. 32) S. 88.
50 Böll (Anm. 29) S. 550.

Frauenhände sind schon fast keine Hände mehr: ob sie
Butter aufs Brot oder Haare aus der Stirn streichen. Kein
Theologe ist je auf die Idee gekommen, über die Frauen-
hände im Evangelium zu predigen: Veronika, Magdalena,
Maria und Martha – lauter Frauenhände im Evangelium,
die Christus Zärtlichkeiten erwiesen.   (202 f.)

Feministische Literaturwissenschaftlerinnen, die in den
letzten Jahren intensiv über Bölls Frauengestalten gearbeitet
haben, hatten es nicht schwer, zu erweisen, daß die Ansichten des Clowns über die Frauen durchaus Gemeinsamkeiten
mit konservativen Konzeptionen der Geschlechterverhält-
nisse haben. Das beginnt mit der Verführungsszene, setzt
sich fort im Alltagsverhalten, in der Arbeitsteilung zwischen
dem Mann, der das Geld verdient, und der Frau, die ihn
begleitet und Beziehungsarbeit leistet. Böll will gegen solche
Kritik nicht in Schutz genommen werden, wie sich umgekehrt auch Formulierungen von der Art, daß Böll ein »typi-
scher Vertreter der Ideologie einer ›male centered world‹«[51]
sei, ihrerseits dem Böllschen Werk (und der Böllschen
Sprachkritik) zu stellen sind. Das gilt auch für Siléns selt-
same Umkehrung der »Ansichten« des Clowns über Marie:
»Marie bricht selber auf. Sie tut das einzig Logische für eine
junge katholische Frau ohne Ausbildung, Beruf oder eigenes Vermögen: sie heiratet einen Katholiken.«[52] Logisch ist
das schon, versorgungslogisch. Aber für Böll hat Liebe eben
mit Logik nichts zu tun. Ebensowenig mit Gleichberechtigung. So seltsam es klingen mag: Böll ist nicht für Gleichberechtigung zwischen Liebenden. Gleichberechtigung setzt
Rechtsförmigkeit voraus und Verrechtlichung in jeder Form
erscheint ihm als Feind aller Liebe. Natürlich könnte man

51 Evelyn T. Beck, »Heinrich Bölls *Ansichten eines Clowns* aus feministi-
scher Perspektive«, in: *Interpretationen: Zu Heinrich Böll*, hrsg. von
Anna Maria dell'Agli, Stuttgart 1984, S. 22.
52 Granstell Ulla Silén, »Marie, Leni, Katharina und ihre Schwestern. Eine
Analyse des Frauenbilds in drei Werken von Heinrich Böll«, in: *Schriften des deutschen Instituts. Universität Stockholm* 13 (1984) S. 27.

einwenden, daß Bölls Hohes Lied der Liebe etwas zugleich
Altmodisches und Utopisches hat, also in doppelter Hinsicht
nicht von dieser Welt ist. »Eben« – würde Böll wohl dazu
sagen.
Überhaupt zeigt sich in *Ansichten eines Clowns* paradigmatisch, daß Böll ein radikaler, unversöhnlicher und zugleich
ein hartnäckig konservativer Autor ist, wenn man das Buch
in Beziehung setzt zur europäischen Avantgarde seiner Zeit.
Das gilt z. B. auch für die Konzeption von Körperlichkeit
und Triebhaftigkeit, die beide im Roman nicht etwa negiert
werden, aber doch immer nur als je schon moralisch bzw.
religiös überformte legitimen Einlaß finden. Formulierungen wie »die Sache machen« (u. a. 75) indizieren deutlich, daß
solche transzendentale Triebregulierung zumindest sprachlich schnell in die Nähe der Leibfeindschaft gerät.[53] Auch die
Konzeption der Individualität, die der Clownsfigur eingeschrieben ist, akzentuiert Entscheidungsfreiheit, gesellschaftliches Lernen und Entwicklung zum Künstlertum auf eine
vormoderne Weise. Das gilt aber für die Hauptlinie des westdeutschen Romans generell, wenngleich insgesamt nicht so
uneingeschränkt, wie Blamberger postuliert: »Der Gegenwartsroman bemüht sich [. . .] um die Restitution des Individuums und verbindet das mit einer Kritik des materiellen
und ideellen Besitzdenkens.«[54] Dagegen ließe sich im Falle
der *Ansichten eines Clowns* einwenden, daß hier ja eine körperlich wie psychisch beschädigte Persönlichkeit vorgestellt
wird, ein Melancholiker, wie der Text insgesamt siebzehn
Mal unterstreicht.[55] Nur: Die Sprache dementiert diesen
Befund. Julia Kristeva hat die Sprache der Melancholie untersucht und gezeigt, daß für den Depressiven die Sprache ist

---

53 Vgl. dazu Karl Heinz Götze, *Heinrich Böll. Ansichten eines Clowns*,
München 1985, S. 78–85.
54 Günter Blamberger, *Versuch über den deutschen Gegenwartsroman.
Krisenbewußtsein und Neubegründung im Zeichen der Melancholie*,
Stuttgart 1985, S. 59.
55 Ebd., S. 101–135.

»wie eine fremde Haut«[56], hat den Zusammenhang zwischen Melancholie und Allegorie erhellt. Böll aber verlieh seinem Clown eine Sprachhaut, die knapp sitzt und symbolisch-transparent schimmert.

Freilich sollte man sich hüten, Heinrich Böll »in Sachen« Liebe, Religion und Sexualität weltanschaulicher Naivität zu zeihen. Böll ist sich durchaus der ästhetischen Problematik bewußt, die aus seiner emphatischen Insistenz auf dem Menschlichen unter den gegebenen Verhältnissen erwachsen muß. So läßt er den Clown in Bezug auf dessen künstlerische Arbeit formulieren:

> [. . .] ich war es leid, zu karikieren, und kam doch über eine bestimmte Grenze nicht hinaus. [. . .] Es war mir noch nie gelungen, das Menschliche darzustellen, ohne furchtbaren Kitsch zu produzieren. (102)

In dieser Äußerung reflektieren sich deutlich auch Schreibprobleme von Heinrich Böll, der am Beginn der sechziger Jahre die satirische Schreibweise überwinden will, auf die er sich festgelegt sieht.[57] Aber natürlich gilt auch für dieses Zitat Bölls Äußerung: Es war und ist der »dümmste Fehler, [. . .] Autor und Held *total* zu identifizieren«[58].

Wie wenig naiv, wie ästhetisch reflektiert die Optik der *Ansichten eines Clowns* entwickelt wurde, erschließt sich der Forschung erst allmählich durch die Analyse der unmittelbaren Vorarbeiten zum Roman. Böll selbst hat schon 1970 aus Anlaß der Uraufführung der Bühnenfassung des Romans[59] und erneut 1971 darauf hingewiesen, daß die Einstellung der

---

56 Julia Kristeva, *Le soleil noir. Dépression et Mélancolie*, Paris 1987, S. 64.

57 Vgl. dazu Balzer (Anm. 34) S. 66 ff. und Götze (Anm. 56) S. 67 ff.

58 Böll (Anm. 16) S. 411.

59 Das Stück wurde unter dem Titel »Der Clown« am 23. Januar 1970 in Düsseldorf uraufgeführt. Böll wies im Programmheft des Düsseldorfer Schauspielhauses auf die Bedeutung des Labyrinth-Mythos für den Roman hin. Vgl. H. B., »Entfernung von der Prosa«, wiederabgedr. in: *Essayistische Schriften und Reden 2* (Anm. 19) S. 450.

Zeitschrift *Labyrinth*, zu deren Herausgebern er zählte, zur
Vorgeschichte seines Romans gehört. Seine damalige »Erklärung zur Einstellung der Zeitschrift *Labyrinth*«[60] enthalte
den »Plot für den Roman. Es ist eigentlich die Geschichte
von Theseus und Ariadne: Theseus im Labyrinth, Ariadne
schneidet den Faden ab und da sitzt er da. Und das Labyrinth, und das kann ich in dem Fall wirklich sagen [. . .] ist der
politische deutsche Katholizismus.«[61] Daß dieser Zusammenhang von der Kritik zunächst nicht gesehen wurde, kann
ihr wohl kaum angelastet werden, denn strukturell sind die
Gemeinsamkeiten zwischen dem Theseus-Mythos und dem
Clown-Roman doch wenig ausgeprägt. Schließlich ist es
Theseus, der wegen der Götter die Königstochter Ariadne
verläßt, und als Königstochter wurde zudem Marie nun
gewiß nicht angelegt. Freilich hat Böll im Vorlauf zu *Ansichten eines Clowns* auch mit einer Konstellation experimentiert, in der die Frau zur Verräterin an ihrer noblen Her-
kunftsklasse wird, sich in einen Studenten aus einer Arbeiter-
familie verliebt und diesem bei der Rache an seinem Professor hilft. Diese Anordnung wurde als die Erzählung *Keine
Träne um Schmeck* (1962)[62] durchgespielt.
Schließlich sind da die unveröffentlichten Vorarbeiten unter
dem Titel »Augenblicke«, die wohl im wesentlichen mit der
gleichen Fabel arbeiten, aber als Erzählung aus der Perspektive von Marie konzipiert sind, während der Clown in die
DDR gegangen ist. Dorothee Römhild, die Einsicht in die
»Augenblicke« nehmen konnte, beschreibt als Haupteffekt
des Perspektivwechsels die Überführung der »intuitiv-emo-
tionalen Gesellschaftskritik Maries« in die »reflektierende
Gesellschaftsanalyse des subversiven Künstlers«.[63] Es ist zu

---

60 Zuerst veröffentlicht in der Zeitschrift *Labyrinth* vom Juni 1962, wie-
    derabgedr. in: *Essayistische Schriften und Reden 1* (Anm. 19) S. 483.
61 Heinrich Böll, »Im Gespräch mit Heinz Ludwig Arnold« (20. Juli
    1971), in: *Interviews 1* (Anm. 27) S. 159.
62 In: *Werke* (Anm. 19), *Romane und Erzählungen 4*, [1977], S. 46–67.
63 Römhild (Anm. 32) S. 90.

vermuten, daß es eben dieser Perspektivwechsel war, der dem Text um den Preis narrativer Monophonie die Eindeutigkeit, Streitbarkeit und Radikalität verliehen hat, der ihn für ein ganzes Land zum Anstoß machte.

Literaturhinweise

Ausgaben

Heinrich Böll: Ansichten eines Clowns. Roman. Köln/Berlin: Kie-
penheuer & Witsch, 1963.
– Ansichten eines Clowns. Roman. München: Deutscher Taschen-
buch Verlag, 1967. (dtv 400.)
– Werke. Romane und Erzählungen. Hrsg. von Bernd Balzer. 5 Bde.
Bornheim-Merten / Köln: Lamuv-Verlag / Kiepenheuer & Witsch,
[1977]. [Erg.] Neuaufl. 4 Bde. [1947–85.] 1987. [*Ansichten eines
Clowns* in: Bd. 3, S. 77–311.]
– Werke. Essayistische Schriften und Reden. Hrsg. von Bernd Balzer.
3 Bde. Köln: Kiepenheuer & Witsch, [1978].
– Ansichten eines Clowns. Roman. Mit Materialien und einem
Nachwort des Autors. Köln: Kiepenheuer & Witsch, 1985. (KiWi
86.)

Forschungsliteratur

Dell'Agli, Anna Maria (Hrsg.): Interpretationen: Zu Heinrich Böll.
Stuttgart 1984.
Balzer, Bernd: Heinrich Böll: *Ansichten eines Clowns* (1988). Frank-
furt a. M. ²1992.
Bernáth, Arpád: Auftritt um halbzehn? Über den Roman *Ansichten
eines Clowns* von Heinrich Böll. In: The University of Dayton
Review 17 (1985) H. 2. S. 129–143.
Bernhard, Hans Joachim: Die Romane Heinrich Bölls. Gesellschafts-
kritik und Gemeinschaftsutopie. Berlin ²1973.
Blamberger, Günter: Versuch über den deutschen Gegenwartsroman.
Stuttgart 1985.
Heinrich Böll. Text und Kritik. Zeitschrift für Literatur. Hrsg. von
Heinz Ludwig Arnold. H. 33. München ³1982.
Götze, Karl Heinz: Heinrich Böll: *Ansichten eines Clowns*. München
²1990.
Jurgensen, Manfred (Hrsg.): Böll – Untersuchungen zum Werk.
Bern/München 1975.
Lengning, Werner: Der Schriftsteller Heinrich Böll. Ein biogra-
phisch-bibliographischer Abriß. München ⁵1977.

Meid, Marianne: Erläuterungen und Dokumente: Heinrich Böll, *Ansichten eines Clowns*. Stuttgart 1993.

Nägele, Rainer: Heinrich Böll. Einführung in das Werk und in die Forschung. Frankfurt a. M. 1976.

Reich-Ranicki, Marcel (Hrsg.): In Sachen Böll. Ansichten und Einsichten (1968). München [8]1985.

Römhild, Dorothee: Die Ehre der Frau ist unantastbar. Das Bild der Frau im Werk Heinrich Bölls. Pfaffenweiler 1991.

Vogt, Jochen: Heinrich Böll (1978). München [2]1987.

Siegfried Lenz: *Deutschstunde*

Die Kunst des Erinnerns

Von Winfried Freund

> »Es genügt nicht, sich zu äußern,
> man muß es für die andern tun.«
>
> Siegfried Lenz (1968)

Neben Max Frisch, Heinrich Böll, Alfred Andersch, Günter Grass und Martin Walser gehört Siegfried Lenz zu den herausragenden deutschen Erzählern nach 1945. Was ihn vor den Genannten auszeichnet, ist ein deutlicher akzentuiertes ethisches Engagement, sein unmißverständliches Bekenntnis zur pädagogischen Intention des Schreibens, zum Gebrauchswert von Literatur.

»Der Schriftsteller«, mutmaßt Lenz über die literarische Wirkung, »bringt auf Distanz, was sich in der Nähe nicht erschließen will. [...] Auf Umwegen schafft er Klarheit über unsere Erfahrungen, drückt aus, was zum Verständnis nötig ist. Nicht verändern ist sein Metier, sondern durch Darstellung ans Licht bringen.«[1] »Literatur hebt auf und bewahrt, und zwar Hoffnungen ebenso wie Leiden, unsere Sehnsucht nicht weniger als unsere Enttäuschungen.«[2] Literatur verändert die Welt nicht, wohl aber »unser Verhältnis zur Welt, die Art, wie wir sie sehen, die Urteile, die wir über sie fällen, die Erlebnisbereitschaft, die wir für sie aufbringen«.[3]

Gerade weil Literatur empfindlicher macht für die Übergriffe der Macht, fürchten die Mächtigen sie, weil sie den Ein-

---

1 Siegfried Lenz, »Mutmaßungen über die Wirkung von Literatur« (1981), in: S. L., *Elfenbeinturm und Barrikade. Erfahrungen am Schreibtisch*, München 1986, S. 41 f.
2 Ebd., S. 42.
3 Ebd., S. 41.

fluß individueller Empfindlichkeit zu stärken sucht, versuchen die Einflußreichen, sie an den Rand zu drängen, Literatur muß unfriedlich sein, führt Lenz in seiner Rede anläßlich der Verleihung des Friedenspreises des Deutschen Buchhandels 1988 aus, weil sie »uns auch daran erinnert, daß Vergangenheit nicht aufhört und daß diese, die uns Wesen und Rolle des Menschen zugleich zeigt, uns in der Gegenwart überprüft«.[4] Medium ist und bleibt für Lenz die fiktive Person, die, indem sie uns ihre Geschichten erzählt, unseren Konflikten schärfere Kontur gibt. Literatur hat für Lenz die Bedeutung des ethischen Gewissens in einer zur Humanität verpflichteten Gesellschaft.

In dem 1968 erschienenen Roman *Deutschstunde*, einem der größten belletristischen Bucherfolge nach 1945, durch die Fernsehverfilmung (1972) einem Millionenpublikum bekannt geworden, haben die ethische Intention und die erzählerische Gestalt neben dem zehn Jahre späteren *Heimatmuseum* (1978) ihren bisher gültigsten Ausdruck im Romanschaffen von Siegfried Lenz gefunden.

Literaturkritik und Literaturwissenschaft haben auf das erzählerische Werk wohlwollend, aber verhalten reagiert. Allgemein anerkannt werden das aufrichtige moralische Engagement und das handwerkliche Können, während man dem Erzählen von Lenz einen künstlerischen Rang, wenn überhaupt, nur am Rande zugesteht. Gilt er dem einen als anspruchsvoller Unterhaltungsschriftsteller, so stört den andern der allzu deutlich erhobene Zeigefinger, und einem dritten schließlich erscheint er als etwas redseliger Nachtreter Ernest Hemingways, zu dessen Vorbild sich Lenz ausdrücklich bekennt. Humoristisches und pädagogisches Profil widerspricht weiterhin den kanonischen Idealen des Tiefernsten und zwecklos Schönen. Solides Handwerk und ingeniöse Originalität scheinen nicht zusammenzugehen.

Für Klaus Günther Just, der die herausragende künstlerische

---

4 *Friedenspreis des Deutschen Buchhandels 1988*, Siegfried Lenz. Ansprachen aus Anlaß der Verleihung, Frankfurt a. M. 1988, S. 38.

Qualität des Werks früh erkannte, ist Lenz der »Erzähler
schlechthin«. »Wie ein Komponist verarbeitet er sein thema-
tisches Material; wie ein bildender Künstler setzt er die Realität in Bilder – Abbilder, Spiegelbilder, Vexierbilder – um
[...].«[5] Der unbestechliche Realist Lenz, so heißt es weiter,
habe sich in seiner Rolle als Zeuge und Deuter seiner Epoche
bewährt. Just hat in der hohen künstlerischen Einschätzung
des Erzählers Lenz keine Nachfolge gefunden. Eingebürgert
haben sich inzwischen die Klischees vom gemäßigten Tra-
ditionalisten, vom Gestalter von Zeitgeschichte im Medium von Zeitromanen, von moralischen Lehrstücken und
moralischen Kunstfiguren.[6] In der bisher wohl gründlich-
sten Gesamtdarstellung faßt Hans Wagener das literarische
Selbstverständnis von Lenz in elf Punkten zusammen.
Schreiben als Protest und Stellungnahme, der Schriftsteller
als Mitwisser, Literatur als Instrument der moralischen Ordnung der Menschen, all das sind zweifellos zutreffende Cha-
rakterisierungen, sie sagen jedoch nichts aus über die Erzählkunst selbst. Allenfalls im Hinweis auf das traditionelle
Geschichtenerzählen, auf die Bewahrung der Fabel und des
anekdotischen Kerns klingt Gestalterisches an, wenn auch,
wie üblich, mit dem Etikett des Herkömmlichen versehen.[7]
Lenz selbst hat in seinen Ansichten und Bekenntnissen zur
Literatur im allgemeinen und zum eigenen Werk im besonderen solche vornehmlich am Thematischen und Intentiona-
len orientierte Urteile nahegelegt. Eine Haltung, die auch bei
anderen Autoren anzutreffen ist, die bereitwillig über ihre
Botschaften sprechen, jedoch nur ungern Einblicke in ihre
künstlerische Werkstatt gewähren.
Hier setzt die eigentliche Aufgabe des Interpreten an, der die

5 Klaus Günther Just, »Nachwort«, in: Siegfried Lenz, *Die frühen
 Romane*, Hamburg 1976, S. 769.
6 Vgl. im einzelnen: Colin Russ (Hrsg.), *Der Schriftsteller Siegfried Lenz.
 Urteile und Standpunkte*, Hamburg 1973, und Hans Wagener, *Siegfried
 Lenz* (Autorenbücher, Bd. 2), 4., erw. Aufl., München 1985, S. 156 ff.
7 Wagener (Anm. 6) S. 155 f.

Aussage niemals von ihrer Darbietungsweise isolieren darf,
eine Aufgabe, die sich angesichts der Fülle allgemeinmensch-
licher, politischer und weltanschaulicher Ausführungen über
den Erzähler Lenz um so schwieriger gestaltet. Lenz selbst,
der »durch Darstellung ans Licht bringen« möchte, gilt es
beim Wort zu nehmen. Nur auf diesem Wege, durch Einsichten in die spezifische Darstellungsweise, ist eine gerechte
Einschätzung des Erzählers möglich. Der Roman *Deutschstunde*, mit dem Siegfried Lenz, wie Just urteilt, »zu weltlite-
rarischem Rang aufrückte«,[8] ist zu einer exemplarischen
Interpretation nicht zuletzt aufgrund seines großen Publi-
kumserfolgs geeignet, weil es hier dem Autor eben durch
seine eigentümliche Kunst bisher am eindringlichsten gelungen ist, sich einer breiten Leserschaft verständlich zu machen.

Die Erzählsituation

Den Anstoß zum Erzählen bildet eine Strafarbeit mit dem
aufreizenden Thema »Die Freuden der Pflicht«. Sie löst in
dem Ich-Erzähler Siggi Jepsen, einem manischen Bilderdieb
und Insassen einer Hamburger Anstalt für schwererziehbare
Jugendliche, einen Erinnerungsprozeß aus, der den inzwischen fast Einundzwanzigjährigen in das Jahr 1943, in das
Alter von zehn Jahren zurückversetzt.
Die Spannung zwischen erlebendem und schreibendem Ich
bedingt auf der einen Seite eine mehr reflektierende Einstellung zum Vergangenen aus der Distanz der größeren inzwischen erlangten geistigen Reife, zum andern setzt sie die
Gegenwart einer Kontrolle durch das Geschehene aus, so wie
es die Erinnerung zutage fördert. Erst das wechselseitige
Durchdringen beider Zeitebenen, das Ineinander von ver-
gegenwärtigter Geschichte und geschichtlich gewordener
Gegenwart sind imstande, eine reflektierte und human kon-

8 Just (Anm. 5) S. 764.

trollierte Zukunft zu bauen, die allerdings selbst ausgespart bleibt. Die Erinnerungsarbeit ist ein schöpferischer Prozeß, der das Vergangene nachschafft mit dem Ziel, die Gegenwart zu verstehen und sich in ihr zurechtzufinden. Nur der begreift, wer sich von der eigenen Vergangenheit ergreifen läßt; nur wer etwas verliert, sieht sich aufgefordert, das Verlorene erinnernd zurückzurufen.

Die Erzählfiktion gewinnt Gestalt als Entwurf einer persönlichen Geschichte aus dem Blickwinkel der Gegenwart. Rückblickend schaut der Erzähler vorwärts. Aus den Fragen an das Gestern entwickeln sich die Antworten für das Morgen. Sittlich verpflichtende Geschichte ist nicht das, was in den Geschichtsbüchern steht, sondern vielmehr das Ergebnis produktiver Erinnerung, die nicht das Geschehene objektiv dokumentiert, sondern es als mahnendes Vermächtnis und Kontrolle künftigen Handelns subjektiv durchdringt. Der Erzähler bietet Geschichten statt Geschichte, weil es nicht darum geht, gelebtes Leben zu konservieren, sondern das Weiterleben durch erzählende Bewältigung des Vergangenen lebenswert zu machen. In der Spannung zwischen dem erlebenden und dem schreibenden Ich spiegelt sich die zukunftsorientierte Dialektik von Handeln und Verstehen. Verstehen der Vergangenheit ist die Bedingung für verständiges Handeln in der Zukunft.

Solcher Erzählintention entspricht vor allem die polare Behandlung von Zeit und Ort. Der ausgedehnten Erzählzeit wie der erzählten Zeit steht ein begrenzter Erzählort gegenüber, extrem eingeengt durch die Situation auf der Insel, auf der sich die Anstalt befindet, und durch die eigentliche Schreibsituation in einem meist abgeschlossenen Zimmer. Raumwechsel findet nur statt in der Erzählvergangenheit, während die Erzählgegenwart auf kleinsten Raum beschränkt bleibt. An die Stelle real vollzogener Ortswechsel in der Vergangenheit tritt in der Gegenwart indes eine erhöhte gedankliche Mobilität. In der insularen Schreibsituation kommt das Handeln vorübergehend zum Stillstand. Aktiver

Lebensvollzug weicht der mehr kontemplativen Besinnung. Die Zeit scheint gleichsam angehalten, die Weite der Landschaft zurückgenommen, um, unbedrängt von Handlungszwängen, in die Tiefe gehen zu können, den Antrieben des eigenen Handelns auf die Spur zu kommen. Erzählen bedeutet befristete Isolation von der Welt pausenlosen Geschehens, Rückzug in die Klause des Eremiten, der inmitten unaufhörlich vorwärtsdrängender Zeit seinen Standort, sein Bedürfnis nach Sinnreflexion behauptet. Stets gegenwärtig bleibt jedoch das reale Verfließen der Zeit. Aus dem Fenster des Zimmers, in dem der Erzähler seine Erinnerungen niederschreibt, fällt sein Blick auf die unaufhaltsam vorüberströmende Elbe. Die Erzählsituation ist Spiegel der geistigsittlichen Existenz des Menschen im Strom der Geschichte, der ihn nur dann nicht mitfortzureißen droht, wenn er es versteht, einzuhalten, sich vorübergehend gleichsam aus der Zeit herauszunehmen, um sein Leben nach der Phase der Besinnung sinnvoller fortzusetzen.

Fast alle Romane von Siegfried Lenz nehmen ihren Ausgang von sinnbildlichen Situationen, hierin zweifellos der Kurzgeschichte verwandt. Sie konturieren den einzelnen in einer problematischen, krisenhaft zugespitzten Lage, aus der er sich nur selbst zu befreien vermag, sofern er zur persönlichen Aufarbeitung dessen bereit ist, was ihn in diese Lage gebracht hat. Indem er diese Chance entschlossen wahrnimmt, wird er zum modernen Romanhelden, der sich im Durchdringen des Verworrenen trotz persönlicher Niederlagen aus den Verwirrungen des Vergangenen löst und zur sittlichen Persönlichkeit zu reifen beginnt. Der Ort, an dem dies geschieht, die Anstalt für schwererziehbare Jugendliche, ist ein exemplarischer Ort im Sinne ihrer Bestimmung, in ihr wird Siggi Jepsen, von einer schlimmen Geschichte in die Rolle des psychisch Kranken gedrängt, fähig zur Selbstaufklärung, allerdings nicht durch die dort praktizierten Methoden, sondern durch die persönliche Auseinandersetzung mit der Vergangenheit.

Wie die Anstalt allgemein, so ist auch der Deutschunterricht
dort im besonderen immer nur dann erfolgreich, wenn der
einzelne bereit ist, die Arbeit der Selbsterforschung auf sich
zu nehmen und sein Verhältnis zu dem, was geschehen ist,
subjektiv zu bestimmen. Zu einer exemplarischen Deutschstunde wird der Roman erst durch die Aufarbeitung eines
Stücks verhängnisvoller deutscher Geschichte aus der Perspektive des Subjekts, das sich schreibend der eigenen Ver-
strickungen bewußt wird und zur befreienden Selbsterkenntnis aufbricht.

Mit der Perspektive des Ich-Erzählers scheint die Perspektive des Psychologen Wolfgang Mackenroth zu konkurrie-
ren. Mackenroths Diplomarbeit »Kunst und Kriminalität«
entwirft ein Krankenbild Siggi Jepsens. Wissenschaftlich
objektive Faktendarstellung und begriffliche Benennung verfehlen jedoch das Entscheidende: das subjektive Erleben von
Geschichte und das Gefühl persönlichen Betroffenseins.
Hinter dem Fall Siggi Jepsen verschwindet das individuelle
Schicksal des Namensträgers. Die wissenschaftliche Fallbe-
schreibung macht aus dem einzelnen eine bloße »Demon-
strationsperson«. Die Sache triumphiert über den Menschen,
der Begriff über den Einzelfall, den die Wissenschaft begreifbar machen möchte und der sich ihr in dem Maße entzieht,
wie sie ihn verallgemeinert. Mackenroths Perspektive ist
weniger ein Konkurrenzmodell als Kontrastfolie, von der
sich die Perspektive des Ich-Erzählers, negativ verstärkt,
abhebt.

Die objektive Abstraktion der Wissenschaft erweist sich als
belanglos, wo es um das Schicksal des konkreten Subjekts
geht. Nicht sie hält Möglichkeiten der Orientierung bereit, sondern der Entwurf individueller Geschichtsbilder,
die anschaulich machen, was der vorfabrizierte Begriff der
Anschauung und damit dem Begreifen entzieht. Fast in die
Nähe der Karikatur geraten die Reaktionen der Psychologen auf Siggis Verhalten, wenn sie Begriffshülsen wie »War-
tenburgischer Wahrnehmungsdefekt«, »Winkeltäuschung«,

»kognitive Hemmung« (14)[9] u. a. m. über den einzelnen stülpen, selbstgenügsame Formeln im wissenschaftlichen Leerlauf, von denen der einzelne als beliebiger Anwendungsfall unberührt bleibt.

Im Mittelpunkt der Erzählsituation steht allein der Ich-Erzähler, in dem die Linien der persönlich erfahrenen Geschichte zusammenlaufen und im Brennpunkt individuellen Bewußtseins erkennbar werden.

Die Struktur des Romans

Die Situation in der Anstalt bildet den Erzählrahmen, auf den im Laufe des Erinnerungsprozesses wiederholt zurückgeblendet wird. Von ihr nimmt die analytisch dargebotene Romanhandlung ihren Ausgang, die schließlich, weitgehend linear aufgebaut, zum Anfang zurückkehrt. Vordergründig betrachtet, handelt es sich um eine Kreisbewegung, gespannt zwischen den Polen des sich erinnernden Ichs und dem Ich, das, aus der Erinnerung entlassen, vor einem neuen Aufbruch steht.

Der Situation in der Anstalt kommt dabei die Bedeutung eines Integrationspunkts zu, der die einzelnen Zeitstufen umfaßt. Von der Vergangenheit über die Gegenwart bis zur Zukunft nimmt die Handlungsintensität deutlich ab. Während das eigentliche Handeln der Vergangenheit angehört, steht die Gegenwart ganz im Zeichen der Reflexion über das, was geschehen ist. Die Zukunft wird lediglich als neues Handlungsfeld angedeutet, ohne daß mögliche Handlungskonzepte zu ihrer Bewältigung reflektiert werden. In der spezifischen Zeitstruktur spiegelt sich exemplarisch die Orientierungsproblematik nach 1945, die bei Lenz auch künstlerisch gültige Gestalt gewinnt. Die Gegenwart der

9 Der Roman wird hier und im folgenden mit Seitenzahlen in Klammern zitiert nach der Ausgabe: Siegfried Lenz, *Deutschstunde. Roman*, München 1973 [u. ö.] (dtv 944).

fünfziger Jahre, bedrängt von den katastrophalen Erfahrungen jüngster Geschichte, sieht sich tief verunsichert, außerstande, künftige Lebenskonzepte aus sich zu entwickeln. Das, was gewesen ist, dringt beunruhigend in das Bewußtsein des einzelnen ein, fordert zu Auseinandersetzungen heraus und begründet eine rückwärts gewandte analytische Erzählhaltung. Geschichtliche Erfahrung und epische Struktur greifen ineinander.

Vor dem von der Vergangenheit Gestellten zeichnet sich ein Weg in die Zukunft nur über die erinnernde Vergewisserung seines gegenwärtigen Standorts ab. Im tieferen Sinn spiegelt sich im Erzählrahmen das in der Selbstaufklärung fortschreitende Bewußtsein des Ich-Erzählers, der am Ende mehr über sich selbst und sein Verhältnis zur jüngsten Geschichte weiß als beim Einsatz seiner Erinnerungen. Insofern beginnt sich zum Schluß, bezogen auf das erzählende Ich, der Kreis zur Spirale zu öffnen, so daß das Ich auf eine Begegnung mit der Zukunft besser vorbereitet ist.

Der einzelne nimmt das Risiko seiner Existenz auf sich auch ohne fertige Lebenskonzepte. Dies ist der eigentliche Sinn des offenen Romanschlusses und das Ergebnis des allmählichen Reifeprozesses. Anders als im herkömmlichen Bildungs- und Entwicklungsroman ist das Ich von tiefer Skepsis traditionellen Wertgebungen gegenüber erfüllt. An die Stelle der gebildeten Persönlichkeit tritt das skeptische Subjekt, das normativen Leitwerten und ihren Verfechtern mißtraut, das aber gerade dadurch offen wird für vorurteilsfreies praktisches Handeln. In diesem Sinne ist die *Deutschstunde* ein moderner Bildungs- und Entwicklungsroman, der jedoch weniger auf der geschichtlich-gesellschaftlichen Ebene als vielmehr auf der Ebene des widerspiegelnden und verarbeitenden Einzelbewußtseins spielt. Die Geschichte hat den einzelnen an sich selbst zurückverwiesen. Nur von ihm, von seiner Bereitschaft zu kritischer Wachsamkeit, kann eine humane Zukunft ihren Ausgang nehmen.

Zugleich ist die *Deutschstunde* aber auch ein Zeitroman, der

einen repräsentativen, subjektiv vermittelten Querschnitt
gibt durch eine Geschichtsphase heilloser ideologischer Verstrickung. Vor allem in der erinnerten Binnenhandlung
nähert sich Lenz Zeitromanen im Stil Bölls, Walsers u. a. Das
besondere Gepräge erhält sein Erzählen durch das Verknüpfen synchroner Zeitdarstellung mit der parallel dazu im Rahmen verlaufenden diachronen Entwicklung des Ich-Bewußt-
seins. Die kritischen Geschichtsbefunde erhalten ihren Wert
erst in Bezug auf das Subjekt, das sich erinnernd zu verstehen
beginnt. In der Akzentuierung individueller Entwicklung
wird der Mensch wieder eingesetzt als Ausgang und Ziel
der Geschichte, die seiner reflektierenden Mitgestaltung be-
darf.

Lenz ist kein Satiriker, der im Besitz gültiger ethischer Normen das Abweichende und Verkehrte verurteilt, fern liegt
ihm die Arroganz destruktiver Kritik. Sein Ich-Erzähler
bezieht sich selbst in die kritische Zeitdarstellung mit ein, er
ist verstricktes Opfer und distanzierter Zeuge in einer Person. Erst, indem er sich den kritischen Zuständen selbst aus-
setzt, wird er fähig, sie zu verstehen und Klarheit über sich
selbst zu gewinnen.

In der Struktur des Romans spiegelt sich der verhaltene
Optimismus des humanen Realisten, der den Menschen wieder eine Chance gibt, wenn sie aufhören, an Ideale und Ideologien, Parteien und Programme zu glauben, wenn sie den
Pedanten der Pflicht ebenso mißtrauen wie den notorischen
Besserwissern und Begriffsklaubern und offen werden für
die Mitgestaltung einer Welt, in der alle in Freiheit und Frieden leben können. Eine solche Offenheit fordert nie er-
müdende Wachsamkeit und den Widerstand jedes einzelnen gegen die Mächtigen. Der pädagogische Romantitel ist
durchaus ernst gemeint. Die *Deutschstunde*, und darin mag
ihr Erfolg begründet sein, gehört zu den wenigen deutschen
Romanen der Gegenwart, die eine positive Antwort nicht
nur nicht ausschließen, sondern geradezu die Hoffnung auf
eine Chance für den Menschen im Medium einer Struktur

nahelegen, die Zeit- und Entwicklungsroman, geschichtliche Auseinandersetzung und persönlichen Lernprozeß miteinander verknüpft.

Rugbüll

Rugbüll, der beherrschende Schauplatz des erinnerten Geschehens, ist Provinz schlechthin. Er ist Brutstätte und Lebensraum bornierter Heimattümelei wie des zutiefst provinziellen Nationalsozialismus. Lenz entwirft bewußt kein weitgespanntes Zeitbild, sondern sucht den Faschismus im Alltag auf, dort, wo er seine Wurzeln hat und ins Kraut schießt. In bedrängender Anschaulichkeit, trotz zum Teil erfundener Ortsnamen leicht identifizierbar, gewinnt die Region im Norden Deutschlands Gestalt mit ihren Stränden, Deichen, Marschen und Warften, eine karge, wenig strukturierte Landschaft, eine Randlage im Abseits von Gesellschaft und Geschichte. Nordfriesland im äußersten Norden dient dem Erzähler als Modell für akut verengtes Leben. Erst die milieugerechte Einbettung gibt der ideologischen Borniertheit die Konturen, die das Übel in seiner bedrückenden Realität erkennbar machen. Nicht um die Diskriminierung einer Landschaft und ihrer Bewohner geht es, sondern um die epische Inszenierung einer authentischen Verengung in einer Region, die in ihrer kargen Monotonie und desolaten Abgeschiedenheit provinzielle Beschränktheit sinnfällig macht. Rugbüll ist der Dienst- und Wohnort des Polizeipostens Jepsen, des Vaters des Ich-Erzählers. Jepsen ist der uniformierte Staatsbürger, pflichtbewußt, gehorsam bis zur Selbstaufgabe, loyal bis zur Menschenverachtung. Befehl ist für ihn Befehl. »Ich tu nur meine Pflicht« (68), ist der Leitsatz seines Handelns.

> [...] ich frage nich, was einer gewinnt dabei, wenn einer seine Pflicht tut, ob es einem nützt oder so. Wo kämen wir

hin, wenn wir uns bei allem fragten: und was kommt danach? Seine Pflicht, die kann man doch nich nach Laune tun [...]. (260)

Der Polizeiposten, auffällig verdeckt die Amtsperson den wirklichen Menschen, der im Grunde kein charakteristisches Profil gewinnt, ist der freudlose Funktionär preußischer Pflichtauffassung. Immer wieder als staatsbürgerliche Tugend beschworen, besonders verhängnisvoll von Hindenburg an dem berüchtigten Tag von Potsdam, muß sie notwendig pervertieren, wenn die Obrigkeit verbrecherische, menschenverachtende Ziele verfolgt. Über Generationen eingeschliffen, ist das preußische Vermächtnis, aufopferungsvoll seine Pflicht zu tun, zum Kadavergehorsam verkommen, der den unaufhaltsamen Aufstieg des deutschen Faschismus erst ermöglichte. »Die Hände meines Vaters«, heißt es vielsagend, »hingen schlaff und bereit an der Hosennaht, zwei gehorsame Wesen [...].« (68)

Der Nationalsozialismus ist nicht nur das Ergebnis einer wachsenden Kriminalisierung der Politik, sondern vor allem auch der hausgemachten Unfähigkeit des deutschen Staatsbürgers zur Demokratie. Der faschistische konnte nahezu nahtlos an den preußischen Chauvinismus anschließen und sich dabei auf die Obrigkeitshörigkeit seiner Untertanen verlassen. Für den Polizeiposten ist das von Berlin verhängte Malverbot unumstößliches Gesetz, dessen Einhaltung er, ungeachtet persönlicher Beziehungen, zu überwachen hat. Ein eigenes Urteil ist im Dienstreglement nicht vorgesehen. »In der Verfügung steht«, sagt er, unbehindert durch eigenes Denken, über den Maler, »daß er dem Volkstum entfremdet is, [...] demgemäß is er staatsgefährdend und unerwünscht, einfach entartet [...].« (95) Die eingebleute Pflichtausübung, vorgetragen in einem dümmlichen Amtsdeutsch, überdauert als Zwangshandlung noch den Zusammenbruch des Faschismus. Auch nach 1945 fährt der Polizeiposten fort, den »entarteten« Bildern nachzustellen.

Der Polizeiposten Jepsen ist der Typus des deutschen Kleinbürgers mit dem starken Bedürfnis, seine Leitbilder in einer
Sphäre zu suchen, die seine eigene enge Welt weit übersteigt.
Der Kaiser wie der Führer treten für ihn an die Stelle eines
autonomen Über-Ichs, das er selbst aufgrund seiner Leitbild-
orientierung nicht hat. »Wenn«, so schreibt der Ethnopsy-
choanalytiker Paul Parin, »diese äußere Instanz eine intransi-
gente, unversöhnliche Haltung, eine Ablehnung irgendwel-
cher Feinde verlangt, dann haben wir die Intoleranz, die
Hexenjagd.«[10]

Lenz entwirft nicht nur ein kritisches Zeitbild, er deckt darüber hinaus, indem er das Pandämonium des Kleinbürgers
vermißt, die Wurzeln des Nationalsozialismus auf, der nur
auf der Basis einer sklavisch ergebenen Führergefolgschaft
gedeihen konnte. In der Familie wird das als negativ angesehen, was als negativ von oben verordnet ist. Das Fremde wie
das Kranke widersprechen gleichermaßen dem auserwählten
gesunden deutschen Volkstum, dem anzugehören sich der
Kleinbürger schmeicheln darf. Völlig einig weiß sich das
Ehepaar Jepsen gegen alles Fremdländische und Zigeuner-
hafte, im Haß gegen das, was der Führer als unwertes Leben
verworfen hat. Als Eltern vertreten sie ihren Kindern gegenüber die Obrigkeit. Das Elternhaus verkommt zum Strafge-
richtshof, der prügelnde Vater zum Vollstrecker, die Erziehung zur Terrorjustiz. Fragen, Zweifel und Begründungen
des eigenen Handelns sind ausgeschlossen in einer Gesellschaft der Geführten und Verführten.

Wie das Lager erst das Verbrechen Wallensteins offenbart, so
spiegelt sich in Rugbüll die verbrecherische Macht der Nazis.
Der Polizeiposten, mehr Opfer als Täter, macht auch die
eigenen Kinder zu Opfern der allgemeinen Menschenverachtung. Während er seinen ältesten Sohn Klaas pflichtgemäß
der Gestapo übergibt, nachdem dieser versucht hatte, durch
Selbstverstümmelung dem Wehrdienst zu entgehen und

10 Paul Parin, »Kleinbürger ohne Selbstbewußtsein«, in: *Psychologie
heute* 5 (1978) H. 10, S. 16 f.

unterzutauchen, treibt er Siggi, den er als Spitzel und Handlanger mißbraucht, in die zwangsneurotische Vorstellung, die gefährdeten Bilder in Sicherheit bringen zu müssen, indem er sie entwendet und versteckt. Wie die Pflichtbesessenheit dauert auch die Zwangsneurose als ihre makabre Folge über 1945 hinaus an und läßt Siggi zum Bilderdieb werden.

Insbesondere das Thema des Aufsatzes »Die Freuden der Pflicht« zeigt, wie man die Ambivalenz des Pflichtbegriffs weiterhin ignoriert und so tut, als gäbe es die Leiden und die Opfer gar nicht. In der kurzen Erzählung des Anstaltswärters Joswig steht ein Ruderer im Mittelpunkt, der bestochen wird, durch einen vorgetäuschten Schwächeanfall seine Mannschaft um den erwarteten Sieg zu bringen und der dann wirklich einen Schwächeanfall erleidet, nachdem er alles daran gesetzt hat, mit seiner Mannschaft zu siegen. »Das sind die Freuden der Pflicht«, kommentiert Siggi, »etwas anderes sind ihre Opfer; von ihnen redet man nicht.« (316) Von der Pflicht, die man in solidarischer Verantwortung seinen Mitmenschen gegenüber erfüllt, ist der abstrakte Pflichtzwang des Polizeipostens denkbar weit entfernt. Seine Auffassung der Pflicht, die er um ihrer selbst willen ausübt, zerstört die menschlichen Beziehungen und läßt alle, den Pflichttäter eingeschlossen, zu Opfern verkümmern.

Zutiefst gestört ist in einer solch verklemmten und lieblosen Welt das Verhältnis zum Spontanen, Sinnenhaften und Körperlichen, zur impulsiven naturverbundenen Lebensfreude. Die Tochter Hilke, die dem Maler für sein Bild »Die Wellenreiterin« freizügig Modell gestanden und dabei ein ungeahntes, ihr bisher verschlossenes Lebensgefühl empfunden hat, wird im Elternhaus schlimmsten Verdächtigungen ausgesetzt und als zigeunerhaft beschimpft. Die abstrakte Pflicht ist ebenso unmenschlich wie widernatürlich. Sie entfremdet den mechanischen Pflichterfüller von allen ursprünglichen, glückstiftenden Beziehungen.

In der Schule nicht anders als in der Familie wird der Heranwachsende in Rugbüll fortwährend korrigiert, gedemütigt und verbogen. »Tetjus Prugel schlug schneller zu als andere Lehrer [. . .].« (261) Noch als die Flugzeuge der Alliierten das Schulgebäude überfliegen, doziert er unbelehrbar Nazi-Ideologie: »Die Schwachen gehen unter im Kampf, die Starken bleiben übrig. [. . .] alles Starke lebt vom Schwachen. [. . .] wenn der Kampf beginnt, bleibt der Nichtwürdige [. . .] auf der Strecke.« (264 f.) Von entlarvender Ironie ist es, daß kurz darauf Soldaten auch in die Schule eindringen und solchen Lehren vorerst ein Ende machen.

Rugbüller »Lebenskunde« bedeutet die Verkümmerung von Elternliebe, Freundschaft und Nachbarschaft, das Beschneiden persönlicher Entfaltung, die ideologische Verfälschung der Natur, die Vergewaltigung und Verhinderung des Individuellen und Lebendigen. Heimat in Rugbüll ist ein Schreckensort, wo der inthronisierte Kleinbürger von Nazis Gnaden sein Unwesen treibt und alle Menschlichkeit verachtet. Selbst die Dichter sind hier uniformiert, wie der Heimatdichter Asmus Asmussen in Marinemontur. Der Verfasser von »Meeresleuchten« »arbeitete viel mit dem Begriff des Mütterlichen, ließ aber auch die Gewalt nicht aus, die zu Stärke, zu Hartnäckigkeit, zu Trotz erziehe« (110). Von der Verteidigung des heimatlichen Meers ist die Rede, vom Vorpostenboot, das die Feinde das Fürchten lehren wird, und von dem Meer, das Sauberkeit verlangt: »Rein-Schiff! Auch eine schwimmende Heimat muß glänzen.« (115) Wie in einem Brennspiegel konzentriert sich die ideologische Borniertheit im Heimatliterarischen. Hier ist alles auf das griffige Schlagwort, das schnell verfügbare Klischee gebracht: anonyme Kollektivierungen, hinter denen der einzelne verschwindet (»das Mütterliche«, »das Kämpferische«), Kampf als Lebensinhalt und das Recht des Stärkeren, das Freund-Feind-Schema und der kleinbürgerliche Sauberkeitsfanatismus, mit dem man Reinschiff macht, an Bord nicht anders als in Rugbüll und in den Vernichtungsstätten der Nazis. Asmus Asmussen, ironisch verweist solche Namengebung

auf die Pervertierung der christlichen Humanität des Wands-
becker Boten, faßt in Worte, was in Rugbüll an der Tagesord-
nung ist, seine Heimatdichtung bildet gleichsam den ideologischen Überbau, in dem sich die borniertten Handlungssche-
mata spiegeln. Merkwürdig und grotesk ist es, daß gerade der
Polizeiposten den beschränkten Heimatsinn, den lebensge-
fährlichen Hochmut der Enge, wenn auch unfreiwillig,
infrage stellt. Während des Lichtbildvortrags des Heimat-
dichters sieht er plötzlich das Vorpostenboot im Rauch stehen, während Asmus Asmussen selbst leblos in einem
Schlauchboot treibt. Das Zweite Gesicht (»schichtig kieken«)
fördert irritierend zutage, was nationalsozialistische Propaganda und Agitation unterdrücken und verdrängen: die
Angst vor den unvermeidbaren Folgen einer blinden Kampf-
und Durchhaltemoral. Unvermutet sieht sich der Kleinbürger menschlichen Regungen gegenüber, die er der Chance,
etwas zu gelten, längst geopfert hatte. Für einen Augenblick
scheint die ideologische Verblendung des Bewußtseins aufgehoben. Aber selbst für den Polizeiposten bleibt der lichte
Moment nur Episode. Später bei den absurden Aktivitäten
des Volkssturms harrt er als letzter auch dann noch auf seinem Platz aus, nachdem ihn der Vogelwart Kohlschmidt mit
den Worten verlassen hat, daß doch sowieso alles nur »Mist«
sei (282). Immerhin drückt sich in solcher Entwicklung,
zumindest bei einigen, eine gewisse Lernfähigkeit selbst in
Rugbüll aus.
Lenz begnügt sich jedoch nicht mit einem negativen Porträt
der Provinz. In wenigen Gestalten und Szenen offenbaren
sich Spuren von Menschlichkeit, die nicht nur als Kontrast
gemeint sind, sondern in eine mögliche Zukunft weisen. Da
ist Okko Brodersen, der einarmige Postbote, der als Beschä-
digter wiederholt die Botschaft vom guten Nachbarn ins
Haus des Polizeipostens zu tragen versucht. Vor allem aber
ist es die im Abseits von Rugbüll lebende Hilde Isenbüttel,
die sich in ihrer Zuwendung zum Mitmenschen nicht irre-
machen läßt. Auf ihrem Hof beschäftigt sie einen belgischen

Kriegsgefangenen, in den sie sich verliebt und von dem sie schließlich ein Kind erwartet. Als ihr Mann als Krüppel aus dem Krieg zurückkehrt, nimmt sie sich seiner ohne zu zögern an. Liebe und Fürsorge machen nicht halt vor dem angeblich Fremden wie vor dem Schwachen und Versehrten. Im Kontrast zu dem liebenden und fürsorgenden einzelnen tritt die Unmenschlichkeit der Nazi-Ideologie mit ihrem Fremdenhaß und ihrer Verherrlichung der Stärke um so greller hervor, vor allem aber wird erkennbar, worauf eine künftige humane Gesellschaft zu gründen wäre.

Der Erzähler Lenz erweist sich einmal mehr als realistischer Optimist, der angesichts menschenverachtender Beschränktheit die Hoffnung auf Humanität aufrecht erhält. Unter dem Projektor, mit dem der Heimatdichter seine Kriegsbilder an die Wand werfen läßt, liegen zur Erhöhung des Lichtkegels zwei Bücher: Storms *Söhne des Senators* und Klopstocks *Messias*. Während die Stormsche Novelle, in der einer der verfeindeten Brüder eine hohe Mauer zwischen sich und dem andern errichten läßt, auf menschliche Entfremdung im Gefolge von Verletzung und blindem Haß verweist, ist Klopstocks *Messias* ein ironischer Hieb gegen die selbsternannten faschistischen Heilsbringer. Wie aber schließlich aus Verständnis und wachsender Einsicht die Mauer in der Novelle wieder fällt, so ist auch die Erlösung der Menschen aus schuldhafter Verblendung keineswegs für alle Zeiten ausgeschlossen. In der Ambivalenz der Symbole spiegeln sich die Krise, aber auch die Chance des Menschen.

Der Maler und seine Bilder

Der Gegenspieler Rugbülls im allgemeinen und des Polizeipostens im besonderen ist der Maler Max Ludwig Nansen draußen auf Bleekenwarf. Schon der abseits auf einer Warft gelegene Ort enthebt den urbanen Menschen und genialen Künstler allem Provinziellen. Verengung und Kollektivierung vermögen ihm nichts anzuhaben. Deutlich erkennbar ist in der fiktiven Gestalt der 1867 im nordschleswigschen Nolde als Hansen geborene Emil Nolde, der expressionistische Maler, der in Paris, München und Berlin als bedeutender Künstler hervorgetreten und anerkannt war, 1913 eine Reise nach Neu-Guinea unternommen hatte und sich 1927 mit seiner Frau in Seebüll ansiedelte, wo er auf der leeren Warft ein Haus baute und einen Garten anlegte. Im Jahr 1941 erhielt er Berufsverbot. Zugleich wurden 54 eingesandte Bilder beschlagnahmt. Nolde galt fortan als entartet. Während des allerdings sehr großzügig überwachten Malverbots entstanden die »Ungemalten Bilder«, Aquarelle auf Japanpapier. Zehn Jahre nach dem Tode seiner Frau starb Nolde 1956.

Die beiden Vornamen im Roman verweisen auf die Maler Max Beckmann, der 1933 seines Amts als Professor an der Frankfurter Kunstschule enthoben wurde, und auf Ernst Ludwig Kirchner, dessen Werke die Nazis 1937 als entartet beschlagnahmten. Die Anspielung auf die beiden herausragenden Expressionisten hebt die allgemeine Situation der Kunst im Faschismus um so deutlicher hervor, die in ihrer individuell schöpferischen Kraft in radikaler Opposition zu allem Kollektiven und Ideologischen steht.

Nansen setzt gegen den blinden staatsbürgerlichen Gehorsam das eigene kritische Urteil:

> [...] es kotzt mich an, wenn ihr von Pflicht redet. Wenn ihr von Pflicht redet, müssen sich andere auf was gefaßt machen. (91)
>
> [...] wenn du glaubst, daß man seine Pflicht tun muß, dann sage ich dir das Gegenteil: man muß etwas tun, das gegen die Pflicht verstößt. Pflicht, das ist für mich nur blinde Anmaßung. (154)

Allein entscheidend ist das Gewissen und die sittliche Verantwortung des einzelnen für sein Tun. Wahre Pflicht ist innerer Auftrag, seiner Bestimmung treu zu bleiben, weiterzumalen trotz des Malverbots. Jede Abweichung bedeutet

Verrat am eigenen Selbst. Der innere Auftrag drängt den Maler, die Wahrheit über die eigene Zeit ins Bild zu setzen, den Verlust an Menschlichkeit zu reklamieren und zugleich die Erinnerung an sie wachzuhalten.

Nansens Bilder an Gelenkstellen des Erzählprozesses machen die erzählte Wirklichkeit durchsichtig für ihre weiterreichende Bedeutung und ihren menschlichen Sinn. Als den gemalten Originalen nachempfundene, durch Kontamination wie durch Verfremdung der Motive literarisch hergestellte Sinnbilder begründen sie den symbolischen Realismus des Erzählers Siegfried Lenz. Im künstlerisch geschaffenen Raum bilden sie unverrückbar ab, was im Zeitfluß ständig mitfortgerissen wird. Das Bild als Markierung des Sinns im ikonographischen Symbol, das mehr den verstehenden als den sehenden Betrachter fordert, entspricht dem Erzählort Siggi Jepsens in der Anstalt, wo er in der Enge des fixierten Raums die Bedeutung des Geschehens auszuloten unternimmt. Die immer wieder eingefügten Bildbeschreibungen halten den Zeitfluß an und verwandeln das unaufhörliche Nacheinander in ein Neben- und Ineinander von Erscheinung und Bedeutung. Der Erzähler ist zugleich Zeuge und in der Figur des expressionistischen Malers Deuter der Wirklichkeit.

Im »Masken-Bild« auf der ersten Ausstellung in Hamburg nach dem Krieg tragen die Menschen Masken. Gestaltet der Maler in der Maskierung die ideologische Entfremdung des Menschen, so ist die Demaskierung, die Offenlegung des wahren menschlichen Gesichts, Aufgabe des Betrachters. Das Bild wird zum Anstoß zu einer Existenz jenseits von Ideologie und Entstellung. Maskenhaft ist auch die Amtsmiene des Polizeipostens. Nur einmal, als das zweite Gesicht ihn bedrängt, verwandeln Sorge und Angst die Amtsmiene in ein menschliches Gesicht.

Die Wahrheit des Lebens gestaltet das Bild von der »Wellenreiterin«, über das es verräterischerweise im Hause Jepsen zu einer Auseinandersetzung kommt, die im Vorwurf des Ent-

arteten gipfelt. Verloren hat der Funktionär der Pflicht die
Fähigkeit zu sehen, die wahre Substanz des Lebens zu erken
nen. Nicht die Kunst ist entartet, deformiert sind der Mensch
und seine Sichtweise im Dienst einer lebensfeindlichen Ideologie. Im offenen Haar, in den leuchtend flammenden Hüften
der Wellenreiterin spiegelt sich die Vitalität des Lebens selbst.
Ineinander über gehen die Rhythmen des Meers und des
Tanzes. Das Bild vermittelt für den, der das Sehen nicht ver-
lernt hat, den Eindruck des spontanen Einsseins des Menschen mit dem Ursprünglichen.
Unverwüstlich ist das Vertrauen des Malers auf das Leben.
Ein mythisches Wesen beherrscht das Bild »Der große
Freund der Mühle«. Himmel und Erde scheinen sich in ihm
zu vereinen. Eins mit allen organischen Kräften und Natur-
mächten, wird der große Freund, in dem sich das Leben
selbst verbirgt, die stillstehende Mühle, Signal der stagnie-
renden Zeit, wieder in Gang bringen, so daß die Mühlenflü-
gel die Dunkelheit zerschneiden und ein klares Licht heraus-
mahlen werden. Der Künstler beschwört die Mächte des
Lebens, mit denen er selbst wie das mythische Wesen im
Bunde, ja identisch ist, um den Glauben an den Sieg über
Finsternis und Stagnation zu bewahren. Niemand vermag
die Flügel des Lebens wie der Kunst lahmzulegen, immer
wieder durchsetzen wird sich das Schöpferische gegen alles
Erstarrte, gegen Zwang und Gewalt.
In seiner Kunst wie in seinem Handeln im Alltag dient Nansen dem Leben. Er war es, der seinen Jugendfreund Jens Ole
Jepsen vor dem Ertrinken rettete, er ist es auch, der dessen
desertierten Sohn Klaas vorübergehend bei sich aufnimmt.
Auf Nansens Bildern wechseln Erstarrung und Leben, Angst
und Hoffnung. Düster wälzen sich auf dem Bild »Der Wol-
kenmacher« die Wolken heran, das ganze Land überziehend
und verdunkelnd. Angst vor herandrängendem Unheil, eine
apokalyptische Stimmung breiten sich aus. Hintersinnig
nimmt Nansen nach dem Zusammenbruch beim Besuch
eines ehemaligen Nazi-Kritikers dessen Urteil auf, in dem

von »Hexenspuk« und »Entartung« die Rede gewesen war. »Für ihn sei die Welt tatsächlich durchspukt [. . .].« (301) Die Schreckenskammer, in die man ihn damals verwiesen hat, nimmt er ungerührt an: »[. . .] in der Schreckenskammer fühle er sich zu Hause, [. . .] was in der Welt ausdruckswürdig sei, das sei doch nicht zuletzt der Schrecken [. . .].« (300 f.) Die Diskriminierung des Malers fällt auf die Urheber zurück. Das gemalte Grauen ist getreuer Spiegel einer durch den Faschismus grauenvoll entstellten Zeit.

Doch der Künstler ist nicht nur Bewohner der Schreckenskammer, sondern auch zu Hause in der unentstellten eigentlichen Welt der Menschen. Von hervorgehobener Bedeutung ist das Bild »Der Mann im roten Mantel«, das »einen Handstand, womöglich einen Tanz auf den Händen« (153) zeigt. Ein anderer mit den Zügen von Klaas sieht zu und scheint sich zu fürchten. Auffällig ist, daß der Mantel des Mannes offenbar nicht der Schwerkraft gehorcht. Gerade dieses Bild erinnert wie kein anderes der im Roman beschriebenen Bilder an ein bekanntes Original Noldes, an das 1929 gemalte »Trio«, wo ein Mann, allerdings im gelben Mantel, ebenfalls einen Handstand vollführt.

Nansen zerreißt das Bild vor den Augen des kontrollierenden Polizeipostens und händigt ihm die Schnitzel aus, aus denen Siggi später das Bild wieder zusammensetzt. Die Schwierigkeiten, die sich dabei mit dem vertikalen Bildaufbau, in der Zuordnung von unten und oben ergeben, verweisen auf das Motiv der verkehrten Welt. In einer chaotisch verdrehten Zeit scheint der Künstler auf dem Kopf zu stehen, so erscheint es zumindest aus der Perspektive des betrachtenden Klaas, des Opfers einer Geschichte, die ihn in eine verwirrende Orientierungskrise gestürzt hat. In Wahrheit aber steht nicht der Künstler, sondern die Zeit kopf. Daher gehorcht sein Mantel auch nicht der Schwerkraft. Das leuchtende Rot wie die tänzerisch spielende Bewegung sprechen der desolaten Zeit zum Trotz von ungebrochener Lebensfreude. Der Künstler steht in Opposition zu allem Verkehrten, das er durch Darstellung rückgängig machen will. Der Horizont, wie es ausdrücklich heißt, ist für Klaas und den andern der gleiche, ein Verstehen der Aussage durch den Betrachter also grundsätzlich möglich, sofern der unverstellte Mensch als der eigentliche Maßstab erkannt wird.

»Mit dir, Mann im roten Mantel«, schreibt Siggi, »begann ich das zerstörte Bild wiederzufinden.« (165) Der Betrachter hat die Aufgabe, das Verlorengegangene durch erinnerndes Verstehen zurückzugewinnen, das durch den Einfluß einer menschenverachtenden Zeit unkenntlich gewordene Bild des Menschen in sich zu restaurieren. Siggi demonstriert im Zusammensetzen des Bildes die Verstehensarbeit, die dem Leser auferlegt ist. Die erzählten Sinnbilder im Roman sind im Grunde »unsichtbare Bilder«, wie die Arbeiten Nansens in Anspielung auf Noldes »Ungemalte Bilder« genannt werden. Sie erschließen sich nicht dem Auge, sondern allein der verstehenden Sinndeutung. In der emblematischen Struktur des Erzählens spiegelt sich die Überzeugung, daß fruchtbares Erkennen nicht durch Begriff und Definition geschieht, dies ist der Weg des Psychologen Mackenroth, sondern durch Anschauung des Sinns.

Auf den sogenannten »Unsichtbaren Bildern« bleibt der Lebensoptimismus des Künstlers erhalten. Das sich rauschend drehende Schaufelrad, das das Wasser des schwarzen Stromes walkt, läßt ebenso hoffen wie die immer noch leuchtenden Sonnenringe in den welkenden Blütenblättern. Aber auch Kritik und Warnung liegen in den Bildern. Der okulierte Stamm mit der aufgeworfenen Rinde verweist auf einen bedenklichen Eingriff in die ursprüngliche Natur, während der gekrönte norddeutsche Arsch das Unbedeutende, das sich Bedeutung anmaßt, satirisch porträtiert.

In der Auseinandersetzung mit seinem Selbstporträt bekennt sich der Maler ausführlich zur Wichtigkeit des Sehens:

Sehen ist Durchdringen und Vermehren. Oder auch Erfinden. [...] es kann auch Investieren bedeuten, oder Warten

auf Veränderung. Du hast alles vor dir, die Dinge, den alten
Mann, aber sie sind es nicht gewesen, wenn du nicht etwas
dazu tust von dir aus. Sehen: das ist doch nicht: zu den
Akten nehmen.   (298)

Kunst entsteht erst in der schöpferischen Begegnung mit der
Welt, im Erkennen des Wesentlichen in der Erscheinung, in
der subjektiven Anverwandlung des objektiv Gegebenen.
Der Künstler verwandelt das bloße Dasein in sinnerfüllte
Wirklichkeit. In einem menschlichen Schöpfungsakt schafft
er die Welt neu, indem er ihr Bedeutung gibt.
Die eingefügten erzählten Bilder sind Ausdruck des schöpferischen Bewußtseins im unbewußten Zeitfluß, Sinnentwürfe
angesichts des Sinnlosen, Spuren des lebendigen Geistes in
der Öde des Ungeistigen. Auch für den Betrachter und Leser
gilt, das Betrachtete und Gelesene nicht einfach zu den Akten
zu nehmen, es lediglich als Unterhaltungsware zu konsumie-
ren und dann zu vergessen, sondern von sich aus etwas dazu
zu tun, das Aufgenommene im eigenen, subjektiven Bewußtsein fruchtbar werden zu lassen. Verstehen ist ein produktiver Prozeß, der weniger darauf abzielt, das Verstandene zu
speichern und zu archivieren, um es bei gegebener Gelegenheit zur Verfügung zu haben, wirkliches Verstehen heißt
vielmehr, daß der Verstehende mit dem ihm Zuwachsenden
selbst wächst.
Kunst und Kunstverstehen erschöpfen sich für den Erzähler
Siegfried Lenz nicht im ästhetischen Genießen, im selbst-
und weltvergessenen Spiel, seine Kunst entspringt aus dem
Engagement für den Menschen, der nur überleben wird,
wenn er bereit ist zu lernen, und nur der lernt, der die ebenso
mühevolle wie schöpferische Arbeit des Verstehens auf sich
nimmt. Künstlerische Gestaltung und pädagogische Intention gehen im Roman eine selbstverständliche Einheit ein,
indem das Bild nur durch den Sinn Gestalt gewinnt und der
Sinn nur im Bild begreifbar erscheint.

Siggi Jepsen

Siggi Jepsen, 1933 im Jahr der Machtergreifung durch die
Nazis geboren, erzählt seine eigene Geschichte. Nur im In-
dividuellen und persönlich Verbindlichen liegt die Chance,
Allgemeines durchschaubar zu machen und zu erkennen.
Siggi wird in Begegnungen und Erlebnissen, mitunter aus
Verstecken, durch Fenster und Schlüssellöcher zum Beob-
achter und Zeugen einer Zeit, die er von seinem zehnten
Lebensjahr an intensiv erlebt und die er kurz vor seinem
21. Geburtstag, seinerzeit das Datum der Volljährigkeit,
erinnert und zu begreifen beginnt. In der Strafarbeit, deren
Umfang jedoch allein von dem Ausmaß und der Komplexität individueller Erfahrung bestimmt wird, behandelt er das
gestellte Thema im Rückblick auf Selbsterlebtes, indem
er nicht die Freuden, sondern die Leiden und Opfer der
Pflicht darstellt.
Erst jetzt überwindet er die Zwangsneurose, ständig angeblich gefährdete Bilder in Sicherheit bringen zu müssen. Die
Mühle, die er seinerzeit als Bilderversteck gewählt hatte, ist
längst abgebrannt. In schöpferischer Erinnerung ist es ihm
auferlegt, die vergangene Zeit und die damals verbrannten
Bilder als deren Sinndeutung nachzuschaffen. In dem Maße,
wie ihm dies gelingt, befreit er sich von den Obsessionen des
Vergangenen, indem er es persönlich durchdringt und die
entfremdende Pseudoobjektivität der Ereignisse und Dinge
im souveränen subjektiven Zugriff auflöst. In diesem Sinn
sagt bereits der Maler:

> [...] man beginnt zu sehen, wenn man aufhört, den
> Betrachter zu spielen und sich das, was man braucht, erfin-
> det [...].   (298)

Reif wird Siggi, als er beginnt, die passive Rolle des Da-
nebenstehenden aufzugeben und das Wahrgenommene
und Erlebte aktiv und eigenständig selbst zu entwerfen.
Ausdrücklich erkennt der Anstaltswärter Joswig die voll-

zogene Reifung an: »An deinen Worten merkt man, daß du volljährig geworden bist.« (316) Siggi kann entlassen werden.

Die *Deutschstunde* ist auch ein Initiationsroman. In einer Art rite de passage wird Siggi am Ende aus dem abgeschlossenen Erinnerungsraum, in dem er sich in sich selbst versenkte, in die Freiheit hinaustreten, entlassen in das Wagnis des Lebens. Seine niedergeschriebenen Erinnerungen sind wie Schlangenhäute, mit denen er sein altes Ich abstreift, um sich zu einem neuen Ich zu häuten. Im Dunkelkammertraum (390 ff.) in der Wohnung von Klaas, der Photograph geworden ist, erscheint symbolisch der Prozeß wachsender Bewußtwerdung. Bereits der Ort, an dem das Filmnegativ zum positiv sichtbaren Bild entwickelt wird, ist von sprechender Bedeutung. Im Traum selbst geht es zunächst um den pathologischen Hang, Bilder in Sicherheit zu bringen. Das Versteck, aus Trümmern einer alten Steinkirche gebaut, befindet sich auf einer einsamen Hallig, der sich plötzlich Siggis Vater und der Maler nähern. Beide schießen auf Seehunde, mit denen sich Siggi schließlich identifiziert. Er selbst ist das Beutetier, bedroht, hilflos, auf niedriger, unmenschlicher Stufe. Auf der Flucht wird er am Ende in einer Reuse gefangen. Der leibliche wie der geistige Vater drohen ihn zu vereinnahmen, solange er nicht aus ihrem Bannkreis heraustritt und aufhört, seinen Wahnvorstellungen zu folgen und die Bilder wie Heiligtümer zu behandeln. Deshalb wohl der Hinweis auf die Kirchentrümmer. Das Ich, bedroht von dem Über-Ich des Pflichtfanatikers, von Gehorsamserwartungen und Sanktionen wie von der starren Objektbindung an die Bilder, sieht sich heillos verstrickt, unfähig, eine stabile Ich-Identität aufzubauen. Der Traum in der Dunkelkammer gestaltet angesichts von Todesdrohung und Gefangenschaft das Negativ der Existenz in der Krise, aus der nur der eigene Lebensentwurf in der Tageswirklichkeit einen Weg zur positiven Entwicklung weisen kann.

Zu den Freuden der Pflicht stößt vor, wer sich als ihr Opfer erkennt und dadurch einen Befreiungsprozeß einleitet. Insofern ist Siggis Strafarbeit eine unverzichtbare Vorleistung für die eigentliche Erfüllung des Themas, die sich aber nicht auf dem Papier, sondern, wenn überhaupt, nur in der künftigen Lebenspraxis zu vollziehen vermag. Die Freuden der Pflicht erwachsen für Siggi wie für den Maler aus der Treue zum eigenen inneren Auftrag. Die *Deutschstunde* ist ein moderner Entwicklungsroman, der im Maler den Menschen am Ziel, in Siggi den Menschen im Aufbruch zeigt, während der Weg, zentraler Gegenstand der traditionellen Ausprägung der Gattung, ausgespart bleibt. Der Weg ist Aufgabe des Lesers, für den der Roman unter Verzicht auf Programme lediglich Perspektiven öffnet.

Die *Deutschstunde* ist aber auch ein moderner Künstlerroman, der das Werden eines Schriftstellers in Auseinandersetzung mit dem deutschen Faschismus und seinen Folgen gestaltet. Kunst entsteht in den Erinnerungen des Ich-Erzählers aus dem Bewußtsein der Gefährdung und des Verlusts souveränen Menschseins, in Auflehnung gegen das Unmenschliche schlechthin. Der Künstler ist keine Sonderexistenz, sondern der engagierte Zeitgenosse, dessen Leiden in und an der Geschichte zum Gleichnis wird, der als einzelner sich an einzelne wendet, um durch exemplarische Darbietung des Einzelfalls allgemeine Erkenntnis zu provozieren.

In seiner Rede zur Verleihung des Friedenspreises des Deutschen Buchhandels 1988 führt Siegfried Lenz über die Literatur aus:

> Immer an den einzelnen gewandt, macht sie das Angebot, sich mit anderem Schicksal zu vergleichen, und, gegebenenfalls, Schlüsse aus dem Vergleich zu ziehen und gerade dies: das unkontrollierte Zwiegespräch mit dem einzelnen, ließ sie in den Augen der Mächtigen als subversive Bedrohung erscheinen. Schließlich wirkte Literatur auch immer

dadurch, daß sie aufhob und bewahrte, daß sie sich zu erkennen gab als geräumiges Gedächtnis. Und auf Erinnerung zu bestehen, kann mitunter schon Widerstand sein – zumindest dann, wenn Vergeßlichkeit großgeschrieben oder aber dekretiert wird.[11]

---

11 *Friedenspreis des Deutschen Buchhandels 1988* (Anm. 4) S. 38.

Literaturhinweise

Ausgaben

Siegfried Lenz: Deutschstunde. Roman. Hamburg: Hoffmann und Campe, 1968.
– Deutschstunde. Roman. München: Deutscher Taschenbuch Verlag, 1973. (dtv 944.)

Forschungsliteratur

Arnold, Heinz (Hrsg.): Siegfried Lenz. München ²1982. (Text + Kritik. 52.)

Baßmann, Winfried: Siegfried Lenz. Sein Werk als Beispiel für Weg und Standort der Literatur in der Bundesrepublik Deutschland. Bonn ²1978. (Abhandlungen zur Kunst-, Musik- und Literaturwissenschaft. 222.)

Elm, Theo: Siegfried Lenz – *Deutschstunde*. Engagement und Realismus im Gegenwartsroman. München 1974. (Kritische Informationen. 16.)

– Siegfried Lenz. Zeitgeschichte als moralisches Lehrstück. In: Gegenwartsliteratur und Drittes Reich. Deutsche Autoren in der Auseinandersetzung mit der Vergangenheit. Hrsg. von Hans Wagener. Stuttgart 1977. S. 222–240.

Just, Klaus Günther: Dialogisiertes Schweigen. Zu den Romanen von Siegfried Lenz. In: K. G. J.: Marginalien. Probleme und Gestalten der Literatur. Bern 1976. S. 98–115.

Peinert, Dietrich: Siegfried Lenz *Deutschstunde*. Eine Einführung in den Roman. In: Der Deutschunterricht 23 (1971) H. 1. S. 36 bis 58.

Reber, Trudis: Siegfried Lenz. Berlin. Colloquium 3. Erg. Aufl. 1986. (Köpfe des 20. Jahrhunderts. 74.)

Russ, Colin (Hrsg.): Der Schriftsteller Siegfried Lenz. Urteile und Standpunkte. Hamburg 1973.

Schwarz, Wilhelm Johannes: Der Erzähler Siegfried Lenz. Bern/ München 1974.

Wagener, Hans: Siegfried Lenz. 4., erw. Aufl. München 1985. (Autorenbücher. 2.)

Williams, Rhys: Siegfried Lenz. In: The modern German novel. Hrsg. von Keith Bullivant. Leamington Spa [u. a.] 1987. S. 209 bis 222.

Wolff, Rudolf (Hrsg.): Siegfried Lenz – Werk und Wirkung. Bonn 1985. (Sammlung Profile. 15.)

Arno Schmidt: *Zettels Traum*

Von Jörg Drews

Durch Umfang und Format von *Zettels Traum* (1970) habe er, so kommentierte Arno Schmidt 1969 sein Buch, »eine gar nicht unerhebliche Erschwerung des Verkaufs«[1] auf sich genommen – der Stolz, mit dem der Autor auf die absatzschädigende Kühnheit seines Buches hinweist, die er aber aus Gründen höherer Notwendigkeit tapfer sich geleistet habe und durchzustehen gewillt sei, ist unüberhörbar. Doch zu den Paradoxa dieses voluminösesten Produktes der deutschen Nachkriegsliteratur, dieses weißen Elefanten unter den Romanen nicht nur der deutschen Literatur dieses Jahrhunderts gehört, daß inzwischen – 1993, 23 Jahre nach dem Erscheinen des Buchs – etwa 12.000 Exemplare davon verkauft sind. Man kann das Buch also noch nicht einmal als finanziellen bzw. buchhändlerischen Mißerfolg bezeichnen; allerdings dürfte die Diskrepanz zwischen verkauften und gelesenen Exemplaren im Falle von *Zettels Traum* besonders groß sein. Selbst wenn Arno Schmidts eigene Schätzung, nur die dritte Wurzel aus der Gesamtzahl der (west-)deutschen Bevölkerung, also etwa 400 Menschen würden fähig sein, dies höchst komplizierte Buch zu lesen, eine mit dem Komplexitätsgrad des Buches kokettierende Bemerkung ist, so hat er doch vielleicht die Zahl der wirklichen bisherigen Leser recht gut getroffen. Der bekannteste unter den Titeln seiner Bücher ist der des am wenigsten gelesenen, und das dürfte sogar, nach allem, was über die Gemeinde der fanatischen Schmidt-Leser bekannt ist, auch für seine treuesten Anhänger gelten, die um das *magnum opus* einen Bogen zu machen

1 Arno Schmidt, *Vorläufiges zu Zettels Traum*, Gespräch Arno Schmidts mit Christian Gneuss (NDR), März 1969, zwei Schallplatten und schriftliche Gesprächsaufzeichnung durch Alice Schmidt, Kassette, Frankfurt a. M. 1977, Beih., S. 4.

scheinen; jedenfalls hat die Schmidt-Philologie sich bisher nur sehr selten mit Schmidts sensationellstem und gewiß ehrgeizigsten Buch beschäftigt. Auch die Literaturkritik hat das Buch noch kaum in ihre Überlegungen zur deutschen Gegenwartsliteratur einbezogen; eigentlich gab es nur bei Erscheinen des Romans irritierte bzw. ihre Ratlosigkeit hinter Amüsement verbergende Reaktionen, und nach diesen ersten gar nicht literaturkritischen, sondern eher literaturjournalistischen Meldungen und vorläufigen Erörterungen, die mehr dem Happening eines solchen Buches als seiner Struktur und Bedeutung galten, ist es ruhig geworden bzw. geblieben um das Monstrum.

Ohne daß Schmidt dies systematisch angestrebt hätte, erscheinen im Rückblick doch das Durchsickern von gerüchteartigen Meldungen über das Entstehen des Buches in der Schmidtschen Weltabgeschiedenheit des Dorfes Bargfeld in der Celler Ostheide und dann die sich verdichtenden Informationen über den Umfang und die Probleme der technischen Reproduktion des Schmidtschen Typoskripts wie eine spannend inszenierte PR-Kampagne; jedenfalls waren die Erwartungen im April 1970, als das Buch erschien, aufs höchste gespannt.[2] Ein Buch im Format DIN A 3, 1334 Großblätter stark, mit einem Gewicht von 8,5 Kilogramm, zu einem Subskriptionspreis von 298 Mark angeboten, der sich nach drei Monaten auf 345 Mark erhöhen sollte – das war, noch vor allen Inhalten, eine buchtechnische und literarische Bizarrerie ersten Ranges, und die ist das Buch bis heute geblieben, selbst wenn ein damals sensationelles Charakteristikum dieses Romans, daß nämlich das Typoskript des Autors aus kalkulatorischen und technischen Gründen gar nicht mehr normal gesetzt, sondern *als Typoskript* fotomechanisch reproduziert wurde, später auch Schmidts auf *Zettels Traum*

2 Vgl. Hans-Michael Bock, »Potz Geck und kein Ende! Die Presse und Zettels Traum«, in: Jörg Drews / Hans-Michael Bock, *Der Solipsist in der Heide. Materialien zum Werk Arno Schmidts*, München 1974, S. 130 bis 162.

folgende Bücher, die dann schon offiziell so genannten »Typoskriptromane« *Die Schule der Atheisten* und *Abend mit Goldrand* (1972 bzw. 1975) kennzeichnete. Der Roman war in mehrfacher Hinsicht ein Medien-Ereignis; der Text, dessen Anordnung auf der Seite samt beigegebenen Zeichnungen und Fotos selbst von ungewohntem graphischem Reiz war, wurde mit einem Verfahren reproduziert, das eben erst technische Reife erlangt hatte und zugleich fast altmodisch pietätvoll das authentische Aussehen des Typoskripts des Autors samt seinen handschriftlichen Verbesserungen, Vertippern und Durchstreichungen bewahrte; wenige Monate nach Erscheinen der 2000 Exemplare der Erstausgabe wurde unter Benutzung desselben Verfahrens ein etwas verkleinerter Raubdruck in einer Auflage von knapp 1000 Stück von Berliner Underground-Druckern hergestellt, die damit ein ›elitäres‹ literarisches Produkt einem politischen Trend entsprechend ›sozialisierten‹ (der Preis des Raubdrucks betrug nur 100 Mark), und schließlich beschäftigte das Buch die Medien instruktiverweise auf eine im höchsten Maße zeitgenössische Weise, indem nämlich besonders hochgradig nur das medial Reizvolle und Demonstrable gezeigt wurde bzw. gezeigt werden konnte, da inhaltlich bzw. kritisch ohnehin in einem extremen Maße sich (noch) niemand kompetent über den Text äußern konnte. Das Buch war ein höchst wirksames *media event*, gedeckt durch keinerlei Lektüre, und zugleich rief es kaum vier Wochen nach Erscheinen schon die Anfänge einer ihm exakt entsprechenden Philologie auf den Plan: halb im Spaß und halb in ernsthafter Einsicht in die Schwierigkeiten der Lektüre eines mit Zitaten und Anspielungen dichtest durchsetzten Textes gründeten einige Schmidt-Leser bereits im Mai 1970 das »Arno-Schmidt-Dechiffrier-Syndikat«.

Den Titel *Zettels Traum* kennen inzwischen alle, das Buch selbst aber nur wenige, und selbst die Schmidt-Fans, die sich um Lektüre und Einschätzung des Buches bemüht haben, äußern sich mürrisch-resignativ angesichts einer Textmasse, welche größer ist als die von Marcel Prousts *Auf der Suche nach der verlorenen Zeit* (1913–27): »Die Zeit, den Versuch einer Gesamtinterpretation von *Zettels Traum* zu wagen, ist sicher noch nicht gekommen, wenn sie denn je kommen wird«,[3] schreibt Ernst-Dieter Steinwender vorsichtig-dilatorisch über das Buch zu Anfang einer Erörterung von dessen Titel – man könnte natürlich fragen, wann die Zeit denn gekommen sein wird und was da mit dem Terminus ›Gesamtinterpretation‹ gemeint sei; deutlich ist aber, daß Steinwender *Zettels Traum* in die Kategorie jener Bücher rechnet, die wie James Joyces *Ulysses* (1922) und *Finnegans Wake* (1939) oder Thomas Pynchons *Die Enden der Parabel* (1973) einem Verständnis ganz besondere Schwierigkeiten entgegensetzen und von einem auch nur annähernd substantiellen Begriff von ihnen grundsätzlich besonders weit entfernt sind, weiter jedenfalls als ein konventioneller Roman, dessen Interpretation sich mit der Zeit in manchen Details ändern mag, von dem die Kritik oder Wissenschaft sich aber doch ein einigermaßen sicher umreißbares Verständnis erarbeitet haben.

Nun ist *Zettels Traum* gewiß – nicht zuletzt wegen des erwähnten Zögerns der Schmidt untersuchenden Literaturwissenschaftler, die sich insbesondere dem Roman *Kaff auch Mare Crisium* (1960) wie auch dem Erzählungsband *Kühe in Halbtrauer* (1964) viel intensiver und mit viel weiter reichenden Resultaten zugewendet haben – ein Buch mit acht Kapiteln und sieben Siegeln, jedenfalls was die Tiefenstruktur, den Gesamtzusammenhang mit seinen Verzweigungen angeht; andererseits hat sein Autor bereits im März 1969, kurz nach Abschluß der Niederschrift und Überarbeitung, dem Norddeutschen Rundfunk in der Sendung *Vorläufiges zu Zettels Traum* vergleichsweise ausführlich Auskunft und damit dem möglichen Leser viele Fingerzeige gegeben, wie der Roman

3 Ernst-Dieter Steinwender, »Ich bin doch bloß KLEIN=DOWI! Versuch über Zettels Traum«, in: *Bargfelder Bote. Materialien zum Werk Arno Schmidts*, Lfg. 145 (April 1990) S. 3–15, hier S. 8.

aufgebaut sei und wie man sich darin zurechtfinden könne.[4]
Und selbst ohne diese Einführung durch den Autor kann der
einigermaßen geduldige Leser, insbesondere wenn er mit
Schmidts vor *Zettels Traum* publizierten Büchern vertraut
ist, sich zumindest so gut zurechtfinden wie ein einigermaßen trainierter Leser sich, ausgestattet mit einigen Grundin-
formationen, auch durchaus in Joyces *Ulysses* zurechtfinden
kann, wenn auch vielleicht nicht in *Finnegans Wake*. Gerade
der Vergleich mit *Finnegans Wake* zeigt, daß *Zettels Traum*
in einem fast schon wieder verdächtigen Maße zumindest auf
der Ebene der Handlung eine handfeste Orientierung er-
laubt, so daß es möglicherweise eher die Gerüchte über die
Komplexität des Buches sind, die viele Leser von dem Versuch abhielten oder abhalten, sich mit dem Text einzulas-
sen.
Ob mit oder ohne Schmidtsche Führung – leicht auszumachen ist, daß die Handlung, wenn man sie einmal isoliert und
knapp referiert, von ziemlicher Simplizität, fast Grob-
schlächtigkeit ist; doch Schmidt hatte ja schon immer Autoren, die Wert auf intrikate Handlungen ihrer Bücher oder
Erzählungen legten, als »Handlungsreisende«[5] verspottet,
also gewissermaßen als Anbieter billiger Ware für den Mas-
sengeschmack. Daß also an einem Julitag – des Jahres 1965? –
das Ehepaar Paul und Wilma Jacobi samt Tochter Franziska
sich für zwei Tage in dem Heidedorf Ödingen aufhält, um
den befreundeten älteren Schriftsteller und Übersetzer
Daniel Pagenstecher zu besuchen; daß die sechzehnjährige
Franziska sich in Pagenstecher verliebt und er sich in sie; daß
Pagenstecher den Jacobis Geld schenkt, damit sie Franziska
noch länger auf die Schule schicken können, und dies mit der
Bedingung verknüpft, sie sollten die entzückende, so naiv
triebhafte wie altkluge Pubertierende in Zukunft möglichst
völlig von ihm fernhalten, auf daß er, Pagenstecher, nicht in

4 Vgl. Anm. 1.
5 Arno Schmidt, »Die Handlungsreisenden«, in: *Texte und Zeichen* 2
(1956) H. 2, S. 296–299.

eine lächerliche Situation komme, worauf die Jacobis eiligst mit dem Töchterchen den Einsiedler Pagenstecher in seinem Bücherhaus verlassen und nach Hause zurückfahren – das ist ein vergleichsweise trivialer Plot, der nur ein Mittel ist, um Echoräume zu öffnen, die von vergleichbaren, in der Literatur aufbewahrten ähnlichen Personen- und Konfliktkonstellationen widerhallen, bzw. um alte literarische Motive und Texte dahinterblenden zu können, das der Liebe eines älteren Mannes zu einer sehr jungen Frau etwa, das der Kindsbraut usw.

Das ist der Aspekt der Handlung und ihrer Ausstattung mit Bedeutung, der nicht über die Art hinausführen würde, wie schon in den zehn Erzählungen des Bandes *Kühe in Halbtrauer* hinter eine einfache, Genreszenen-ähnliche Handlung mythisch-literarische Muster geblendet werden: der Orpheus-Mythos bei *Caliban über Setebos*, eine Prozession zur Göttin Isis als der mythischen Vorläuferin der modernsten Kunst der Selbsterkenntnis, nämlich der Psychoanalyse, in *Kundisches Geschirr*, strukturell nicht unähnlich der Art, wie die Irrfahrten des Odysseus in Joyces *Ulysses* die mythisch-sagenhafte Folie für die Gänge des Leopold Bloom durch das Dublin des 16. Juni 1904 sind. Die einzelnen Bücher bzw. Kapitel von *Zettels Traum* bzw. auch das gesamte Buch unterscheiden sich nun aber nicht nur durch den immens gestiegenen Umfang von den Erzählungen in *Kühe in Halbtrauer* (obwohl hier, im Umfang, gerade auch für das ästhetisch-literarische Funktionieren des Erzählens in *Zettels Traum* ein Problem steckt); vielmehr bekommt *Zettels Traum* sein Gewicht durch den Gegenstand der Gespräche zwischen dem Übersetzerehepaar Jacobi und Daniel Pagenstecher und durch die Methode, mit der letzterer der psychischen Genese von Literatur, den Gesetzen der Verwandlung von psychobiographischem Material in dichterische Texte glaubt auf die Spur kommen zu können. Der Autor, dem die Gespräche gelten, ist Edgar Allan Poe, dessen Werk Jacobi ins Deutsche übersetzen soll; während aber

Paul Jacobi und besonders seine Frau ein ziemlich idealisie-
rendes Bild von Werk und Charakter Poes haben, ist Pagenstecher skeptisch gegenüber dem von den Jacobis so hoch
veranschlagten Mystischen, Erhabenen und Romantisch-
Traumhaften in Prosa und Lyrik Poes und legt es darauf an,
den unkritisch verehrten Poe vom Sockel zu stürzen, indem
er ihn als »DP«, als »Dichter-Priester« entlarvt, als Typus des
Autors, der eine Reinheit und Tiefe prätendiert, die unecht
sind, weil sie die wahren Realitäten umbiegen, schönen, leugnen, sie mit priesterlicher Gebärde ins Symbolische und
Allegorische transponieren.

Nun wäre ja gegen einen zeitgenössischen Roman mit stark
essayistischer Komponente auf dem Hintergrund der Ro-
mantradition des 20. Jahrhunderts nichts einzuwenden,
wenn nicht das vierundzwanzigstündige, von 4 Uhr früh bis
4 Uhr früh sich erstreckende peripatetische Symposion über
Edgar Allan Poe als (Haupt-)Gegenstand einer kreativitätspsychologischen Untersuchung, als Fall und Opfer eines ent-
larvungspsychologischen Prozesses so verdächtig endlos sich
hinzöge und merkwürdige Argumentationsfehler enthielte.
Schmidt gibt vor, eine – in gewissem Sinn – epistemologische
Frage zu erörtern bzw. seine Figuren sie erörtern zu lassen
und eine literaturanalytische Methode durch Pagenstecher
vorzuführen, die eine über Sigmund Freud hinaus weiterent-
wickelte Psychoanalyse literarischer Texte darstelle und bei
Poe zum Beispiel zu dem vorstoßen könne, was seine Texte
›eigentlich‹ sagten, wovon sie ›in Wahrheit‹ sprächen und
welches psychische Material, insbesondere auch welche per-
versen sexuellen Praktiken Edgar Allan Poes in ihnen ihre
Spuren hinterlassen hätten. Was auf die Dauer stutzig macht,
vorher aber schon die Konzentrationsfähigkeit bzw. des
Lesers Leselust reduziert, ist die quasi überkomplette Art,
wie sämtliche Motive und Komplexe des Poe'schen psychischen Haushalts, seine sämtlichen Perversionen und Obsessionen aufgelistet, durchdekliniert und ad infinitum immer
wieder neu aufgestöbert und benannt werden; auch wenn der

Leser bald schon verstanden hat, was die Grundzüge dieser psychologischen Theorie der Literatur sind – es geht dennoch ein Hagel von Belegen auf ihn nieder. Dabei gerät leider aus dem Blick, daß für die einen lieben langen Sommertag während Erörterung Poes auf Spaziergängen in und um das Dorf Ödingen nur die merkwürdig schwache Begründung gegeben wird, Jacobi müsse den Autor Poe, den er zu übersetzen habe, überhaupt erst verstehen – man fragt sich, ob und wie in die Übersetzung Poes die Psychohistorie des Autors eingehen soll –, und zweitens bleibt dabei unerörtert, wie die Faszination, die von Poe ausgeht, eigentlich zustande kommt, wenn diese Werke ›nichts anderes‹ sind als Texte, in denen Hochneurotisches und Nichtgesellschaftsfähiges aus dem Liebes- und Drogenleben Poes in verlogen-sublimierter, idealisierter Bearbeitung steckt; ob diese Texte, unabhängig von ihren psychogenetischen Voraussetzungen im Autor, noch oder dennoch einen ästhetischen Eigenwert haben, taucht als Frage gar nicht auf.

Schmidt/Pagenstecher versuchen gewissermaßen, in den Rücken der Literatur Edgar Allan Poes zu kommen, »aus der bloßn ›Literatur‹ in eine Meta=Litteratur zu gelangen« (510)[6], wobei allerdings Schmidt so massiv und liquidatorisch mit Poe, den er doch als Jüngling seit 1929 begeistert las und in einzelnen Stücken auch schon früh zu übersetzen begann, umgeht wie 1963 in der psychoanalytisch inspirierten Studie *Sitara und der Weg dorthin* mit einer anderen frühen Identifikationsfigur von ihm, nämlich Karl May. Schmidts Ausflug ins Innere der dichterischen Persönlichkeit ist eigentümlich grobschlächtig; sein Handwerkszeug, eine auf die Untersuchung von Symbolgleichungen, verräterischen Wortspielen und sprachlichen Vieldeutigkeiten sowie auf das Aufdecken von Perversionen reduzierte oder doch sich konzentrierende Version der psychoanalytischen Textinterpretation wird monoton und eigentümlich undynamisch gehandhabt – Feti-

6 Der Roman wird durch Seitenangaben in Klammern zitiert nach der Ausgabe: Arno Schmidt, *Zettels Traum*, Stuttgart 1970.

schismus und Narzißmus z. B. kommen als psychische
Mechanismen gar nicht vor. Zugleich aber sind Vorgehen und
Resultate sensibel und scharfsinnig an vielen Stellen, wo
Schmidt gar nicht so methodisch strikt vorgeht, aber eben
seinem Gespür, seiner Intuition vertraut.

Poe also wird im Lichte Freuds gelesen, wobei die *Traum-
deutung* (1900) und die *Psychopathologie des Alltagslebens*
(1901) und hierbei vor allem die Theorie der sprachlichen
Fehlleistungen (Versprechen, Verschreiben) eine große Rolle
spielen, um die träumerisch-tagträumerischen Texte Poes, die
sich ins Vergeistigt-Edle hinwegzustehlen versuchen, auf ihr
psychisches Substrat im Autor zurückzuführen. Poe schrieb
ein Gedicht namens *Dreamland*, worin nach Schmidt angedeutet ist, daß bestimmte Geheimnisse (des Lebens Poes)
nicht gelüftet werden dürfen, was dann natürlich just erfolgen muß mittels der Traumdeutungstechnik Freuds, dessen Psychoanalyse Schmidt ab ca. 1960 intensiv, wenn auch
mit seltsam willkürlichen Akzentuierungen, zur Kenntnis
nahm; die Freudschen Deutungstechniken aber elektrisier-
ten Schmidt nicht zuletzt auch, weil sie ihm der Schlüssel zu
einem Werk nicht Poes, sondern der neben Freud zweiten für
ihn wichtigen literaturtheoretischen Entdeckung in den späten fünfziger Jahren zu sein schienen, zum Werk von James
Joyce nämlich und insbesondere zu *Finnegans Wake*. Auf
Schmidts prosatechnischem Arbeitsprogramm hatte in den
fünfziger Jahren schon die Darstellung des Bewußtseinszu-
standes »Traum« gestanden; nun lernte er in *Finnegans Wake*
ein Buch kennen, an dessen Entstehung und Textur nicht nur
Bewußtheit, sondern auf eine nicht naive, sondern künstlerisch höchst kalkulierte Weise auch Traumhaftes bzw. Unbewußtes beteiligt waren. Schmidts Bewunderung für *Finnegans Wake* fand ihre Grenze allerdings dann schnell in seiner
Angst vor einer wirklich befreienden Suspendierung des
kontrollierenden Bewußtseins in der Prosa; das Verschwim-
men aller Identitäten und Konturen im *Wake*, sowohl der
handelnden Personen (falls es diese im *Wake* überhaupt noch

gibt) wie auch der erkennbaren Eindeutigkeit dessen, was das einzelne Wort und die aus ihm gebildeten Sätze überhaupt sagen, denunzierte er als Ergebnis von Joyces Hang zur Geheimnistuerei, als Mystik bzw. als Verschleierung von Sachverhalten, über die das Buch ›eigentlich‹ spreche, die aber durch die Joycesche Sprachtechnik verwischt und verhüllt seien.

In gewissem Sinn handelt *Zettels Traum* davon, wie Schmidt bzw. sein Alter ego Daniel Pagenstecher sich der Überwältigung durch drei große Naturen zu erwehren versuchen, durch Edgar Allan Poe – schon früh in der Lektüregeschichte Schmidts aufgetaucht –, durch James Joyce und durch Sigmund Freud. Letzterer wird instrumentalisiert, um das frühere Idol Poe in Grund und Boden zu analysieren, bis nur noch ein voyeuristischer Quartalssäufer übrigbleibt, der sich verlogenerweise als priesterlicher Dichter gerierte; Joyces Werk aber ist nicht ganz so leicht abzutun, so daß Schmidt es eigentlich nur in seine Schranken weisen und durch eine eigene Leistung konterkarieren kann, die die angeblichen Fehler und Exzesse Joyces, insbesondere die übertriebene »Verrätselung« des Textes gerade in *Finnegans Wake*, vermeidet. Die theoretische Vorarbeit zu dieser Leistung ist die Entwicklung der sogenannten »Etym-Theorie«, also der Schmidtschen Theorie bzw. des Thesenbündels zum Verhältnis des Unbewußten des Autors zum manifesten künstlerischen Text, die – unermüdlich vorgetragen und ausgebaut im Verlaufe von *Zettels Traum* – es möglich machen soll, »sich der Schalt=Elemente innerhalb seines [Poes bzw. jeden Dichters] Schädels annähernd zu bemächtigen« (55), die also dem Literaturanalytiker die »keys to dreamland« – wie es bei Joyce[7] passenderweise, aber ohne Bezug auf Poe heißt – in die Hand gibt. Die Etym-Theorie bezieht sich einmal auf die Abbildung von szenisch-bildhaften Elementen aus der Psyche des Autors im Werk – in künstlerischer Verwandlung

---

7 James Joyce, *Finnegans Wake*, London 1939, S. 615, Zeile 28.

natürlich, so daß insbesondere sämtliche aus den symbolischen Darstellungsvermögen des Traumes bekannten Mechanismen von Schmidt zur Erklärung dessen, was Gegenstände, Landschaften, Pflanzen etc. in literarischen Kunstwerken ›eigentlich‹ sagen, in literaturanalytische Regie genommen werden, und die Etym-Theorie ist zweitens eine auf dem Hintergrund der Freudschen Theorie der Fehlleistungen entwickelte Annahme darüber, welche allgemeinen und beim jeweils zu analysierenden Autor individuellen präverbalen, Wort-ähnlichen Keim-Silben die Wort- und Bilderwahl bei ihm steuern, so daß noch hinter dem unverdächtigsten Wort triebkonfliktdeterminierte Wörter bzw. silbenartige Wortfragmente entdeckt werden können bzw. müssen.

Und so kann bei Poe und bei anderen einfallsweise und anfallsweise herangezogenen Autoren kein Moos und kein Busch vorkommen, das nicht als Schamhaar, keine zwei Bergrücken, die nicht als Busen oder Hintern, keine Quelle, die nicht als ausfließender Urin und kein Vulkanausbruch, der nicht als überdimensionale Blähung entlarvt würden; Poe kann auch nie mehr beteuern, etwas sei »true« (wahr), ohne daß darin ein französisches ›trou‹ (das Loch) über die fast alles mit fast allem verbindende Klangähnlichkeit gehört werden muß. »Err-« enthält immer auch ›erotisch‹, »pu-« läßt immer auf ein ›mons pubis‹ oder irgend ein anderes ›pudendum‹ lauschen, und so strotzt alles in Poes Texten von Zwei- bis Vieldeutigkeiten, die ihm – und das ist ein wichtiger Unterschied – *unbewußt* unterlaufen sind, während Joyce (Schmidt zufolge) zwar bewußt, aber künstlerisch zu exzessiv mit solchen artifiziellen »Etyms« in *Finnegans Wake* gespielt habe. An der Oberfläche liegt also bei Poe (und grundsätzlich bei allen Autoren) das bewußt gebrauchte und gesellschaftsfähige Wort, das eine dem Über-Ich zulässige, ›anständige‹, poetische Bedeutung habe und daher die psychische Zensur passierte, während der ›unanständige‹ Bedeutungsanteil, via Klangähnlichkeit an unverdächtige

Wörter angeschlossen, verdrängt, überformt und sublimiert ist. Da steht etwas von der Göttin Pallas und hinter dieser der ›phallus‹, hinter der Silbe »con-« (etwa in conchology = Muschelkunde) das englische ›cunt‹ (weibliches Geschlechtsteil), usw.

Was der Leser also mitmachen muß, wenn er die diesbezüglichen Erörterungen bei der Lektüre von *Zettels Traum* nicht bald zu überfliegen bzw. völlig links liegen zu lassen beginnt, ist ein Wechselbad von triftigen Überlegungen zum kreativitätspsychologischen bzw. psychobiographischen Hinter- bzw. Untergrund eines Textes und sprachpsychologischen Spekulationen, die ›wild‹ zu nennen noch milde wäre. Auch ohne Schmidt war schon bekannt, daß Edgar Allan Poe ein schwerer Psychopath und Dipsomane war; Schmidt dürfte in vielen seiner Annahmen recht gehen, was das verdeckte Einwandern von damals nicht erzählfähigen Erfahrungen in Poes Texte angeht; auch erspürt er scharfsinnig und aufgrund einer ausgebreiteten Lektüre (samt einem speziellen Gedächtnis für auffällige Formulierungen) zahlreiche Obsessionen, wiederkehrende Bilder, Staffagen und Züge von Landschaften bei Poe und anderen, die das Sensorium für die Umsetzungsvorgänge aus Gelebtem in Literatur befördern. Daneben allerdings stehen in diesen nicht endenwollenden Aufweisen der Poe-Texte als Allegorien der Psyche, als in Text umgesetzte Triebkonflikte, als Bilder-Fluchten von Wünschen die schrillsten und willkürlichsten Verknüpfungen von biographischen mit textlichen Details, von angeblichen frühkindlichen Eindrücken Poes mit späteren Formulierungen, die damit zu ›erklären‹ seien.

Dadurch aber wird die Balance von Ernst und Unernst gestört; genauer: durch die manische mikrologische Addition von angeblichen kleinen und großen Durchbrüchen des Unbewußten in Poes Texten wird das Vertrauen in eine Theorie angefressen, die – sieht man einmal von ihrer holzschnittartigen Grobheit in den Grundzügen ab – ja gar nicht so weit entfernt ist etwa von den Bemühungen des Pariser

Psychoanalytikers und Texttheoretikers Jacques Lacan um eine Erhellung der Bezüge bzw. Entsprechungen zwischen der Struktur der Sprache (gerade auch der künstlerischen Sprache) und der Struktur des Unbewußten. Schmidt unterstellt Poe bzw. dessen Texten, das bewußt von ihm bzw. in ihnen Gemeinte entgrenze sich bei genauerem Zusehen, und daß noch anderes als das bewußt Gemeinte mitgemeint sei, begeistert ihn bis zur grenzenlosen Rechthaberei, wobei er allerdings zugleich am liebsten jede wildwachsende Assoziation Poes, jeden wild in den Texten herumgeisternden Wunsch dingfest machen, benennen, wieder als zumindest von ihm, Schmidt/Pagenstecher, kontrollierten oder kontrollierbar gemachten festnageln will.

Poes Unbewußtes – und tendenziell das aller Dichter – ist eine nimmermüde »Wunschmaschine«; Schmidt benutzt den Deleuze/Guattarischen Terminus nicht, wie überhaupt seine psychoanalytische Terminologie bzw. Theorie-Kenntnis ungefähr auf dem Stand Freuds und seiner frühesten Schüler stehengeblieben ist, doch was er vorführt, ist die Bändigung der »Wunschmaschine« durch Benennung und souveränen Dégoût bei der Benennung aller Details ihres Funktionierens: das Ungezähmte wird »re-territorialisiert«, d. h. wieder dem Bereich des Wißbaren und Kontrollierbaren zugeführt.

Bisweilen hat man übrigens den Verdacht, der ja auch schon bei der psychoanalytischen Studie zu Karl May, *Sitara und der Weg dorthin*, nicht ganz abzuweisen war, daß Schmidt nahe daran ist, sein eigenes literaturanalytisches Verfahren so zu übertreiben, daß es sich parodiert, daß aus Literaturpsychoanalyse ihre Satire wird, etwa wenn er ohne erkennbares Zeichen von Ironie erörtert, ob nicht ›Christus‹ und ›Christentum‹ einen solchen Siegeszug in der Alten Welt erlebt hätten, weil als Triebreiz in ihnen auch immer das Wort ›crista‹ oder ›cristae‹ mitgeklungen habe, was bekanntlich ›Schamlippe(n)‹ heiße, oder wenn bei der Rekonstruktion von Poes Assoziationen zu einem bestimmten Wort auch deutsche oder lateinische Wörter einbezogen werden, die Poe mit Sicherheit nicht gekannt hat, oder wenn Schmidt die Aussprache von bestimmten englisch-amerikanischen Vokabeln völlig falsch annimmt, über solche Fehlerquellen aber nonchalant und hemmungslos hinweggeht. Doch bleibt die Erörterung der Etym-Theorie und der angrenzenden Hypothesen über Psyche und Sprachkunst insgesamt von einem solchen eifernden Bierernst, vollzieht sich so unablässig und lücken- und distanzlos, wird auch zum Beispiel von gar nicht souveränen, sondern unsäglich dümmlichen und herabsetzenden Äußerungen über die Analytikerinnen Marie Bonaparte und Lou Andreas-Salomé gekrönt, daß der Eindruck verbissensten Ernstes bei diesem Sujet vorherrscht. Zwar fragt Wilma Jacobi einmal: »Och Ihr *Lúst*=Greise! [. . .] glaubsDu Dein ganzes Zeug denn wìrklich=selber?« (133), aber das bleibt ein eher isolierter ironischer Querschläger ebenso wie die leicht spöttische Selbstcharakteristik Pagenstechers (unter Einschluß Paul Jacobis), sie seien »Müßiggänger in den Sackgäßchen des Geistes« (78) – daraus folgt auch nicht, was ja unter psychoanalytischen Aspekten naheläge, nämlich eine systematische Erörterung der Frage, ob nicht alles, was Pagenstecher unter dem zunehmenden Beifall Jacobis Poe unterstellt, eine Projektion der eigenen Defekte auf Poe sei . . .

Schmidt glaubte wohl, mit seiner etymistischen Methode ein entscheidendes Stück Freiheit zu erringen, Freiheit von Zwängen, welchen die von ihm so perhorreszierten »Dichter-Priester« erliegen, welche sich ins literarisch Erhabene stilisieren und dabei doch in den Sümpfen des Trivialen und Lächerlichen ebenso fußen wie wir alle. Doch wenn er auch ›für sich‹ Poe entlarvte und entmachtete, so gerät er doch, wie der ganze Textverlauf zeigt, in eine neue Unfreiheit; er wird zunehmend besessen von seinem Analyseinstrument, mit dem er atemlos ›wilde Analyse‹ betreibt. Man hat Schmidt vorgeworfen, ab spätestens *Zettels Traum* sein früheres aufklärerisches Literaturkonzept verlassen zu haben, was

Unsinn ist, da die Durchleuchtung der seelischen Determi-
nanten der Dichter von Schmidt durchaus aufklärend und
gegen die Literatur mystifizierende Dunkelmännerei gemeint ist. Doch es bleibt in *Zettels Traum* dann doch bei der
obsessiven Entlarverei des bloß geheimnisvoll Tuenden Poe,
beim Zwang, einen etymistischen Nachweis nach dem
andern zu liefern; Schmidt handhabt die Kur so, daß eine
Krankheit daraus wird. Das meinte der Wiener Schriftsteller
Reinhard Prießnitz, als er im Gespräch spottete: »Schmidts
Methode und sein Resultat der an Sprache gelegten Interpretation (also seine Etym-Theorie) ist pathologischer als die
von ihm benutzten Vorlagen es sein *können*; er macht das,
was Kraus über die Psychoanalyse nicht ganz zu unrecht
gesagt hat.«

Mochte Schmidt die Entmachtung Poes vergleichsweise glatt
gelingen, so sah er sich bei Freud der Fatalität konfrontiert,
daß er dessen Psychoanalyse als enorme intellektuelle Leistung begriff, deren Kenntnisnahme um 1960 mit dafür verantwortlich war, daß er sein schriftstellerisches Programm
revidieren mußte. Bei aller »anxiety of influence« (Harold
Bloom), bei allem Zögern von Autoren, den Einfluß anderer
Autoren zuzugeben, der ja eine Minderung ihres eigenen
Originalgenies und also eine narzißtische Kränkung darstellt
– den ›Einfluß‹ Sigmund Freuds auf sein Denken und auf sein
Projekt einer erzählerischen Darstellung von Bewußtseins-
zuständen konnte Schmidt gar nicht mehr leugnen; er konnte
nur noch versuchen, Freud auf dessen ureigenem Terrain zu
übertreffen. Das tut er in *Zettels Traum* erstens dadurch, daß
er überhaupt Literaturpsychoanalyse betreibt und damit also
demonstriert, daß er, Schmidt, als Künstler dies viel subtiler
kann als Freud, der im Grunde in feineren künstlerischen
und speziell sprachkünstlerischen Dingen nicht zuständig
war, und zweitens versucht er Freud massiv zu übertreffen,
indem er einen Schmidtschen Beitrag in die psychoanalytische Theoriebildung, speziell in die Theorie bzw. das Modell
der psychischen Instanzen einbringt. Schmidt behauptet die

Entdeckung einer weiteren psychischen Instanz, einer vierten, zusätzlich zu Es, Ich und Über-Ich, welche sich bei sprachkünstlerisch und intellektuell Hochbegabten um das 50. Lebensjahr herum ausbilde, als eine aus der Not sich langsam anbahnender Impotenz heraus sich entwickelnde Fähigkeit, Triebbedürfnisse, die physisch nicht mehr gestillt werden können, in Wortspielen als »symbolic actions« (Kenneth Burke) abzureagieren bzw. kreativ fruchtbar zu machen. Diese hochironische, selbstdistanzierte Fähigkeit hätten etwa Laurence Sterne und auch James Joyce besessen; sie seien bewußt sprachspielerisch mit einem Triebkonflikt bzw. einer Versagung umgegangen, während bei einem sich selbst heiligsprechenden, in der eigenen Wichtigkeit befangenen Autor wie Poe die Einfärbungen der poetischen Sprache durch versteckte Sexualitäten unbewußt und also um so peinlicher erschienen ... Kein Zweifel, daß Schmidt sich zu jenen feinen Geistern rechnet, die über kritische Distanz zu sich selbst, sprich also auch: über jene 4. Instanz in ihrem seelischen Apparat verfügen – daher also schreiben sich die unzähligen Wortspiele in *Zettels Traum*, die vom brillanten Wortwitz bis zum ödesten Kalauer reichen. Sie sollen Indizien von Freiheit sein, wirken allerdings auf die Dauer doch eher wie zwar gehobene, so doch hemmungslose Zotereien von niederschmetternder Fülle. Indem aber Schmidt Freuds psychisches Modell mit der Postulierung einer 4. Instanz so grundlegend ergänzt, hat er dem Wissenschaftler in sich – der er ja durchaus auch immer sein wollte; siehe die Aufstellung einer zehnstelligen Logarithmentafel, siehe die Biographie *Fouqué und einige seiner Zeitgenossen* (1958) – Zucker gegeben, kann sich nun Übervater Freud gleichberechtigt fühlen und braucht sich, jedenfalls was das Gebiet einer Psychologie der Kunst angeht, nicht mehr als inferior zu empfinden.

Die Herleitung bzw. Postulierung dieser 4. Instanz ist innerhalb von *Zettels Traum* nicht nur etwas, wor*über* geredet wird. Wie man sagen kann, daß gegenüber Poe, Joyce und

Freud, diesen »Instanzen«, Schmidt selbst die 4. Instanz darstellt – sprachspielerisch erhebt er sich über die anderen –, so
werden den vier Hauptpersonen in *Zettels Traum* ebenfalls je
eine der Instanzen bzw. deren Verkörperung zugeordnet.
Wilma Jacobi mit ihrem Moralisieren, ihrer Idealisierung des
Autors Poe und ihrem Wegleugnen alles Triebhaften in der
Literatur, gebärdet sich wie eine zensurierende, Gewissen-
hafte Instanz, nämlich das Über-Ich; ihre naiv triebhafte,
halb schüchterne, halb rotzfreche Tochter Franziska ist am
ehesten als das Es zu sehen, in zauberhafter, aber sozial
destruktiver Art gegenüber Pagenstecher auf Erfüllung ihrer
Wünsche pochend; Paul Jacobi ist zwischen Triebansprüchen
und Außenwelt, zwischen der Notwendigkeit disziplinierten
Arbeitens samt treuen Ehelebens und seiner Lüsternheit so
eingeklemmt wie das Ich, das die verschiedensten Ansprüche
austarieren muß, klein, grau und in seiner Jämmerlichkeit
glaubwürdig (übrigens ist Paul die einzig überzeugende
Gestalt unter den Charakteren des Buches); Daniel Pagenstecher aber ist mürbe und ironisch, weise und gebrochen, in
überirdischem Maße intelligent, wie ein Produkt einer gelungenen Eigenanalyse und nicht zufällig mit seinen 55 Jahren der Entdecker der Etyms – das heißt, er ist selbst die
4. Instanz. Zugespitzt gesagt: Diese vier Personen treten
zusammen zu einer Allegorie des psychischen Apparates
(gemäß Pagenstechers Theorem), womit aber Charaktere
und Rollen von Anfang an und durch die ganze Textmasse
hindurch sehr stark festgelegt sind, was wiederum der
Lebendigkeit und dem Potential von Überraschungen im
Erzählten nicht gerade zugute kommt.
Kein Dialog kann sonderlich lebendig sein, wenn er eindeutig beherrscht wird von einem intellektuellen Superman wie
Daniel Pagenstecher, der ganz locker *immer* recht behält, und
wenn der Dialog zweitens eigentlich nur *einen* Zweck hat:
eine Theorie zu transportieren. Damit werden nicht nur viele
Sätze, sondern ganze Abschnitte zu puren Vehikeln, die gar
keinen Eigenwert als erzählerische Sätze und Passagen

haben, keine Eigendynamik entwickeln dürfen, sondern immer dem Argument, dem Beleg zu dienen haben, damit aber stilistisch-ästhetisch eher vorhersehbar und bieder, unfrei und in ihrer Anarchie und ihrem Temperament, das man von ihnen doch bei Arno Schmidt erwartet, gedämpft wirken. Paradoxerweise sind dann häufig die Zitate, die dem Haupttextstrang mit der Argumentation für die Etym-Theorie als Belege beigestellt sind – Zitate aus den Werken vor allem Poes, aber auch Dutzender anderer Autoren, sowie aus den Fallstudien von Psychoanalytikern wie Magnus Hirschberg – viel reizvoller als der Text Arno Schmidts.

Über Poe wird gesprochen, mit Freud wird argumentiert – weniger deutlich, aber insgesamt genauso wichtig ist die Anwesenheit James Joyces in *Zettels Traum*, und sei es in der erkennbaren Geste des Abwehrens von Joyce. Denn bei aller Bewunderung für Joyce und insbesondere dessen *Ulysses*, dessen Detailrealismus gewissen Zügen Schmidtschen realistischen Erzählens sehr ähnlich ist, war Schmidt *Finnegans Wake* ein Faszinosum und ein Ärgernis zugleich. Faszinierend war Joyces Sprachkunst, die sprachliche Musikalität und das Bedeutungsgefunkel des Textes, in dem eine Haupt-Handlung, ein zentraler Bedeutungsstrang gar nicht (jedenfalls bis heute nicht) auszumachen ist, weil über weiteste Strecken Joyce sich neue Wörter und ganze Sätze seines Textes durch Bastardierung, durch Ineinanderschieben, Übereinanderblendung schon vorhandener klangähnlicher Wörter und Sätze zurechtmachte. Damit kam aber für Schmidt, den Realisten, der auf seine Beobachtungs- und Formulierungsgabe und auf die Beschreibbarkeit der Welt grundsätzlich setzt, etwas ins Rutschen; daß man als Leser in Joyces Alterswerk *Finnegans Wake* der Orientierung beraubt wird, konnte Schmidt nicht akzeptieren. Die Trennung der Ebenen des Erzählten in drei Spalten in *Zettels Traum* ist eindeutig eine Antwort darauf, daß Joyce nach Schmidts Auffassung unverantwortlich und mystifikatorisch verschiedene Bedeutungen und Ebenen, Erzähltes und Zitiertes, Bewußtes und

Tagtraum- oder Traumartiges in *Finnegans Wake* ineinander-
geblendet hatte.

Schmidt ›entzerrt‹ dies in *Zettels Traum* methodisch wieder
und glaubt damit dem Leser einen Gefallen zu tun: die mitt-
lere Spalte enthält die Haupthandlung, das (tendenziell)
realistisch, in Kontakt mit der Außenweltwahrnehmung Erzählte, die bewußt und wach gesprochenen Unterhaltungen
der Personen samt den Gedanken des Ich-Erzählers Daniel
Pagenstecher; in der linken Spalte stehen Zitate aus dem
Werk Poes und dessen Umgebung, soweit sie argumentativ
oder assoziativ mit den Poe-analytischen Erörterungen in
der mittleren Spalte zusammenhängen, und in der rechten
Spalte finden sich kleine gedankliche Abschweifungen, Ein-
fälle, Erinnerungen und Zitate aus dem Bewußtsein Pagenstechers. So war prinzipielle erzähltechnische Ordnung
geschaffen, und so war auch der Überforderung des Lesers
durch das unendliche ineinandergeblendete Kreuzworträt-
selwissen des *Wake* gesteuert, und obendrein achtete
Schmidt darauf, daß nicht zu viele jener Wortspiele und
Doppeldeutigkeiten in den Formulierungen in die Sprache
von *Zettels Traum* gerieten, die die Prosa von *Finnegans
Wake* so ins Schwimmen kommen ließen. *Zettels Traum* sei
wie *Finnegans Wake* »in Etyms« geschrieben, behauptete
Schmidt, doch dies ist der bare Unsinn; von einigen wenigen
Passagen abgesehen (die dann prompt um so rätselhafter,
aber eben auch sprachästhetisch reizvoller ausfallen), sind die
den Joyceschen ähnlichen Wortspiele – wenn man diesen
verkürzenden Ausdruck einmal hingehen läßt – eher wie
Streusel über den Schmidtschen Text verteilt, böse gesagt:
zum Teil einfach aufgesetzt, ohne selbst wieder kohärent zu
sein.

Daß *Zettels Traum* in diesem Sinne viel ›leichter lesbar‹ ist als
Finnegans Wake, ist aber in vieler Hinsicht auch ein Problem,
nämlich jenes einer ungut subalternen Pedanterie auf seiten
Schmidts. Denn wenn es eines der großen Ziele der Literatur
unseres Jahrhunderts ist, jene Magie der Sprache poetisch-

künstlerisch wiederherzustellen – siehe das Werk von Gertrude Stein, Otto Nebel, Ernst Jandl oder Oskar Pastior –, die im Zuge der wissenschaftlichen Aufklärung, der Entzauberung und des Verschleißes der Sprache verloren ging, dann war Joyce viel erfolgreicher, auch im schönsten Sinn viel bedenkenloser als Schmidt. Joyce folgte in *Finnegans Wake* einem Prinzip der Enthemmung und des sich Verschwendens, Schmidt dagegen produzierte mit *Zettels Traum* einen Text, der bei allem Reichtum im Detail grundsätzlich doch etwas verkniffen Beherrschtes an sich hat; Schmidt ist ›ordentlicher‹ in seiner Buch-Anlage und in seiner Handhabung der Wörter bzw. Worte – und das gibt er dann als Rücksicht auf den Leser aus. Als Modell der Anordnung des Textes in drei Spalten sucht er sich für *Zettels Traum* ausgerechnet das sogenannte ›Homework‹- oder ›Schoolboy‹-Kapitel von *Finnegans Wake* aus (S. 260–308), worin ein mittlerer Textstrang auf beiden Seiten mit Anmerkungen glossiert und mit Fußnoten erläutert wird. Nach diesem Modell eines die besserwisserische Erläuterung eines Textes ja geradezu parodierenden Kapitels aus *Finnegans Wake* geht Schmidt nun über 1334 großformatige Seiten von *Zettels Traum* vor. Es ist merkwürdig, daß diese Pedanterie, diese schülerhafte Bravheit ihm nicht selbst aufgefallen ist.

Zettels Traum ist gewissermaßen die Reaktionsbildung auf die Bekanntschaft mit zwei Autoren und einem – sagen wir einmal: Faktum, nämlich Sigmund Freud und James Joyce sowie dem Unbewußten. Die Bekanntschaft mit Schreibweisen und einer Theorie, die die Relation dieses Unbewußten zu wissenschaftlichen und künstlerischen Produkten thematisieren, war für Schmidt eine außerordentliche Herausforderung und auch eine Befreiung aus einer Sackgasse, in der er wohl in den späten fünfziger Jahren steckte; sowohl *Kaff auch Mare Crisium* wie auch *Kühe in Halbtrauer* sind ein Beleg für die fruchtbare Beunruhigung, in die ihn die Lektüre Joyces und Freuds führte. Dem folgte aber dann, im Bewußtsein seiner neuen Meisterschaft wie auch getrieben

von der Notwendigkeit, die großen Rivalen niederzukämp-
fen und den Einbruch des Primärprozeßhaften in seine
Schreibweisen wieder einzudämmen, das große Ehrgeiz-
Unternehmen *Zettels Traum*. Daß die Konzeption und Niederschrift dieses Buches Aspekte eines ehrgeizigsten Kamp-
fes gegen Konkurrenten hat, darauf deutet nicht nur der auffällig titanische Umfang des Buches, sondern das belegen
auch Zeugnisse von der Lebensform und der Verfassung
Arno Schmidts zur Zeit der Niederschrift von *Zettels Traum*;
seine Frau Alice Schmidt berichtet:

> [...] ich habe es nicht gerne gesehen, daß mein Mann
> *Zettels Traum* schrieb. Alfred Andersch sagte einmal: ein
> Buch schreiben, das ist Mord. Was sagte AS, wie vielen
> Büchern rein umfangmäßig *Zettels Traum* entsprach: 17?
> Und um wievielfach größer sagte er, daß die Schwierig-
> keit war, dieses eine große Buch zu schreiben, als
> 17 Romane? Sagte er 100 Mal? Haben Sie eine Vorstel-
> lung davon, ein wievielfacher Mord das war? Keine Spa-
> ziergänge mehr – kein Sitzen im Garten – kein Sonntag –
> kaum die Möglichkeit eines Gespräches: auf Fragen nur
> abwesend nervöse Antworten: bestenfalls. Im ständigen
> Gemurmel, wortprobierend, bewegten sich seine Lip-
> pen. Völlige Vernachlässigung der eigenen Gesundheit.
> Völlige Gleichgültigkeit gegen alles, was nicht ZT betraf.
> Er nahm von keinem Brief Kenntnis, schreiben keinen:
> jahrelang.[8]

Das Minuziöse und das Enzyklopädische sind nach Michael
Schneiders Formulierung[9] in *Zettels Traum* sozusagen prin-
zipiell absolut gesetzt; das Buch intendiert so etwas wie Lük-

---

8 Zit. nach: Jörg Drews, »Schmidt und Joyce, und im Hintergrund der
Dritte«, in: *Protokolle. Zeitschrift für Literatur und Kunst* 1 (1992)
S. 5–22, hier S. 16.
9 Michael Schneider, »Das irrealencyclopische Buch der Westernwelt.
Thesen und Notizen zur Poetologie und Wirkung von Zettels Traum«,
in: *Bargfelder Bote. Materialien zum Werk Arno Schmidts*, Lfg. 64 (Juli
1982) S. 3–14, insbes. S. 3 und 77.

kenlosigkeit, doch genau daher kommt dann der Eindruck des Zwanghaften, des Nichts-Auslassen-Könnens, der lastenden Schwere, die das Buch unter seinem eigenen Gewicht gewissermaßen zusammenbrechen läßt; alles ist so zerdehnt, daß am Ende sogar in dem einen erzählten Tag von 24 Stunden so viel ›drin‹ ist, daß einen ein Unbehagen ob solcher Grenzenlosigkeit und solchem Proportionsverlust befällt. Allerdings muß man mit solchen Bekundungen vorsichtig sein, denn es ist zwar in manchen Passagen unverkennbar, daß Schmidt seine Figuren nur verlegen »im Bücherhaus & auf der Treppe« hin- und herschieben kann, weil sie nichts zu tun, sondern wieder einmal nur irgendeinen Aspekt einer Erzählung Poes zu analysieren bzw. dabei zuzuhören haben; andererseits aber gibt es gerade in Buch IV, *Die Geste des Großen Pun*, sowie in Buch VII, *The twilit of the Guts*, so rätselhafte und nicht mehr psychologistisch oder nach Wahrscheinlichkeitskriterien reduzierbare oder einordenbare Passagen so bizarr schwebenden Charakters, daß man ob solcher reich instrumentierter Stellen dem Autor andere, nur mit öder Mechanik sich vorwärtsbewegende Abschnitte zu vergeben bereit ist; diese großen Walpurgisspuks bieten ein Motiv- und Stimmengetöse, eine sprachliche Atmosphäre der Anwesenheit verschiedenster Dichtungsepochen und halluzinatorischer Zustände (den Terminus nicht psychologisch gemeint), daß man den Eindruck gänzlicher Öffnung zum Unbewußten des Autors wie auch höchster spielerischer Meisterschaft hat. Und gerade Buch VII, in dem Edgar Allan Poe für einen Moment leibhaftig auftritt, gehört mit Sicherheit in die oberste Klasse großer ekstatisch-halluzinatorischer Texte, nämlich in die Reihe von Goethes Romantischer Walpurgisnacht aus *Faust I*, Gustave Flauberts *Versuchung des heiligen Antonius* und der psychodramatischen Circe-Episode aus Joyces *Ulysses*. Bedenkt man im übrigen, daß Axel Dunker an bestimmten Passagen von *Zettels Traum* eine außerordentlich intrikate Verknüpfung mit *Finnegans Wake* wie auch mit John Miltons *Paradise Lost* hat zeigen können,[10] die über das Philologische hinaus einen vielleicht zu einem ganz anderen Blick auf viele Textstellen des Buches zwingt, zu einer Leseweise, die wir noch gar nicht richtig kennen können, so birgt die weitere Lektüre von *Zettels Traum* vielleicht doch noch große Überraschungen.

Genauer untersucht sind an diesem Buch, das sich selbst »halb Kinderspott halb Legende« nennt (446), eigentlich nur wenige Passagen und Motive, vor allem die Seite 1 des Textes (4),[11] eine irritierende Szene aus dem Buch VII (1131–1133)[12] sowie der Bezug zu Shakespeares *A Midsummer Night's Dream*, den ja der Titel schon andeutet[13] und den das Motto des Buches noch einmal mit Leichtigkeit und Heiterkeit nahelegt, mit einem Charme also, der dem ja insgesamt sehr massiv auftretenden Text eher fremd ist:

Ich hab' ein äußerst rares Gesicht gehabt! Ich hatt' nen Traum – 's geht über Menschenwitz, zu sagen, was es für ein Traum war, Der Mensch ist nur ein Esel, wenn er sich einfallen läßt, diesen Traum auszulegen. Mir war, als wär' ich – kein Menschenkind kann sagen, was. Mir war, als wär' ich, und mir war, als hätt' ich – aber der Mensch ist nur ein lumpiger Hanswurst, wenn er sich unterfängt, zu sagen, was mir war, als hätt' ich's: des Menschen Auge hat's nicht gehört, des Menschen Ohr hat's nicht gesehen, des Menschen Hand kann's nicht schmecken, seine Zunge

---

10 Axel Dunker, »ZT 1132: Cunnyng is great! Solleve! Sol leve!. Arno Schmidts Hommage an James Joyce«, in: *Bargfelder Bote. Materialien zum Werk Arno Schmidts*, Lfg. 100 (Jan. 1986) S. 52–62.

11 Jörg Drews, »Arno Schmidt: Zettels Traum, Seite 1 (ZT 4). Ein Kommentar«, in: *Bargfelder Bote. Materialien zum Werk Arno Schmidts*, Lfg. 9 (Okt. 1974) unpag.

12 Vgl. Anm. 10.

13 Vgl. Michael Manko, »*Ein Sommernachtstraum* und *Zettels Traum*. Eine Quellenstudie«, in: *Bargfelder Bote. Materialien zum Werk Arno Schmidts*, Lfg. 51–52 (April 1981) S. 4–30. – Siehe hierzu auch Friedhelm Rathjen, »Fluß des Alten Mannes. Trivia Zetteliana: Titel/Ende«, in: *Bargfelder Bote. Materialien zum Werk Arno Schmidts*, Lfg. 137 (April 1989) S. 9–13.

kann's nicht begreifen, und sein Herz nicht wieder sagen,
was mein Traum war. –   (2)[14]

Vergleicht man den endgültigen Titel des Buches mit den
Titeln, die Schmidt während der ersten Entwürfe und der
Niederschrift erwog, so kann man die Wahl von *Zettels
Traum* verstehen und bewundern,[15] denn Zettel der Weber
aus *Ein Sommernachtstraum* wünscht sich, daß ihm Peter
Squenz »eine Ballade« von dem Traum schreiben solle, den
er, Zettel, in der Mittsommernacht hatte, in der Puck ihm
einen Eselskopf anhexte; damit ist die Gleichung Zettel =
Esel möglich, doch führt das nur in ein Gespinst von Verknüpfungen und Doppeldeutigkeiten hinein, die ›bottom-
less‹, also bodenlos sind, ansonsten aber »Bottom's dream«,
den Traum des Webers Zettel, zum Zentrum haben. Schmidt
selbst ist natürlich der ›Weber‹ jenes ›Gobelins‹ namens *Zettels Traum*, andererseits aber auch derjenige, der in diesem
Buch die Zettel seines berühmten, mit Notaten und Zitaten
gefüllten Zettelkastens zu einem Traumtext zusammenschie-
ßen läßt – und war Schmidt nicht in den dreißiger Jahren
auch in der Textilindustrie tätig, in deren Fachterminologie
»Zettel« und »Einschlag« eine Rolle spielen? »bottom« läßt
sich übrigens auch mit ›Hintern‹ übersetzen, also ›Po(e)‹ –
noch gröber: Arsch; stecken nicht die Buchstaben des Worts
›Arsch‹ anagrammatisch bzw. als Initialen in dem Namen
*Arno Sch*midt? Wer also hat sich einen Traum-Text ausgedacht bzw. einen Traum, ein »rares Gesicht« gehabt: Bottom/
Zettel, Poe, Schmidt und/oder Peter Squenz? Und wer ist der
»Esel« – Bottom/Zettel in der Mittsommernacht oder Daniel

14 Nach William Shakespeares *Ein Sommernachtstraum*, Akt IV, Szene 1,
    in Anlehnung an die Übersetzung von August Wilhelm von Schlegel.
    Der Text steht als Motto in *Zettels Traum*.
15 Vgl. die Notizen und Entwürfe zu Titel und »Szenen=Rahmen« des
    Buches, das dann endgültig *Zettels Traum* heißt, in der Dokumentation
    der Arno Schmidt Stiftung (Hrsg.), *Von Arnheim zu Zettels Traum.
    Begleitheft der dritten Ausstellung der Arno Schmidt Stiftung in Barg-
    feld, 1990/91*, Bargfeld 1990.

Pagenstecher, der die Träume zu deuten versucht wie der alttestamentarische Daniel, oder ist *jeder* ein »Esel«, der Zettels Traum auszulegen versucht?

»:> versuch nich, Uns besoffm=zu=quattschn : Wir sindoch nich mehr 17!«« (334), ruft Wilma dem psychoanalytisch dozierenden Daniel Pagenstecher zu, aber es hilft nichts; »besoffm« sind am Ende nicht nur Eltern und Kind Jacobi, die sich zur Ernüchterung schnell aus dem Bann Pagenstechers entfernen, sondern »besoffm« im übertragenen Sinn, zumindest mit Deutungsansinnen (noch) überfordert, sind bis heute auch die Germanisten; aus dem unübersehbar großen Text-Gelände *Zettels Traum* tönen Stimmen, die Namen von Elementargeistern nennen, die schon in den frühesten Erzählungen Schmidts aus den dreißiger Jahren eine Rolle spielen, dringt die Stimme Schmidts, der plötzlich trotz aller Ranküne gegen Joyce mit barscher Stimme zugibt und dekretiert: »Die Literatur der Alten hat nichts hervorgebracht, das sich auch nur entfernt vergleichen ließe mit JAMES JOYCE« (353), dringt die Stimme Pagenstechers, der kulturpessimistischste Zweifel hegt an der Fähigkeit und dem Willen der Jugend der Jahre um 1968, die abendländischen Kunstwerke noch aufnehmen und tradieren zu wollen, so daß *Zettels Traum* vielleicht auch als eine Arche Noah zur Aufbewahrung von Kulturgütern von Schmidt gemeint ist. Bis jetzt scheint also nur ein faszinierendes Stimmengewirr aus dem Buch zu tönen, und nicht einmal die Philologen unter den Schmidt-Fanatikern sind sich sicher, ob *Zettels Traum* ein Irrweg und Krankheitssymptom auf der Lebensbahn Arno Schmidts ist oder doch Summe und Fluchtpunkt seines Werkes. Vielleicht hilft vor dieser Alternative ein Blick auf die *Zettels Traum* im gleichen Jahrzehnt folgenden Bücher, die Romane *Die Schule der Atheisten* und *Abend mit Goldrand*. Der Form nach sind dies Dialogromane, der Gattung nach Komödien, bisweilen mit einem Einschlag von Posse und Satyrspiel, und sie heißen nicht nur Komödien, sondern sind von einer komischen Kraft, einer Heiterkeit und zuweilen auch Grazie, daß man von diesen spätesten Büchern Schmidts her betrachtet den Eindruck hat, daß Schmidt sich mit *Zettels Traum* an etwas abarbeitete, sich von etwas befreite, dessen erdrückendes Gewicht man an dem Buchklumpen *Zettels Traum* und der darin vorgetragenen bizarr ausufernden Theorie ablesen kann. Danach aber ist, in der *Schule der Atheisten* wie in *Abend mit Goldrand*, von der eifernd als für das Verständnis und die Produktion aller (insbesondere der zukünftigen) Literatur so unentbehrlichen Etym-Theorie nie mehr ernsthaft die Rede. Die hatte sich offenbar in und durch *Zettels Traum* erledigt, und der Gewinn war für Schmidt in den verbleibenden Lebensjahren: Freiheit zum Komödiantischen, Lizenz zur Posse als Belohnung für die vorangegangene Plage.

Literaturhinweise

Ausgaben

Arno Schmidt: Zettels Traum. Stuttgart: Goverts/Krüger/Stahlberg, 1970. [Faks.-Dr. des Typoskripts.] – Frankfurt a. M.: S. Fischer, ⁴1986. [Der Titel wird meist zitiert nach der Schreibung auf dem Buchrücken der Erstausgabe. Im Schmidtschen Typoskript steht der Titel als »Zettel's Traum«.]
– Zettels Traum. Berlin: o. V., o. J. [1970]. [Raubdruck.]
– Zettels Traum. Frankfurt a. M.: S. Fischer, 1973. (Studienausgabe in 8 Einzelheften.) – Neuausg. 1986.
– Zettels Traum. Berlin: o. V., o. J. [Anf. der 80er Jahre]. [Raubdruck.]

Forschungsliteratur

Bröer, Karl-Ernst: Die Geburt der 4. Instanz aus dem Geiste der Impotenz. Zur ›Mühdtollogie‹ in Zettels Traum. In: Bargfelder Bote. Materialien zum Werk Arno Schmidts. Lfg. 58–60 (März 1982) S. 15–27.
Heißenbüttel, Helmut: Zettel's Traum als dickes Buch. In: Text + Kritik. H. 20. 2. Aufl. Mai 1971. S. 15–20.
Schweikert, Rudi: »Merlin and Vivien«. Zitate aus Alfred Lord Tennysons Idylls of the King in Arno Schmidts Zettels Traum. In: Bargfelder Bote. Materialien zum Werk Arno Schmidts. Lfg. 58–60 (März 1982) S. 3–14.
Stündel, Dieter: Register zu Zettels Traum. Eine Annäherung. München 1974. (edition text + kritik.)

Für die Ermittlung weiterer Forschungsliteratur insbesondere aus den letzten Jahren sei verwiesen auf: Müther, Karl-Heinz: Bibliographie Arno Schmidt 1949–1991. Bielefeld 1992.

Peter Handke: *Der kurze Brief zum langen Abschied*

Von Theo Elm

Fünfzig Jahre nach Thomas Manns *Zauberberg*, der Auflösung des Bildungs- und Entwicklungsromans in der zivilisatorischen Moderne, inszeniert Handke im *kurzen Brief zum langen Abschied* (1972) noch einmal das Erzählmuster der alten Gattung. Individualisierte Figuren, komplexe Beziehungen, Erlebnisfülle, der Lebenslauf als Episodenfolge, humanistische Bildungsmotive und am Ende die Selbstfindung des Helden auf seiner Reise durch Amerika lassen eher an Goethes *Wilhelm Meister* und Kellers *Grünen Heinrich* denken als an den Vietnamkrieg und die Rassenkrawalle in den USA um 1970 – die aus Handkes zeitgenössischer Romanwirklichkeit tatsächlich wie weggezaubert sind. Der vorgeführte Rückzug in das 18., das 19. Jahrhundert wird zur Handlungsbedingung des Buchs, denn Goethe und Keller liest auch der Held und folgt dabei den ›Neue Welt‹-Verheißungen seiner Dichter (»Amerika, du hast es besser«), während Handke selbst einer bereits 1966 gefaßten Absicht auf der Spur zu bleiben scheint: Gegen die »Beschreibungsimpotenz« der deutschen Nachkriegsliteratur, ihren »unreflektierten Realismus«, das heißt gegen das bloß instrumentelle Verständnis der Sprache »sollte man«, so plädierte er damals auf der Princeton-Tagung der ›Gruppe 47‹, »die tückische Sprache selber durchschauen und [...] zeigen, wie viele Dinge mit der Sprache gedreht werden können. Diese stilistische Aufgabe wäre [...] auch eine gesellschaftliche.«[1]

In der Tat, als Handkes »Sprechstück« *Kaspar* erschien (1968), war es gerade nicht die übliche Geschichte Kaspar Hausers, sondern ein Lehrstück der '68er Aufklärung –

1 Peter Handke, *Ich bin ein Bewohner des Elfenbeinturms*, Frankfurt a. M. 1972, S. 30.

Ideologiekritik durch Semiotik: Die Sprache spielt sich selbst[2] und zeigt die Abrichtung, die Indoktrination des Menschen durch Sprache – dort, wo Sprache nicht als Systemzwang erkannt wird. Ebenso verfremdete *Die Angst des Tormanns beim Elfmeter* (1970) das Muster der Kriminalstory, weil der ›Fall‹, Blochs Mordtat, nur Randerscheinung ist, beiläufige Folge seiner wesentlichen Desorientierung im ebenso konventionalisierten wie unverstandenen Zeichensystem der Welt. *Wunschloses Unglück* (1972) wiederum, Handkes selbstkritischer Versuch, sich an seine Mutter »heranzuschreiben«[3], wird zum Angriff auf »den allgemeinen Formelvorrat für die Biographie eines Frauenlebens«[4] und distanziert sich von der Biographie als Erzählschema. Darin spiegelt sich auf der Ebene der Darstellung die Kritik der Entfremdung, in der die Mutter zu leben hatte. Denn ihr Unglück gründete im nie durchschauten Schematismus, in der nie erkannten und überwundenen Zeichensprache ihrer kleinbürgerlichen Umwelt.

Handkes Absicht, entsprechend seiner ursprünglichen Zeichenkritik den kanonisierten Darstellungsformen ihre systemtreue Fiktivität, ihr normatives Als-ob nachzuweisen, scheint auch *Den kurzen Brief zum langen Abschied* zu bestimmen. Denn er sei, so Handke, bloß die »Fiktion eines Bildungs- und Entwicklungsromans«, sei die Kontrafaktur eines traditionellen Erzähl- und Bewußtseinsmusters.[5] Doch Kontrafaktur – wozu? Wozu ausgerechnet das längst obsolet gewordene Genre als Vorlage für Handkes Roman? Eine Antwort geben die drei konstitutiven Elemente der Gattung, die der Autor in sein Buch überträgt: 1. das Erlebnis der Natur, 2. das Theaterthema und 3. das Bildungsgespräch.

---

2 Peter Handke, *Stücke I*, Frankfurt a. M. 1972, S. 7.
3 Peter Handke, *Wunschloses Unglück*, Frankfurt a. M. 1972, S. 46.
4 Ebd., S. 45.
5 Hellmuth Karasek, »Ohne zu verallgemeinern. Ein Gespräch mit Peter Handke«, in: Michael Scharang (Hrsg.), *Über Peter Handke*, Frankfurt a. M. 1972, S. 85–90; hier S. 88.

Das Erlebnis der Natur

Zur Topik des traditionellen Bildungs- und Entwicklungsromans zählt die innige Beziehung des Helden zur Natur,
zu einer freilich eigentümlich stilisierten und symbolisch bedeutsamen Erscheinungsform der Natur:

> Er durchstrich langsam Täler und Berge mit der Empfin-
> dung des größten Vergnügens. Überhangende Felsen, rau-
> schende Wasserbäche, bewachsene Wände, tiefe Gründe
> sah er hier zum erstenmal [...]. Er fühlte sich bei diesem
> Anblicke wieder verjüngt; alle erduldeten Schmerzen
> waren aus seiner Seele weggewaschen, und mit völliger
> Heiterkeit sagte er sich Stellen aus verschiedenen Gedich-
> ten, besonders aus dem »Pastor Fido« vor, die an diesen
> einsamen Plätzen scharenweis seinem Gedächtnisse zu-
> flossen. (Goethe)[6]

> »Habe ich doch schon oft«, rief Heinrich aus, »mich an
> dem Aufgang der bunten Natur, an der friedlichen Nach-
> barschaft ihres mannigfaltigen Eigentums ergötzt; aber
> eine so schöpferische und gediegene Heiterkeit hat mich
> noch nie erfüllt wie heute. Jene Fernen sind mir so nah,
> und die reiche Landschaft ist mir wie eine innere Phanta-
> sie.« (Novalis)[7]

> Erst spät in der Nacht legte ich mich zu Bette bei offenem
> Fenster; das Wasser rauschte dicht unter demselben, jen-
> seits klapperte eine Mühle, ein majestätisches Gewitter
> zog durch das Tal, der Regen klang wie Musik und der
> Wind in den Forsten der nahen Berge wie Gesang, und die
> kühle erfrischende Luft atmend schlief ich sozusagen an
> der Brust der gewaltigen Natur ein. (Keller)[8]

6 Johann Wolfgang Goethe, *Wilhelm Meisters Lehrjahre* (1795/96), hrsg.
  von Erhard Bahr, Stuttgart 1982, 2. Buch, Kap. 3, S. 86 f.
7 Novalis, *Heinrich von Ofterdingen* (1802), hrsg. von Wolfgang Früh-
  wald, Stuttgart 1987, 1. Teil, Kap. 7, S. 108.
8 Gottfried Keller, *Der grüne Heinrich* (1854/55), 1. Band, Kap. 9, in:
  G. K., *Sämtliche Werke und Ausgewählte Briefe*, Bd. 1, München 1958,
  S. 184.

»An der Brust der gewaltigen Natur«! Die Ich-rettende Harmonie mit der Natur gehört zum aufklärerisch-idealistischen Bildungserlebnis und mag als Kompensation des zivilisatorischen Fortschritts gelten[9]: Erst die Herrschaft über die Natur, ihre Bändigung, macht den Menschen frei – frei aber auch, sich ihr als domestiziertem Gegenstand, das heißt als ästhetisch geordneter Landschaft zuzuwenden und eben darin den melancholisch stimmenden Verlust eines ursprünglichen Ich, eines naturhaften Seins auszugleichen. Ich und Natur finden sich wieder im Zeichen kunstvoll hergestellter Ordnung – eine Kulturfunktion der Literatur, die der Bildungsroman von Goethe, Novalis und Keller nicht nur erfüllt, sondern (siehe oben) auch thematisiert im *Pastor Fido* lesenden Wilhelm, im phantasieinspirierten Heinrich und in der Beruhigung des Kellerschen Helden durch den ›musikalischen‹ Regen und den ›singenden‹ Wind – Elemente ästhetisierter Natur. Heinrich Lees Besuch bei den Verwandten auf dem Lande ist ja nichts anderes als Flucht vor der naturentfremdeten Stadt, vor dem Scheitern in der Schule und der Feindschaft der Mitschüler. Die Natur, die nun rauschend, klingend und kühl erfrischend zu ihm ins Zimmer reicht – sie tröstet den enttäuscht Heranwachsenden und rettet seine Ich-Identität, indem sie seine Empfindungen provoziert und ihn so auf sich zurückführt, zurück in die Innerlichkeit seines Wesens.

»Mein ganzes Wesen verstummt und lauscht.« So könnte es folglich im Bildungsroman heißen, bei Goethe, Keller oder Hölderlin. Und wirklich: Hölderlins Hyperion schreibt es und ergänzt: »[. . .] wenn die zarte Welle der Luft mir um die Brust spielt.«[10] Doch auch Handkes Erzähler sagt es, oder

9 Vgl. Joachim Ritter, »Landschaft. Zur Funktion des Ästhetischen in der modernen Gesellschaft«, in: J. R., *Subjektivität. Sechs Aufsätze*, Frankfurt a. M. 1974, S. 141–163.
10 Friedrich Hölderlin, *Hyperion* (1797–99), in: F. H., *Sämtliche Werke*, hrsg. von Friedrich Beißner, 8 Bde., Stuttgart 1943–1985, hier Bd. 3, S. 8.

vielmehr, er ersehnt es; denn er fährt fort: »[. . .] so hatte man
sich früher zu den Naturerscheinungen verhalten; ich aber
spürte in diesen Augenblicken vor der Natur wieder unangenehm deutlich mich selber.« (79)[11] Der Satz ist bezeichnend
für Handke und sein Buch, markiert er doch beispielhaft den
Bruch in dieser Adaption des Bildungs- und Entwicklungsromans. Anders als dort tritt hier nämlich an die Stelle
der Korrespondenz von schöner Natur und menschlichem
Wesen die Entfremdung von der Natur – etwa im Sumpfer-
lebnis, wo die Natur nicht mehr behagliche Idylle ist, sondern sich als unheimliche Bedrohung enthüllt (90 f.). Während Novalis bekennt: »die reiche Landschaft ist mir wie eine
innere Phantasie«, und Reichtum, Natur, Innerlichkeit und
Einbildungskraft verknüpft, gilt bei Handke gerade das
Gegenteil: Natur wird zur Gefahr, Gefahr zum Zeichen der
Entfremdung. Am Beispiel der Zypresse, die zunächst noch
auf einem »kleinen Hügel stand in einiger Entfernung« (95)
und nun »sanft schwankend« im Rhythmus der Atemzüge
näher rückt, die Brust des Erzählers durchbohrt und »die
Funktion [seines] Atemzentrums« übernehmend ihn als
»überzähligen« auslöscht, wird sogleich deutlich, daß in
Handkes Roman die »Natur« – entgegen den Sehnsüchten
des Erzählers (142) – ihre Repräsentanz als harmonische
Subjektivität und idyllischen Fluchtort aufgekündigt hat.
Aber gerade deshalb wird der Reisende zum spätzeitlich
›Sentimentalischen‹, getrieben von der Sehnsucht nach der
bewältigten, der schönen Natur »eines vergangenen Jahrhunderts« – für die zuletzt ein Surrogat einsteht, das abgegrenz-
te Bel Air mit der Parkkulisse aus Orangenbäumen und
Zypressen (186). Fremd ist ihm sein ›naiver‹ Bruder im fort-
schrittsfernen Gebirge, dem die Natur als Landschaftsphoto-

11 Der Roman wird mit Seitenangaben in Klammern hier und im folgenden zitiert nach der Ausgabe: Peter Handke, *Der kurze Brief zum lan-*
gen Abschied, Frankfurt a. M. 1974 (suhrkamp taschenbuch, 172). Die
Taschenbuchausgabe ist mit der Erstausgabe von 1972 seitengleich.

graphie in einem Reklamekalender noch fraglos selbstverständlich ist (176).

Nun steht freilich Handkes Kontrafaktur der aufklärerisch-
idealistischen Naturthematik in einem eigentümlichen Er-
zählkontext – eigentümlich, weil nicht weniger bedrohlich.
Da ist der Neger im Aufzug, der »im nächsten Augenblick
wahnsinnig werden und sich auf mich stürzen würde« (10),
oder jemand, der »mir gegenüber [. . .] plötzlich wahnsinnig
werden« könnte (103); da sind Angstträume (75 f.) oder
»Erdlöcher, in denen man verschwinden konnte« (51), und
das Gefühl, sich allmählich in ein »Ding« zu verwandeln;
da ist die entfesselte Ekstase, die den Soldaten in der Bar
überfällt (63 ff.), oder der Vorstellung, »als ob die Umwelt
auf einmal platzen könnte und sich als etwas ganz andres
entpuppen würde, zum Beispiel als das Maul eines Ungeheu-
ers« (96).

Diesen Bedrohungen und Ängsten ist nicht nur der Erzähler
ausgesetzt, sondern auch Benedictine mit ihrem kindhaften
Schrecken vor Veränderungen oder der Dramaturg, dessen
Entfernung von der »Natur«, von der »schäferlichen« Natur
»eines vergangenen Jahrhunderts« (142) zu surrealem Wahn
führt: »[ich war] schon lange nicht mehr in der Natur, und
trotzdem fühlte ich mich jetzt, als ich die Hand nach dem
Glas ausstreckte, ganz leibhaftig als ein gerade getöteter
Spinnenkörper, der langsam am Faden wie noch lebendig zur
Erde sinkt.« (153) Der Naturverlust ist auch beim Drama-
turgen Indiz genereller Lebensentfremdung; bekennt er doch
kurz davor: »Ich bin ganz vom Leben abgeschnitten.« (ebd.)
Flucht vor solch jähen Erkenntnissen führt zu erlösendem
Pillenkonsum (ebd.) oder zur Suche nach einer neuen Natur-
vorstellung als Kompensation aller Irritationen: Der Erzähler entdeckt mit Benedictine die »künstlichen Zeichen und
Gegenstände der Zivilisation schon als Natur« (117) –
jedoch, »Fernsehantennen, Zebrastreifen und Polizeisirenen«, Bestandteile dieser »Natur«, können als »Zeichen«
nicht mehr entziffert werden (153), sind sinnleer. Des-

halb bleibt die »reiche Landschaft« als Reflex »innerer Phantasie« für den Erzähler auch weiterhin ein schon verlorener und doch noch ersehnter Besitz (142). New York als »sanftes Naturschauspiel«, mitsamt »Glasflächen, Stoppschildern, Fahnenstangen, Leuchtschriften«, präsentiert eine »Landschaft« (47), deren Armut zum Signum der Entfremdung von Empfindung und ›Natur‹, von Innen- und Außenwelt wird. So sind Selbstgespräch (12), Selbstbefriedigung (17) und die Unmöglichkeit menschlicher Beziehung (Blue-Jeans-Mädchen-Szene, 39 f.) immer nur wieder verschiedene Symptome einer allumfassenden Entfremdung. Sie aber ist der Zusammenhang, in dem das Verhältnis des Erzählers zur Natur steht: Der Roman ist nur auf einer äußeren, ersten Bedeutungsschicht mit der aufklärerisch-idealistischen Bildungstradition verbunden, darüber hinaus trägt er die Züge der Moderne des 20. Jahrhunderts.

Das wird deutlicher mit Blick auf den Helden, auf einen Aspekt seiner »Beschränkungen«, die Selbstentfremdung: Sie äußert sich etwa im Doppelgängermotiv als Indiz der Ich-Spaltung (163, 173), in einzelnen Formulierungen – »allmählich begann ich mir zuzuschauen, wie ich einschlief« (51), »vor Erschöpfung klafften die symmetrischen Teile meines Körpers auseinander« (184) –, in der Vorstellung, »ich würde aus mir herauskippen« (163) oder der Angst, zum »Ding« zu werden (20). Der Zweifel an der Ganzheit und Selbstgewißheit der Person ist als Symptom der Erkenntnisskepsis in der ästhetischen Moderne spätestens seit Rilkes *Malte Laurids Brigge* (1910) bekannt: In Maltes »Aufzeichnungen« erscheinen die Frau, deren »Gesicht in den zwei Händen blieb«[12], und der Veitstänzer, dessen Körperteile jedes für sich herrisch autonom werden[13]. Ähnlich in Kafkas *Verwandlung*, wo Gregor Samsas Körper zu einem »ungeheuren

---

12 Rainer Maria Rilke, *Die Aufzeichnungen des Malte Laurids Brigge*, Frankfurt a. M. 1973, S. 10. Weitere Seitenangaben nach dieser Insel-Ausgabe.
13 Ebd., S. 65 ff.

Ungeziefer« mutiert[14], oder in Sartres *La Nausée*, wo sich Antoine Roquentin sicher ist, daß sein Gesicht in Einzelteile zerfällt[15]. Die Befreiung von den tradierten Normen der ›Wirklichkeit‹, dem mimetisch begriffenen Ausdruck, der empirisch verstandenen Person, annulliert die abstrakte Freiheit des Subjekts: Sie führt zur Freiheit und Vormacht der Dinge. Die dinghaften Teile etwa der sich spaltenden und verwandelnden Körper werden – nach einem treffenden Wort Adornos – zu »Fetischen [...], an die einmal Subjektives, Libido sich heftete«.[16] Rilkes Prosabuch, auch die Texte von Kafka, Döblin, Musil, Broch und dem frühen Sartre entstehen aus diesem Zusammenbruch der dem neuzeitlich-aufklärerischen Weltbewältigungs-Trieb unterworfenen Wirklichkeitsvorstellungen – Fetischen der Subjektzentriertheit, über die die antikartesianischen Erfahrungen des Jahrhunderts hinweggreifen, Erfahrungen der Tiefenpsychologie und Relativitätstheorie, der großstädtischen Massengesellschaft und industriellen Automatisierung, der globalen Wirtschaftskrisen und Weltkriege. Vom längst verinnerlichten, nun aber geschichtlich zurückgebliebenen Wirklichkeitsbegriff muß sich das Individuum wie von Krankheitsherden schmerzvoll trennen:

> Jetzt war es da. Jetzt wuchs es aus mir heraus wie eine Geschwulst, wie ein zweiter Kopf, und war ein Teil von mir, obwohl es doch gar nicht zu mir gehören konnte, weil es so groß war. Es war da, wie ein großes totes Tier, das einmal, als es noch lebte, meine Hand gewesen war oder mein Arm.   (Rilke, S. 60)

So schreibt Rilke, so auch Handke:

14 Franz Kafka, *Sämtliche Erzählungen*, hrsg. von Paul Raabe, Frankfurt a. M. 1971, S. 56.
15 Jean-Paul Sartre, *La Nausée*, Paris 1962 (¹1938), S. 30 f.; dt. *Der Ekel*, aus dem Franz. übers. von Uli Aumüller, Reinbek bei Hamburg 1982, S. 26 f.
16 Theodor W. Adorno, »Rückblickend auf den Surrealismus«, in: Th. W. A., *Noten zur Literatur I*, Frankfurt a. M. 1973, S. 155–162, hier S. 161.

Zuerst dachte ich, daß es die Trauben seien, die mich so
aufblähten. Der Rumpf schwoll an, während der Kopf und
die Gliedmaßen zu tierischen Anhängseln zusammen-
schrumpften, einem Vogelschädel und Fischflossen. In der
Mitte drückte mich die Hitze auseinander, an den Enden
fror ich. Man müßte diese Körperfortsätze einstülpen können! (30)

Solche Darstellungen, ob bei Rilke oder Handke, sind nach
Adorno, rückblickend auf den Surrealismus, nichts anderes
als der »Widerpart der Sachlichkeit«: »Das Haus hat eine
Geschwulst, seinen Erker. [. . .]: aus dem Haus wuchert ein
Auswuchs von Fleisch.«[17] Der Widerpart rationaler Sachlichkeit. Das hat über die Motivik hinaus erzählstrategische
Bedeutung: Verzicht auf kausale Verknüpfung, psychologi-
sche Erklärung. »Daß man erzählte, wirklich erzählte, das
muß vor meiner Zeit gewesen sein«, schreibt Rilke (S. 136);
»zum letztenmal Psychologie«, schwört sich Kafka[18]. Und
Handke? Die Frage rührt an einen Widerspruch unter der
Hülle seines ›Bildungsromans‹. Denn Handke verbindet die
logiksprengende Darstellung existentieller Entfremdung mit
eben jenem Kausalprinzip, dem sie sich doch eklatant widersetzt: Während die bedrohliche Entfremdung vom bildungsliterarischen Naturidyll beim Theaterleiter (er fühlt sich als
getöteter Spinnenkörper) und beim Erzähler (er wird von
der Zypresse durchbohrt) einerseits als Indiz allgemeiner
Weltentfremdung erscheint, fällt sie andererseits auf das
bestrittene Rationalitätsvertrauen zurück – sobald sie kausal
aus Geschichte und Sozialisation abgeleitet wird[19], etwa aus

17 Ebd., S. 162.
18 Franz Kafka, *Das vierte Oktavheft* (1. Febr. 1918), in: F. K., *Hochzeitsvorbereitungen auf dem Lande und andere Prosa aus dem Nachlaß*,
   hrsg. von Max Brod, Frankfurt a. M. 1953, S. 107.
19 Vgl. hierzu Bruno Hillebrands sozialkritischen Deutungsansatz: B. H.,
   »Auf der Suche nach der verlorenen Identität. Peter Handkes *Der
   kurze Brief zum langen Abschied*«, in: *Der deutsche Roman im*

dem Milieu, in dem der Erzähler aufwuchs: Gleich zu Beginn
des Romans ist die Natur, der Wald, weil zum Kriegsschau-
platz denaturiert und dem Jungen Schutz verweigernd, ein
Ort frühen und folgenreichen Schreckens (9 f.). Und später,
bei der Lektüre des *Grünen Heinrich*, konnte der Erzähler
im Gegensatz zu diesem nur schwer verstehen,

> wie einen die Natur von etwas befreien sollte; mich hatte
> sie nur bedrückt [. . .], weil ich mich in der Natur nie hatte
> frei bewegen dürfen: die Obstbäume gehörten anderen,
> vor denen man über die Felder davonlaufen mußte, und
> indem man auf das Vieh aufpaßte, bekam man als Lohn
> dafür gerade nur die Gummistiefel, die man ohnedies nur
> brauchte, um auf das Vieh aufzupassen. Weil das Kind
> sofort in die Natur gezwungen wurde, um darin zu arbei-
> ten, entwickelte es auch nie einen Blick dafür [. . .].   (50 f.)

Im Rückgriff auf Kindheitserlebnisse wird die Natur als
Arbeitsfeld e r k l ä r t – zum Zweck der Gesellschaftskritik,
die freilich in der Gegenwart und im Reiseland des Erzählers
unterbleibt. Handkes Amerika ist ja der Ort seiner »Fiktion
eines Entwicklungsromans«, ein zeitlos ideales Buch-Ame-
rika, das den Erzähler, wie Kellers Judith, am Ende »notge-
drungen veredelt und höher« hebt[20]. Die dort gleichwohl
vorfindlichen Zeichen der Drohung und des Schreckens
inmitten der Natur weisen dagegen zurück auf konkret
Geschichtliches, zugleich auf soziale Defekte und existentielle Entfremdungen. So besteht Handkes *Brief* aus mindestens drei konträren Erzähl- und Bewußtseinsebenen – abgeleitet aus der vorgeführten Tradition des Bildungsromans,
aus der klassischen Moderne und aus einem Realismus, der
sich an den genannten Stellen sozialkritisch gibt wie nur je in
der Literatur um 1968. In welchem Verhältnis stehen nun

---

20. *Jahrhundert II. Analysen und Materialien zur Theorie und Soziolo-
gie des Romans*, hrsg. von Manfred Brauneck, Bamberg 1976, S. 97 bis
117.
20 *Der grüne Heinrich* (Anm. 8), 4. Teil, Kap. 16, S. 800.

diese drei Diskurse, und welchen Sinn hat überhaupt die uneinheitliche Konzeption des Romans? Fragen, die zu den anderen beiden Elementen in Handkes Fiktion des Bildungsromans führen – zum Theaterthema und zum Bildungsgespräch:

Das Theaterthema

Zweifellos gehört auch das Theater als Motiv und Thema zum Handlungs- und Probleminventar des traditionellen Bildungsromans – daher auch zur ›Fiktion‹ der Gattung. Spielt es doch in Moritz' *Anton Reiser*, in Mörikes *Maler Nolten*, im *Grünen Heinrich* und vor allem im *Wilhelm Meister* eine unübersehbare Rolle. Die ›Schaubühne‹ ist dort Bildungsinstitution, weil sie »das ganze Gebiet des menschlichen Wissens durchwandert, alle Situationen des Lebens erschöpft und in alle Winkel des Herzens hinunterleuchtet, weil sie alle Stände und Klassen in sich vereinigt«[21], weil auf ihr »der gebildete Mensch so gut persönlich in seinem Glanz [erscheint] als in den obern Klassen.«[22] Als wollte er die Theateridee des 18. Jahrhunderts, die Idee vom Nationaltheater als Überbrückung gesellschaftlicher Klüfte und Vermittlung eines ganzheitlichen Daseins, aus der zeitgenössischen Erlebniswirklichkeit heraus begründen, brilliert Anton Reiser nur dort, wo er Schauspieler sein darf, wo er jedenfalls in Rollen agiert, die ihn aus seinem gedrückten Dasein befreien. Ebenso ist für Wilhelm Meister die *Hamlet*-Aufführung eine Möglichkeit gesellschaftlicher Erhöhung und existentieller Erfüllung.

Handke ließ sich das ›Theater‹ für seine ›Fiktion‹ nicht entgehen. Doch präsentiert er seinen Reisenden nicht als Spieler,

---

21 Friedrich Schiller, »Was kann eine gute stehende Schaubühne eigentlich wirken?«, in: F. S., *Werke*, 4 Bde., Frankfurt a. M. (Insel) 1966, Bd. 4, S. 19.

22 *Wilhelm Meisters Lehrjahre* (Anm. 6), 5. Buch, Kap. 3, S. 303.

sondern als Zuschauer, als räsonierenden Kommentator einer deutschen *Don-Carlos*-Aufführung in St. Louis. Er agiert nicht und schreibt an keinem Stück, weil ihm auf der Bühne, »kaum daß jemand etwas sagt, vielleicht nur mit einer Geste, alles sofort auf den Begriff gebracht« vorkommt (151): Was für die ›Natur‹ als Funktion des Bildungsromans gilt, betrifft auch das ›Theater‹. Handkes ›Fiktion‹ ist eine Kontrafaktur der alten Gattung. Dem Erzähler fehlt in seinem Amerika die Theater-Motivation eines Anton Reiser oder Wilhelm Meister. Dem Theater, mit den dort fälligen Rollen, Posen und Klischees, möchte er ja gerade entkommen. Sein fortwährend von ihm bekämpfter »Zwang, sich aufspielen [zu müssen], um eines zweiten Blickes gewürdigt zu werden« (18), ist ihm eine »Pose der Entfremdung«. Deshalb sei die Bühne für den Akteur »nicht irgendein Spielplatz, sondern fremdes Territorium«: Die Schauspieler der Theateraufführung stolperten so oft, weil sie spürten, »daß sie sich eigentlich anders bewegen müßten« (146 f.). Im Film-Theater dagegen, in John Fords »Young Mr. Lincoln«, bewegen sich, wie der Held und Erzähler meint, die Gestalten »in vollkommener Körper- und Geistesgegenwart«. Die technische Reproduzierbarkeit der ›Auftritte‹ bei der Filmherstellung[23] fingiert jene gleichsam naturgewordene Aufklärung, die der deutsche Idealismus einst als Utopie entwarf – Kleist im »Marionettentheater«-Aufsatz, Schiller im »Spaziergang«-Gedicht oder Goethe im *Wilhelm Meister*, dort wo er Wilhelm über seine Hamlet-Rolle nachdenken läßt[24].

Und wiederum analog zur Kontrafaktur der ›Natur‹ ist auch das ›Theater‹ nur Symptom einer allgemeineren Intention des Erzählers: Denn die Fordschen Schauspieler in ihrer Selbstgewißheit korrespondieren mit anderen Motiven des Romans, etwa dem Anblick des Studenten, einem Blick, der

23 Vgl. Walter Benjamin, »Das Kunstwerk im Zeitalter seiner technischen Reproduzierbarkeit«, in: W. B., *Illuminationen*, hrsg. von Siegfried Unseld, Frankfurt a. M. 1961, S. 148–184, hier S. 162 f.

24 *Wilhelm Meisters Lehrjahre* (Anm. 6), 5. Buch, 4. Kap.

ihn »fassungslos [machte] bei dem Gedanken, daß [...]
jemand ihn typisieren und zu einem Vertreter von etwas
anderem machen würde« (22). Und vom Rollenspiel, in dem
die Beziehung mit Judith erstarrt ist, versucht sich der Erzähler ebenso zu distanzieren (130) wie von der Rollenbedeu-
tung, die das »Liebespaar« den alltäglichen Dingen
zuschreibt: sie agieren als Träger von Besitz- und Abhängig-
keitsverhältnissen (114). Rollen als Ausdruck klischeehafter
Vorstellungen: »Posen der Entfremdung« sind es, wenn der
Erzähler Judith als »Ding« bezeichnet (130, 184), wenn er
»*dieses Ding: dieser, diese, dieses*« sagt (184). Doch immer
wieder versucht er den typisierenden Festlegungen zu entkommen: Judith wird zum »*Wesen*« (130), das Telephonieren
zerfällt in einzelne Handlungselemente und wird zu einer
neuen, fremden Erfahrung (31 f.); Sprachklischees werden typographisch hervorgehoben und fragwürdig in ihrer
Selbstverständlichkeit (51, 169). »Deutungsmuster« von
»Verhaltensweisen« enthüllen sich als falsch (87), und der
Vorstellung von der unangreifbaren Autonomie des Menschen gegenüber den Dingen widersetzt sich »ein Polizei-
auto«, das »durch Gedanken« fährt (45).

Hinter dem bildungsliterarischen Theaterthema drängt also
ein sprach- und weltumfassendes Räsonnement hervor, eine
Kritik der Posen, Rollen und einstudierten Denk- oder Ver-
haltensmuster, der nichts mehr selbstverständlich ist. Alles
steht unter dem Verdacht, Attrappe, Attitüde und Zurich-
tung zu sein. Der Wirklichkeitszweifel dominiert und verbindet den Roman erneut mit einem Aspekt der Modernität,
dem sich Hofmannsthals Lord Chandos in seinem Brief noch
zu widersetzen versuchte:

> Mein Geist zwang mich, alle Dinge [...] in einer unheimli-
> chen Nähe zu sehen: so wie ich einmal in einem Vergröße-
> rungsglas ein Stück von der Haut meines kleinen Fingers
> gesehen hatte, das einem Blachfeld mit Furchen und Höh-
> len glich, so ging es mir nun mit den Menschen und ihren

Handlungen. Es gelang mir nicht mehr, sie mit dem vereinfachenden Blick der Gewohnheit zu erfassen. Es zerfiel mir alles in Teile, die Teile wieder in Teile, und nichts mehr ließ sich mit einem Begriff umfassen.[25]

Aus diesem Fiasko hat schon Robert Musils »Triëdere«-Aufsatz ästhetische Konsequenzen gezogen – Erzählen fortan in Ausschnitten![26] –, und entsprechend verhält sich auch Handkes Erzähler, Dichter auch er, wie Hofmannsthals Chandos und Rilkes Malte:

> Ging ich in ein Haus, so sagte ich statt »Ich ging ins Haus«: »Ich putzte mir die Schuhe ab, drückte die Klinke nieder, stieß die Tür auf und ging hinein, worauf ich die Tür wieder hinter mir zumachte«; und wenn ich einem andern einen Brief schickte, legte ich immer (statt: »Ich schickte den Brief«) »ein sauberes Blatt Papier auf eine Unterlage, entfernte die Hülse vom Füllfederhalter, beschrieb das Blatt, faltete es zusammen, steckte es in einen Umschlag, beschriftete den Umschlag, klebte eine Marke darauf und warf den Brief ein.« (34)

Der Wirklichkeitszerfall ist für Rilkes Malte zentrales Erlebnis. Tatsächlich fallen in seinen Aufzeichnungen Häuserwände wie Theaterkulissen ein, Gesichter werden wie Masken abgenommen, elektrische Bahnen rasen läutend durch die Stube, Automobile gehen über ihn hin, und der Spiegel wehrt sich gegen seine Rolle, Spiegel zu sein, er will sich fortan in Malte spiegeln. Die Dinge, befreit aus den ihnen zugedachten Bedeutungen, emanzipieren sich von der transzendentalen ›Regie‹ des kategorisierenden Subjekts. Die Veränderung ist um so auffallender und bedrohlicher, je unschein-

25 Hugo von Hofmannsthal, »Ein Brief«, in: H. v. H., *Gesammelte Werke in Einzelausgaben*, hrsg. von Herbert Steiner, Bd. 15: *Aufzeichnungen*, Frankfurt a. M. 1959, S. 13.
26 Robert Musil, »Triëdere«, in: R. M., *Gesammelte Werke*, in neun Bänden hrsg. von Adolf Frisé, Reinbek bei Hamburg 1978, Bd. 7, S. 518 bis 522.

barer und banaler die Aspekte empirischer Wirklichkeit sich
geben: Eine »Gießkanne, eine auf dem Feld verlassene
Egge«[27] werden Lord Chandos nicht weniger rätselhaft als
Sartres Roquentin sein Glas Bier[28]. Ähnliches erfährt Hand-
kes Erzähler, als er in seinem Hotelzimmer in Estacada die
Trinkgläser aus dem Zellophan nimmt: »Ich starrte sie an:
Gegenstände aus einer anderen Welt, von einem anderen
Stern.« (177)
Was anläßlich der ›Natur‹ zu notieren war, bestätigt sich: Im
Bild des Theaters verkreuzen sich die Elemente des Bil-
dungsromans mit den Wirklichkeitszweifeln des dem Autor
eigenen Jahrhunderts.[29] Handkes Erzähler gleicht den Brig-
ges, Roquentins und Franz K.s, vor denen sich die ›Wirklichkeit‹ als trügerische Einbildung entlarvt, hinter der eine
andere, mit den Mitteln der sinnlichen Sprachzeichen nicht
mehr darzustellende Welt aufleuchtet, deren »Glanz« Kafkas
Personen als Gleichnis reiner Existenz erscheint (*Vor dem
Gesetz*). Der Schlüssel dazu wäre für den »Mann vom
Lande« der Eintritt ins »Gesetz«, und auch bei Handke ist
diese »andere Zeit« wie »eine andere Welt, die ich nur zu
betreten brauchte, um meine angstanfällige Natur und ihre
Beschränktheiten endlich loszusein« (101). Das freilich
geschieht nicht, denn wie Kafkas Mann schreckt er vor dem
Übergang in eine fremde, nicht mehr dem Gesetz der Logik
verpflichtete Welt zurück, ist sie doch »leer« (101), der
gewohnten und doch schon fragwürdig gewordenen Sinn-
vorstellungen entleert.
Neben der bildungsliterarischen Tradition und der modernen Dekonstruktion subjektzentrierter ›Wirklichkeit‹ enthält das Theaterthema auch den oben genannten dritten, den

27 v. Hofmannsthal (Anm. 25) S. 14.
28 Sartre (Anm. 15) S. 20 f.
29 Vgl. hierzu Gunther Pakendorfs Analyse zweier gegensätzlicher
    Erzählhaltungen und deren metaphorischer bzw. metonymischer
    Sprechweisen im *Kurzen Brief*: G. P., »Der Realismus der entfremdeten
    Welt. Peter Handke, *Der kurze Brief zum langen Abschied*«, in: *Acta
    Germanica* 14 (1981) S. 157–174.

sozialkritischen Diskurs: Handke motiviert den Posenzwang seines Helden zugleich durch jene konventionell realistisch dargestellten Erlebnisse, die doch seine surreale Motivwahl verwirft. Er leitet sie aus seinen Internatserlebnissen ab, aus dem dortigen Systemdruck (124), der zwar Orientierungshilfe bot, aber auch das Bewußtsein der Befangenheit und Unfreiheit verstärkte: »Ich konnte nicht mehr verstehen, wie ich mich einmal von anderen Lebensformen hatte erpressen lassen« (122 f.). Motiviert ist der Überdruß des Erzählers an Aufspielerei und Rolle auch durch die Enge und Beschränkung seines Heimatdorfes, das ihm jede Differenzierung verweigerte: »Alle Eindrücke waren Wiederholungen schon bekannter Eindrücke« und erstarrten zu Klischees (75). Dem Erzähler verursachten die normierten, daher erlebnisarmen Verhältnisse »Angstzustände«, die gleichzeitig »Erkenntnisvorgänge« waren und ihn seine Umwelt »klarsehen« ließen. Sehen und Erkennen (36), Erkennen und Angst (76): Solche Zusammenhänge führen erneut zu Sartres *La Nausée*, zu Hofmannsthals Chandos-*Brief* und Rilkes *Malte* – der sich mit seiner Entdeckung »Ich lerne sehen« (S. 9) zu neuer Sehweise bekennt, zum Blick hinter die Fassaden (S. 43) und Masken (S. 10) konventionalisierter Vorstellungen, aber angesichts der nackten, aller Klischees und Rollen entkleideten Wirklichkeit erklärt: »ich fürchtete mich« (S. 10).[30]

Handkes Evokationen der Kindheit (75 f., 122 f.) werfen nun allerdings ein Licht auf die Struktur und den Sinn seiner dreifach gebrochenen Darstellung. Mit den Reminiszenzen früher Sozialisationsnöte verbinden sich einerseits die sozialkritisch-realistischen Passagen der Erzählung, während ande-

---

30 Zum rekurrenten Motiv der Furcht oder genauer: der existentiellen ›Angst‹ s. auch Rainer Nägele, der Handkes Buch als Phänomenologie existentieller Orientierungslosigkeit und Orientierungssuche interpretiert: R. N., »Die vermittelte Welt. Reflexionen zum Verhältnis von Fiktion und Wirklichkeit in Peter Handkes Roman *Der kurze Brief zum langen Abschied*«, in: *Jahrbuch der Deutschen Schillergesellschaft* 19 (1975) S. 389–418, hier S. 398 f., 405.

rerseits die Bewußtseinsschematik, die diese Nöte verursacht, zu den ›modernen‹ Dekonstruktionsepiphanien als schockierenden Auflösungen der früh erstarrten Denkmuster führt. Handkes Erzähler und Held findet sich somit wieder in Rilkes Erzähler und Held. Auch die Konzeption des Buchs als Bildungs- und Entwicklungsroman mag mit der angeschlagenen Kindheitsthematik übereinstimmen. Aber der Fiktions-Charakter des Handkeschen Bildungsromans und seine Beziehung zu den in ihm eingeschlossenen Erscheinungen der Moderne erklären sich daraus noch nicht. Auf eine solche Erklärung weist das dritte Element der »Fiktion«:

Das Bildungsgespräch

Kulminations- und Wendepunkt des Buchs ist das lange Gespräch zwischen dem Erzähler und dem berühmten Regisseur John Ford. In ihm enden Lebensverwirrung und Angst des Reisenden, und unter dem Eindruck der Fordschen Lehre gesellschaftsbewußten Wir-Denkens sind beide, Judith und der Erzähler, bereit, einander anzunehmen und »friedlich auseinanderzugehen« (195). Auf den ersten Blick ist dieses ›Bildungsgespräch‹ erneut ein formales Ingrediens aus dem Motiv-Fundus des Bildungs- und Entwicklungsromans – worauf die Topographie des Gesprächs weist. Vom *Agathon* Wielands nämlich bis zum *Zauberberg* findet das Bildungsgespräch am besonderen Ort statt:

> Die Wohnung, wo Archytas mit einem Teil seiner Familie sich den Sommer über aufzuhalten pflegte, war [...] größtenteils mit weitläufigen Gärten umgeben, die sich auf der einen Seite in einem sanften Abhang bis zum Meerufer hinzogen, auf der anderen ebenso unmerklich zu einer Anhöhe emporstiegen, wo ein kleiner Tempel des Apollo, aus einem Lorbeerwäldchen hervorglänzend, dem Aug einen schönen Ruhepunkt gab. [...] »Du hättest mir nicht

gelegener begegnen können, Agathon«, sagte Archytas,
indem sie einen der Gänge einschlugen, die zum Tempel
führten: »Ich war eben mit dir beschäftigt, und eine Stelle
deiner Lebensgeschichte, die ich schon zum zweiten Mal
lese, erregte das Verlangen in mir, dir die Gedanken, auf
welche sie mich führte, auf der Stelle mitzuteilen.«   (Wieland)[31]

»Habt Ihr Lust mit mir vor der Stadt auf einer schönen
Anhöhe zu frühstücken?« sagte Klingsohr. »Der herrliche
Morgen wird Euch erfrischen. Kleidet Euch an. Mathilde
wartet schon auf uns.« [. . .] und so wandelten sie durch die
Stadt, die schon voller Lebendigkeit war, nach einem kleinen Hügel am Flusse, wo sich unter einigen hohen Bäu-
men eine weite und volle Aussicht öffnete.   (Novalis)[32]

Das Bildungsgespräch ereignet sich an erhöhter Stelle als
symbolischem Ort: Bildung – ein Wert nur für die Wenigen.
Der Bildungsroman des 18. und 19. Jahrhunderts wird so
zum Dokument der Spaltung des Bürgertums: »Die einst-
mals Bürger, Stadtbürger par excellence waren, Einzelhänd-
ler und Handwerker, werden von den ›Bürgerlichen‹ nicht
mehr zur Bourgeoisie gerechnet. Deren Kriterium ist die Bildung.«[33]
Solch gesellschaftliche Hierarchisierung scheint sich auch in
Handkes Roman anzudeuten. Nicht nur, daß der Held wie
seine Vorgänger weder auf Arbeit noch Geld angewiesen
scheint (was Handke mit seinem die Dollars verschleudern-

---

31 Christoph Martin Wieland, *Geschichte des Agathon*, 16. Buch, Kap. 2,
in: Ch. M. W., *Ausgewählte Werke*, hrsg. von Friedrich Beißner, 3 Bde.,
München 1964–65, Bd. 2, S. 548.

32 *Heinrich von Ofterdingen* (Anm. 7), 1. Teil, Kap. 7, S. 107 f. Ähnliche
Stellen, die das Gespräch über Bildung und Zukunft des Helden einlei-
ten: Johann Wolfgang Goethe, *Wilhelm Meisters Wanderjahre* (1821
bzw. 1829), 1. Buch, Kap. 3, und Adalbert Stifter, *Der Nachsommer*
(1857), 1. Buch, Kap. 4.

33 Jürgen Habermas, *Strukturwandel der Öffentlichkeit. Untersuchungen
zu einer Kategorie der bürgerlichen Gesellschaft*, Neuwied/Berlin 1971,
S. 93.

den Reisenden offenbar demonstriert), das abschließende,
entscheidende Gespräch mit John Ford findet zudem auf
einem Hügel seines weitläufigen Anwesens statt – wie auf
einem gesellschaftlichen Zenit: Von der Villa aus sah man im
Anwesen »einen Hügel, der mit Gras und blühenden Sträu-
chern bewachsen war; ein Weg führte in Serpentinen um den
Hügel herum bis zur Kuppe hinauf. [. . .], und wir stiegen
mit ihm [John Ford] den Hügel hinauf.« (193) Und genau so
wie sich im traditionellen Bildungs- und Entwicklungsroman die hierarchische Symbolfunktion der Höhe noch einmal im Gegenüber des jungen Reisenden und des weisen
Alten spiegelt, wahrt auch Handke die Hierarchie der Partner. Freilich, solche Übereinstimmungen machen sein Buch
noch nicht zu einem Bildungsroman. Denn was bei Handke
in die topische Form des Bildungsgesprächs gekleidet ist, hat
nicht ›Bildung‹ zum Gegenstand. Geschichte, Philosophie,
Literatur und Musik – Bildungswerte im Gespräch zwischen
Archytas und Agathon – wird man bei Handke vergeblich
suchen: Den Erzähler, Judith und John Ford interessieren
nicht die Gegenstände der Bildung, sondern die Probleme
der Entfremdung.
Dem »menschenleeren Bewußtsein«, dem »Ekel vor allem,
was nicht ich selber war« (19, 102), der Teilnahmslosigkeit,
die dem Erzähler die Zeitungsnotiz über den brutal angeket-
teten Häftling zum Anlaß »unheimlicher Behaglichkeit« (41)
werden läßt, die ihm egoistisch die »Welt als *Bescherung*«
(97), die Menschen als »*Dinge*« (57, 130) vorstellt, dem Narzißmus permanenter Selbstbeobachtung (57), dem Leiden an
den eigenen »Beschränktheiten« (101, 135) – solchen Ent-
fremdungserscheinungen eines isolierten Ich begegnet Ford
mit dem Primat des »Wir«.

»Warum sagen Sie ›wir‹ statt ›ich‹?« fragte Judith. »Wir
Amerikaner sagen ›wir‹, auch wenn wir von unseren Pri-
vatsachen reden«, antwortete John Ford. »Das kommt
vielleicht daher, daß für uns alles, was wir tun, Teil einer
gemeinsamen öffentlichen Aktion ist.« (188)

Gewiß, John Fords Wir-Ethos ist eine bereits in den *Wander-jahren* vorgeprägte Formel, soll doch für Goethes Auswan-derer in Amerika »Einheit [. . .] allmächtig [. . .], keine Spal-tung, kein Widerstreit« möglich sein[34]; aber im Gegensatz zu Goethes Kritik am europäischen Zerfall des Gesellschafts-ganzen unter dem Druck des frühindustriellen Fortschritts, wendet sich bei Handke das Wir-Postulat gegen eine Erfah-rung seiner eigenen Moderne: Die Gewohnheit des Erzäh-lers, mit sich selbst zu sprechen, wird vom weisen Alten als Indiz der Entfremdung und Selbstentfremdung entlarvt:

> »Wir sehnen uns nicht danach, einsam zu sein; man wird verächtlich, wenn man allein bleibt, schnüffelt nur noch an sich selber herum, und wenn man dann auch nur noch mit sich selber redet, hört man immer schon nach dem ersten Wort zu reden auf.«   (188 f.)

Diese Belehrungen unterstützen alle Entwicklungs- und Heilungstendenzen beim Erzähler: den beabsichtigten Ver-zicht auf pure Selbstbeschäftigung (101 f.), die Aufgabe ana-lysierenden und kategorisierenden Urteilens (Collegeboy, 22). Das »Wir« der Umwelt gegen das »Ich« des Erzählers: Gegenstände, Erlebnisse und Menschen, die den Erzähler auf seiner Reise zu unentwegtem Räsonnement reizen – im Märchenort Bel Air werden sie fraglos hingenommen und in ihrer Existenz akzeptiert. Kein einziges Mal setzt der Erzäh-ler zur Reflexion an: Die faktische Beschreibung der »Ein-zelheiten« (187) beherrscht die letzten Seiten des Romans. So wie in den Filmen John Fords zählen am Ende nur noch die urteilslosen, sinnlich wahrnehmbaren »Wirklichkeiten« (193, 195): Das weiße Haar des Regisseurs, Orangenbäume, Zypressen, ein Haus im Kolonialstil, Wolken am Himmel. So sehr läßt nun der Erzähler der Umwelt den Vorrang, daß er selbst dahinter ganz verschwindet. Die Entfremdung von

34 Johann Wolfgang Goethe, *Wilhelm Meisters Wanderjahre oder Die Entsagenden*, hrsg. von Erhard Bahr, Stuttgart 1982, 3. Buch, Kap. 9, S. 423.

Innen- und Außenwelt – Handkes Thema von *Kaspar* bis *Wunschloses Unglück* – ist wundersam aufgelöst, der Erzähler wird uninteressant. Es bleibt ihm nichts mehr zu sagen: Judith, nicht er selber, ist es, die dem Regisseur nunmehr die Fragen stellt, Judith berichtet davon, daß sie sich nun beide friedlich trennen werden – womit ein gegenseitiges Verständnis erreicht ist, das sich grundsätzlich vom Besitzdenken ihrer früheren Gemeinschaft unterscheidet. Im Gegensatz zu ihrer Ehe und zu der des »Liebespaares« (das heißt, »ohne einander fremd zu sein, aber auch ohne einander zu beanspruchen«, 115), ähnelt auch ihr Verhältnis nun der Beziehung zwischen Claire und dem Erzähler. Doch ist dieses Verhältnis nur ein Beispiel für die grundsätzliche neue Haltung des Erzählers zur Außenwelt überhaupt – bestimmt durch die Aufgabe ichzentrierten Besitzdenkens. John Fords Bekenntnis: »ich vergesse auch mich selber und meine Anwesenheit« (190) wird dem Erzähler zum Vorbild. Er verliert den Zwang zur Pose und findet das, was Kleist einst in seinem Marionettentheater-Aufsatz pries: »Haltungen, in denen man sich plötzlich bei sich selber fühlt« (191). Er bemerkt nun auch bei sich die ersehnte »vollkommene Körper- und Geistesgegenwart«, wie sie die Personen in John Fords Filmen auszuzeichnen scheint (135):

> Weil wir eine Geschichte erwarteten, beugten wir uns leicht vor, und ich merkte, daß ich dabei eine Bewegung wiederholte, mit der in einem seiner Filme jemand, ohne sich von der Stelle zu bewegen, sich mit langem Hals zu einem Sterbenden beugt, um zu sehen, ob er noch lebte. (195)

Lösung aus Entfremdung durch Aufgabe des subjektbezogenen Besitzdenkens, durch voraussetzungslose Annahme der empirischen Wirklichkeit – das ist eine dem Roman entnommene These, die von der alten Topographie des Bildungsgesprächs erneut zur modernen Literatur des 20. Jahrhunderts führt. Der Höhepunkt von Rilkes *Aufzeichnungen des Malte*

Laurids Brigge ist dort erreicht, wo der seiner Umwelt ent-
fremdete Malte eines Sonntags dem blinden Bettler begegnet,
der sich feiertäglich geschmückt hat, nicht um seiner selbst
willen, sondern um den Tag zu ehren:

> Er selbst hatte keine Lust daran, und wer von allen (ich sah
> mich um), durfte meinen, dieser Staat wäre um seinetwil-
> len? – Mein Gott, fiel es mir mit Ungestüm ein, so *bist* du
> also. Es gibt Beweise für deine Existenz. (192)

Die Selbstlosigkeit wird um so mehr zum Zeichen der
Besitzlosigkeit, da sie gerade von einem Bettler verkörpert
wird. Für Malte ist es eine Erleuchtung: Aller Wirklichkeitszweifel, alle Furcht vor den sich absurd gebärdenden Veränderungen, vor den entfesselten Dingen etwa, die sich ihrer
bequemen Typisierung widersetzen, alle Daseinsängste fallen von ihm ab. Plötzlich ist die Welt und mit ihr er selbst
nicht mehr in Frage gestellt. Er existiert – weil der Bettler ihn
mit der ganzen Welt ohne Urteil und ohne Bedingung akzeptiert. »Daß wir doch lernten, vor allem aushalten und nicht
urteilen«, notiert Malte, eine Notiz, die auch von Musils
Ulrich, dem Mann ohne Eigenschaften, stammen könnte,
während Döblins Biberkopf, Brochs Pasenow und Kafkas
Josef K. – zu ihrem Unglück – von der urteilenden Inbesitz-
nahme der Welt nicht lassen können.
Auch Handkes John Ford bringt dem jungen Besucher bei,
daß nur das zählt, was »wirklich« geschieht, und daß nicht
Urteile und Wertungen gelten, sondern die »einzelnen Menschen« (187). Während aber bei Rilke, Kafka, Broch oder
Musil der Verzicht auf solche Besitzkategorien in engstem
und notwendigem Zusammenhang mit ihren nichtrealisti-
schen, lyrischen, parabolischen oder essayistischen ›Erzähl‹-
Formen steht, widersetzen sich Handkes traditionell-reali-
stische Stilpassagen dem durch John Ford geäußerten Gebot,
von den gewohnten, dem Ich vertrauten Ordnungen zu lassen. Besitzlosigkeit dokumentiert sich bei Handke im
Zurücktreten des sich ständig an der empirischen Wirklich-

keit reibenden und sie beurteilenden Ich zugunsten der
gleichsam aperspektivisch dargestellten Wirklichkeitsele-
mente von Bel Air. Doch bleibt auch diese Wirklichkeit der
Orangenbäume, Hügel und Haine mehr denn je beschreib-
bar und verfügbar. Mehr denn je: Während nämlich die Sur-
realität des Zypressenerlebnisses in Indianapolis noch den
adäquaten Ausdruck einer Utopie bildet, der »Anderen Zeit«
(101), wo »ich selber, wie in dem Spiel der Zypresse, gar nicht
mehr vorkam«, aber damit auch »meine angstanfällige Natur
und ihre Beschränktheiten« endlich lossein würde (ebd.) –
während dort also Vorstellung und Sprache gemeinsam in
eine unbekannte Dimension vorausweisen, präsentiert
Handke hier, wo der Erzähler und seine »Beschränktheiten«
tatsächlich nicht mehr vorkommen, das heißt, wo jene
erträumte Utopie verwirklicht ist, einen Raum, dessen Attri-
bute realistisch formulierbar der Vergangenheit zugehörig
sind. Worte wie »damals«, »Haus im Kolonialstil«, »alte
Freunde« (186), die stete Erinnerung John Fords an seine
Jugend und an die amerikanische Vergangenheit, sein
»Heimweh [...] nach Dingen, die ich nie tun konnte, und
nach Orten, wo ich nie gewesen bin« (189), widersprechen
der neuen Besitzlosigkeit des Helden, der Befreiung von
materieller Habe (er ist endlich seine 3000 Dollar los) und
geistigem Vorurteil (er läßt wie John Ford nur noch »Wirklichkeiten« gelten). Die intendierte Utopie wird durch die
Erzählform bei Handke zur Nostalgie, das heißt zur Sehnsucht nach einer Vergangenheit, wo »alles bleibt, wie es ist«,
wie er den weisen John Ford sich wünschen läßt (190).
Die Idee der Besitzlosigkeit zwang Rilke vom realistischen
Schreiben weg zum Gleichnis, zur prosalyrischen und mystischen Verherrlichung besitzloser Liebe – im Gleichnis vom
Verlorenen Sohn am Ende von Maltes *Aufzeichnungen*;
Kafka greift zur absoluten, zur beliebig auslegbaren, sich
besitznehmender Interpretation entziehenden Parabel;
Broch stellt im dritten Buch der *Schlafwandler* der prosai-
schen »kurzatmigen Logik« des Besitzdenkens die ›Unlogik‹

des lyrischen Gedichts entgegen (»Heilsarmeemädchen« und Nuchem); Musil parallelisiert Ulrichs ironischen Abstand von der empirischen Wirklichkeit mit einer abstrakt essayistischen Erzählform. Die klassisch moderne Literatur erkennt die Befreiung vom neuzeitlich-aufklärerischen Besitz- bzw. Kategorisierungs- und Verfügungsdenken als ein utopisches Ziel an, dessen Verwirklichung sich nicht mit (sinnlicher) Sprache realisieren läßt, da es ja dann bereits in Besitz verwandelt wäre (Kafka: »Die Sprache kann für alles außerhalb der sinnlichen Welt nur andeutungsweise, aber niemals auch nur annähernd vergleichsweise gebraucht werden, da sie, entsprechend der sinnlichen Welt, nur vom Besitz und seinen Beziehungen handelt«[35]). Handke dagegen biegt die Utopie sprachlich nur andeutbarer Besitzlosigkeit in die rückwärtsgewandte Sehnsucht nach einem ganz realistisch verfügbaren Idyll um, in dem man auf der Veranda, unter Orangenbäumen und auf dem Hügel von einer prämodernen Vergangenheit träumt. Der Utopist Musil entgeht der Realitätszumutung, indem er den erstrebten »Anderen Zustand« in der Liebesbegegnung zwischen Ulrich und Agathe als mystisches Erlebnis entrealisiert. Handke jedoch – in der Gestalt seines positiven Helden auf vergleichbarer Suche nach der »Anderen Zeit« (101) – präsentiert das Rezept des »Wir«-Denkens, eines Mythos, lang verwurzelt in Amerikas Republikanismus und Frontier-Vergangenheit. Wo im modernen Roman die Auflösung traditionell-realistischen Erzählens in die ›Zukunft‹, tatsächlich in die ›Andere Zeit‹ verweist, stellt Handke rückwärtsgewandt in realistischer Manier Kausalbezüge her: »Wir Amerikaner sagen ›wir‹«, läßt er unwidersprochen seinen Weisen in Bel Air sagen. »Das kommt vielleicht daher, daß für uns alles, was wir tun, Teil einer gemeinsamen öffentlichen Aktion ist.« (188) Eine pragmatische Lebens-Lehre und die Versöhnung des

35 Kafka, *Hochzeitsvorbereitungen*; *Sämtliche Erzählungen* (Anm. 14), S. 45.

Ich mit sich selbst und der Welt: Was Handke scheinbar ungebrochen-realistisch in die ›moderne‹ Sprach- und Bewußtseinswelt surrealistischer Verfremdung und existentieller Entfremdung montiert, irritiert nicht nur das Textgefüge, sondern widerspricht auch der Ideologiekritik seines Frühwerks – von den Sprechstücken bis zum *Tormann* und *Wunschlosen Unglück*. Ging es dort um die Aufdeckung normativer Setzungen, so hier auch um die tastende Suche nach einer Gegen-Welt, einer poetischen Fiktion als Ort unentfremdeten Seins.[36] Die Unentschlossenheit der Suchbewegung, die dem Buch mit der ungewissen Reise des jungen Dichters aus Europa thematisch eingeschrieben ist, bildet die Bewußtseinsform der Erzählung. Denn die schematische Gattungsnorm, deren sich Handke wie ehedem als Erzählvorlage bedient, wird nun aus der Sicht des 20. Jahrhunderts nicht nur kritisch aufgebrochen und verfremdet wie im *Kaspar* oder im *Tormann*, sondern zugleich, am Beispiel des Fordschen Film-Theaters und des Bildungsgesprächs von Bel Air, in ein poetisches Ideal unentfremdeten Daseins verwandelt. Indem aber Handke den Widerspruch zwischen Kritik und Ideal als einer Bedingung auch der Romanhandlung erzählerisch gestaltet, gewinnt er ihm eine Sinnfigur ab, die sein Werk bis in die Gegenwart prägen wird: In der Person des den *Grünen Heinrich* lesenden Dichter-Helden erklärt der Text den Widerspruch als Zusammenhang von Verlust und Kompensation. Denn zwar weiß auch Handkes zeitgenössischer Held, »daß man nicht mehr so nach und nach leben kann wie der Grüne Heinrich« (142), aber die Einsicht in das poetisch Fiktive, das Künstliche seiner Amerikaerlebnisse macht die Fiktion nur umso erstrebenswerter: »solange ich dieses Vergnügen eines meinetwegen vergange-

---

36 Insofern aber *Wunschloses Unglück* in der Sprachkritik zugleich eine Liebeserklärung an die Mutter ist, setzt er doch die Gegenwelt-Tendenz des *Kurzen Briefes* fort (vgl. zu Handkes Bindung an die Mutter: Adolf Haslinger, *Peter Handke. Jugend eines Schriftstellers*, Salzburg/ Wien 1992, S. 52 ff.).

nen Jahrhunderts empfinde, solange möchte ich es auch ernstnehmen und überprüfen« (ebd.).

Blickt man heute zurück auf Handkes *Kurzen Brief* von 1972, so dokumentiert er zweierlei: zum einen – als zeitgeschichtliches Zeugnis – den (kompensatorischen) Zusammenhang zwischen der ideologiekritischen Neoaufklärung um 1968 und der ihr folgenden Nostalgie einer ›Neuen Subjektivität‹; zum anderen zeigt er aber auch die Wende in Handkes Œuvre, eine Wende von der Literatur als Terrain der Zeit- und Zeichenkritik zur Wahrnehmung der Poesie als Ich-rettender Gegenwirklichkeit. Bereits *Die Stunde der wahren Empfindung* (1975) deutet im Titel programmatisch darauf hin: Die Auflösung gesellschaftlich-konventioneller, an historische Vereinbarungen gebundener Denk- und Verhaltensweisen führt nicht mehr zu Ratlosigkeit, sondern zur Epiphanie glücklicher Daseinserfüllung. Anders als im *Tormann* ist für den Angestellten Gregor Keuschnig der Einbruch des scheinbar selbstverständlichen Berufs- und Familienalltags zugleich ein Durchbruch zu einem neuen Bewußtsein, wo ihn – anstelle der alten rationalen Daseinsbewältigung – im mystischen Nu unwillkürlicher Empfindungsaugenblicke eine selbstlose Seinsliebe erfaßt, »eine hilflose Zuneigung zu allen«[37]. Seit der Tetralogie *Langsame Heimkehr* (1979–81) verzichtet Handke immer mehr auf die Begründung seiner zunehmend hymnisch und gesetzhaft verkündeten Gegenwelt ›wahrer Empfindung‹ jenseits der geschichtlichen Zeit[38]: Die poetische Fiktion sei schon als Ganzes der Ort unentfremdeten Seins.[39] Daraus erklärt sich

37 Peter Handke, *Die Stunde der wahren Empfindung*, Frankfurt a. M. 1975, S. 82.
38 Manfred Durzak weist in Handkes späterer Prosa auf den Verfall entwickelnder Gestaltung zugunsten erzählerfremder Benennung hin: M. D., *Peter Handke und die deutsche Gegenwartsliteratur. Narziß auf Abwegen*, Stuttgart 1982, S. 146–163.
39 Vgl. Peter Handke, *Aber ich lebe nur von den Zwischenräumen. Ein Gespräch*, geführt von Herbert Gamper, Zürich 1987.

wohl Handkes heutige Umstrittenheit. Der Zugewinn der sich selbst genügenden Texte an meditativer Intensität gründet auf dem Verlust kritischer Aufklärung in Epiphanien begründungslosen Glücks.[40] Der nie wieder erreichte Lesererfolg, oder anders: die Komplexität, Vielgestaltigkeit und erzählerische Beweglichkeit des *Kurzen Briefs* rührt wohl daher, daß in ihm noch beide Seiten präsent und vermittelt waren, die Kritik und das Ideal, die surreal verbildlichten Entfremdungen des Jahrhunderts und ein sehnsüchtig realistisch erzähltes »vorwärts, zurück in die Zukunft«[41]. Anspielungsreich und trivial zugleich, Denkspiel und Lesefutter in einem, ist das Buch nach wie vor ein ›Handke‹ für viele.

40 Theo Elm, »Peter Handke«, in: *Deutsche Dichter. Leben und Werk deutschsprachiger Autoren.*, hrsg. von Gunter E. Grimm und Frank Rainer Max, Bd. 8, Stuttgart 1990, S. 526–539.
41 Reinhard Baumgart, »Vorwärts, zurück in die Zukunft«, in: *Süddeutsche Zeitung*, Jg. 28, 22. März 1972.

Literaturhinweise

Ausgaben

Peter Handke: Der kurze Brief zum langen Abschied. Frankfurt
a. M.: Suhrkamp, 1972.
– Der kurze Brief zum langen Abschied. Frankfurt a. M.: Suhrkamp,
1974. (suhrkamp taschenbuch. 172.)

Forschungsliteratur

Baumgart, Reinhard: Vorwärts, zurück in die Zukunft. In: Über Peter
Handke. Hrsg. von Michael Scharang. Frankfurt a. M. 1972.
S. 90–94.
Durzak, Manfred: Peter Handke und die deutsche Gegenwartslitera-
tur. Narziß auf Abwegen. Stuttgart 1982.
Elm, Theo: Peter Handke. In: Deutsche Dichter. Bd. 8. Hrsg. von Gun-
ter E. Grimm und Frank Rainer Max. Stuttgart 1990. S. 526–539.
Gamper, Herbert: Peter Handke: Aber ich lebe nur von den Zwi-
schenräumen. Ein Gespräch, geführt von Herbert Gamper. Zürich
1987.
Hillebrand, Bruno: Auf der Suche nach der verlorenen Identität. Peter
Handkes *Der kurze Brief zum langen Abschied*. In: Der deutsche
Roman im 20. Jahrhundert. Bd. 2. Hrsg. von Manfred Brauneck.
Bamberg 1976. S. 97–117.
Karasek, Hellmuth: Ohne zu verallgemeinern. Ein Gespräch mit
Peter Handke. In: Über Peter Handke. Hrsg. von Michael Scha-
rang. Frankfurt a. M. 1972. S. 85–90.
Nägele, Rainer: Die vermittelte Welt. Reflexionen zum Verhältnis
von Fiktion und Wirklichkeit in Peter Handkes Roman *Der kurze
Brief zum langen Abschied*. In: Jahrbuch der Deutschen Schillerge-
sellschaft 19 (1975) S. 389–418.
– Amerika als Fiktion und Wirklichkeit in Peter Handkes Roman
Der kurze Brief zum langen Abschied. In: Die USA und Deutsch-
land. Wechselseitige Spiegelungen in der Literatur der Gegenwart.
Hrsg. von Wolfgang Paulsen. Bern/München 1976. S. 110–115.
Pakendorf, Gunther: Der Realismus der entfremdeten Welt. Peter
Handke, *Der kurze Brief zum langen Abschied*. In: Acta Germa-
nica 14 (1981) S. 157–174.

Pütz, Peter: Peter Handke. Frankfurt a. M. 1982.

Rossbacher, Karlheinz: Detail und Geschichte. Wandlungen des Erzählens bei Peter Handke im Vergleich von *Die Angst des Tormanns beim Elfmeter* und *Der kurze Brief zum langen Abschied*. In: Sprachkunst 6 (1975) S. 87–103.

Zeller, Rosemarie: Die Infragestellung der Geschichte und der neue Realismus in Handkes Erzählungen. In: Sprachkunst 9 (1978) S. 115–140.

Die Autoren der Beiträge

JÖRG DREWS

Geboren 1938. Studium der Germanistik, Anglistik und Geschichte in Heidelberg, London und München. Dr. phil. Professor für Literaturkritik und Literatur des 20. Jahrhunderts an der Fakultät für Linguistik und Literaturwissenschaft der Universität Bielefeld.

Publikationen: (Hrsg.) »Wo man aufgehört hat zu handeln, fängt man gewöhnlich an zu schreiben«. Johann Gottfried Seume in seiner Zeit. 1991. – (Hrsg.) Johann Gottfried Seume. Werke in zwei Bänden. 1993. – Aufsätze zu Herbert Achternbusch, Alexander Kluge, Hermann Nitsch, Arno Schmidt, Paul Wühr u. a.

THEO ELM

Geboren 1944. Studium der Germanistik und Anglistik in Erlangen, Coleraine und Dublin. Dr. phil. Professor für Neuere deutsche Literaturgeschichte an der Universität Erlangen-Nürnberg.

Publikationen: Siegfried Lenz. *Deutschstunde.* Engagement und Realismus im Gegenwartsroman. 1974. – Die moderne Parabel. Parabel und Parabolik in Theorie und Geschichte. 1982. ²1991. – Johann Wolfgang Goethe. *Die Wahlverwandtschaften.* 1990. – (Mithrsg.) Zur Geschichtlichkeit der Moderne. Der Begriff der literarischen Moderne in Theorie und Deutung. (Fs. Ulrich Fülleborn.) 1982. – (Mithrsg.) Die Parabel. 1986. – Der westdeutsche Nachkriegsroman. 1987. – (Mithrsg.) Medien und Maschinen. Literatur im technischen Zeitalter. 1991. – (Hrsg.) Kristallisationen. Deutsche Gedichte der achtziger Jahre. 1992. – Aufsätze zu Büchner, Kafka, Loerke, Wassermann, Handke, Frisch, S. Lenz, über Literatur als Kulturfunktion, Fabel und Naturrecht, die Rhetorik der Parabel, über das ›romantische Bergwerk‹, Literaturkritik im Feuilleton, Literatur und Glück, Literatur in der technischen Kultur, das Erzählen in der Zeitgeschichtsschreibung.

WINFRIED FREUND

Geboren 1938. Studium der Germanistik und Anglistik in Münster. Dr. phil. habil. Professor für Neuere deutsche Literatur an der Universität Paderborn.

Publikationen: Die deutsche Verssatire im Zeitalter des Barock. 1972. – Die deutsche Kriminalnovelle von Schiller bis Hauptmann. 1975. ²1980. – Die Bürgerkomödien Carl Sternheims. 1976. – Die deutsche Ballade. 1978. – Chamisso: *Peter Schlemihl*. Geld und Geist. 1980. – Die literarische Parodie. 1981. – Das zeitgenössische Kinder- und Jugendbuch. 1982. – »Müde bin ich, geh' zur Ruh'«. Leben und Werk der Luise Hensel. 1984. – Theodor Storm: *Der Schimmelreiter*. Glanz und Elend des Bürgers. 1984. – Die deutsche Kinder- und Jugendliteratur der Gegenwart. 1987. – Theodor Storm. 1987. – Friedrich Wilhelm Weber. Das literarische Profil einer Region. 1989. – Literarische Phantastik. Die phantastische Novelle von Tieck bis Storm. 1990. – Deutsche Lyrik. Interpretationen. 1990. – (Mithrsg.) Grabbe-Jahrbuch. 1982–86. – (Mithrsg.) Spiegel im dunklen Wort. Analysen zur Prosa des frühen 20. Jahrhunderts. 1983. – (Hrsg.) Annette von Droste-Hülshoff: *Die Judenbuche*. 1983. ⁴1992. – (Hrsg.) Grabbes Gegenentwürfe. Neue Deutungen seiner Dramen. 1986. – (Mithrsg.) Deutsche Prosa-Parodien aus zwei Jahrhunderten. 1988. – (Hrsg.) Deutsche Komödien. Vom Barock bis zur Gegenwart. 1988. – (Hrsg.) Kein Pardon für Klassiker. Parodien. 1992.

KARL HEINZ GÖTZE

Geboren 1947. Studium der Germanistik, Politologie und Philosophie in Marburg. Dr. phil. Professeur associé an der Universität Aix-en-Provence, Frankreich.

Publikationen: Grundpositionen der Literaturgeschichtsschreibung im deutschen Vormärz. 1979. – Heinrich Böll. *Ansichten eines Clowns*. 1985. – Wolfgang Koeppen. *Das Treibhaus*. 1985. – Französische Affairen. Ansichten von Frankreich. 1993. – Poetik des Abgrunds und Kunst des Widerstands. Zur Genese der Ästhetik von Peter Weiss. (In Vorb.) – (Hrsg.) Massen – Kultur – Politik. Mit Beiträgen von Rüdiger Hillgärtner, Hilmar Hoffmann [u. a.]. 1978. – (Mithrsg., mit Klaus R. Scherpe) Die *Ästhetik des Widerstands* lesen.

1982. – Aufsätze zur Geschichte der Germanistik, zu Peter Weiss, Hans Magnus Enzensberger, Peter Sloterdijk, Stephan Hermlin, Heinrich Böll, Heiner Müller u. a.

WALTER HINDERER

Geboren 1934. Studium der Germanistik, Philosophie, Anglistik und Geschichte in Tübingen und München. Dr. phil. Professor für Neuere deutsche Literatur an der Princeton University.

Publikationen: Die »Todeserkenntnis« in Hermann Brochs *Tod des Vergil.* 1961. – Elemente der Literaturkritik. 1976. – Büchner-Kommentar zum dichterischen Werk. 1977. – Der Mensch in der Geschichte. Ein Versuch über Schillers *Wallenstein.* 1980. – Über deutsche Literatur und Rede. Historische Interpretationen. 1981. – (Hrsg.) Ludwig Börne: Menzel der Franzosenfresser und andere Schriften. 1969. – (Hrsg.) Christoph Martin Wieland: Hann und Gulpenheh. Schach Lolo. 1970. – (Mithrsg.) Moderne amerikanische Literaturtheorien. 1970. – (Hrsg.) Deutsche Reden. 1973 [u. ö.] – (Hrsg.) Die Sickingen-Debatte. 1974. – (Hrsg.) Geschichte der politischen Lyrik in Deutschland. 1978. – (Hrsg.) Kleists Dramen. Neue Interpretationen. 1981. – (Hrsg.) Heinrich von Kleist. Plays. 1982. – (Hrsg.) Literarische Profile. Deutsche Dichter von Grimmelshausen bis Brecht. 1982. – (Hrsg.) Friedrich Schiller. Plays. 1983. – (Hrsg.) Geschichte der deutschen Lyrik vom Mittelalter bis zur Gegenwart. 1983. – (Hrsg.) Brechts Dramen. Neue Interpretationen. 1984. – (Mithrsg.) Georg Büchner. Complete Works and Letters. 1986. – (Hrsg.) Interpretationen: Goethes Dramen. 1992. – (Hrsg.) Interpretationen: Schillers Dramen. 1992. – Zahlreiche Aufsätze, literaturkritische Arbeiten, Essays und Rezensionen.

MANFRED KOCH

Geboren 1947. Studium der Germanistik, Geographie und Pädagogik in Kiel. Dr. phil. Studiendirektor am Kreisgymnasium Itzehoe und Studienleiter am Landesinstitut Schleswig-Holstein für Praxis und Theorie der Schule (IPTS).

Publikationen: Wolfgang Koeppen. Literatur zwischen Nonkonformismus und Resignation. 1973. – Aufsätze zum Mäzenatentum im 18. und 19. Jahrhundert, zu J. G. Müller, zu J. H. Fehrs, zur Regionalliteratur im 19. Jahrhundert, zu G. Grass, zum Amerikabild in der deutschen Literatur der Gegenwart und mehrfach zu Wolfgang Koeppen.

KLAUS MÜLLER-SALGET

Geboren 1940. Studium der Germanistik, der Latinistik und der Philosophie in Bonn. Dr. phil. Professor für Deutsche Sprache und Literatur an der Universität Innsbruck.

Publikationen: Alfred Döblin. Werk und Entwicklung. 1972. ²1988. – Erzählungen für das Volk. Evangelische Pfarrer als Volksschriftsteller im Deutschland des 19. Jahrhunderts. 1984. – Erläuterungen und Dokumente: Max Frisch. *Homo faber.* 1987. – (Hrsg.) Heinrich von Kleist: Sämtliche Werke und Briefe. Bd. 3: Erzählungen, Anekdoten, Gedichte, Schriften. 1990. – (Mithrsg.) Heinrich von Kleist: Sämtliche Werke und Briefe. Bd. 4: Briefe. 1993. – Aufsätze zu Goethe, Kleist, Thomas Mann, Alfred Döblin, Anna Seghers, Max Frisch sowie zum Naturalismus, zur deutschen Exilliteratur und zur deutsch-jüdischen Kultur.

VOLKER NEUHAUS

Geboren 1943. Studium der Germanistik, Evangelischen Theologie und Vergleichenden Literaturwissenschaft in Zürich und Bonn. Dr. phil. Professor für Neuere Deutsche und Vergleichende Literaturwissenschaft an der Universität zu Köln.

Publikationen: Typen multiperspektivischen Erzählens. 1971. – Erläuterungen und Dokumente: Johann Wolfgang Goethe. *Götz von Berlichingen.* 1973. – Erläuterungen und Dokumente: Gerhart Hauptmann. *Bahnwärter Thiel.* 1974. – Günter Grass. ²1993. – Der zeitgeschichtliche Sensationsroman in Deutschland 1855–1878. 1980. – *Die Blechtrommel.* Interpretation. ³1992. – (Hrsg.) Briefe an Hans Bender. 1984. – (Hrsg.) Günter Grass. Werke in zehn Bänden. 1987. – (Mithrsg.) Günter Grass im Ausland. Texte, Daten, Bilder zur Rezeption. 1990. – (Mithrsg.) Die ›Danziger Trilogie‹ von Günter

Grass. Texte, Daten, Bilder. 1991. – Hrsg. und Mithrsg. mehrerer Zeitschriften und Reihen. – Aufsätze zur Goethezeit, zum Roman des 19. Jahrhunderts, zum Detektivroman und zur Gegenwartsliteratur.

BERND NEUMANN

Geboren 1943. Studium der Germanistik, Psychologie und Geschichte in Hamburg, Berlin und Frankfurt a. M. Dr. phil. Professor für Deutsche Literatur an der Universität Trondheim, Norwegen.

Publikationen: Identität und Rollenzwang. Zur Theorie der Autobiographie. 1970. – Utopie und Mimesis. Zu den Romanen Uwe Johnsons. 1978. – Gottfried Keller. Eine Einführung in sein Werk. 1982. – (Hrsg.) M. Th. W. Bromme, *Lebensgeschichte eines modernen Fabrikarbeiters*. 1971. – (Hrsg.) J. Chr. Edelmann. Selbstbiographie. 1976. – (Hrsg.) Uwe Johnson. Entwöhnung von einem Arbeitsplatz. 1992. – (Hrsg.) Uwe Johnson. Wo ist der Erzähler auffindbar? 1992. – Aufsätze vor allem zur Gegenwartsliteratur; Radiosendungen und Zeitungsartikel.

WENDELIN SCHMIDT-DENGLER

Geboren 1942. Studium der Klassischen Philologie und Germanistik in Wien. Dr. phil. Professor für Neuere deutsche Literatur an der Universität Wien.

Publikationen: Genius. Zur Wirkungsgeschichte antiker Mythologeme in der Goethezeit. 1978. – Eine Avantgarde aus Graz. 1979. – Der Übertreibungskünstler. Studien zu Thomas Bernhard. ²1989. – Editionen aus dem Nachlaß Heimito von Doderers und Fritz von Herzmanovsky-Orlandos. Edition ausgewählter Schriften des Erasmus von Rotterdam. – Zahlreiche Aufsätze zur deutschsprachigen Literatur, im besonderen zur Literatur aus Österreich.

Interpretationen

IN RECLAMS UNIVERSAL-BIBLIOTHEK

Auswahl

Lessings Dramen
> Miß Sara Sampson – Minna von Barnhelm – Emilia
> Galotti – Nathan der Weise. 211 S. UB 8411

Dramen des Sturm und Drang
> Goethe, Götz von Berlichingen – Lenz, Der Hofmeister –
> Klinger, Sturm und Drang – Leisewitz, Julius von Tarent
> – Lenz, Die Soldaten – Schiller. Die Räuber. 216 S. UB
> 8410

Erzählungen und Novellen des 19. Jahrhunderts
Band 1
> Tieck, Der blonde Eckbert / Der Runenberg – Bonaven-
> tura, Nachtwachen – Kleist, Die Marquise von O... –
> Kleist, Michael Kohlhaas – Hoffmann, Der goldne Topf –
> Chamisso, Peter Schlemihls wundersame Geschichte –
> Hoffmann, Der Sandmann – Brentano, Geschichte vom
> braven Kasperl und dem schönen Annerl – Eichendorff,
> Aus dem Leben eines Taugenichts – Goethe, Novelle.
> 422 S. UB 8413

Erzählungen und Novellen des 19. Jahrhunderts
Band 2
> Droste-Hülshoff, Die Judenbuche – Stifter, Brigitta –
> Grillparzer, Der arme Spielmann – Mörike, Mozart auf
> der Reise nach Prag – Keller, Romeo und Julia auf dem
> Dorfe – Keller, Kleider machen Leute – Meyer, Das
> Amulett – Storm, Hans und Heinz Kirch – Storm, Der
> Schimmelreiter. 375 S. UB 8414

Romane des 19. Jahrhunderts

Tieck, *Franz Sternbalds Wanderungen* – Hölderlin, *Hyperion* – Schlegel, *Lucinde* – Novalis, *Heinrich von Ofterdingen* – Jean Paul, *Flegeljahre* – Eichendorff, *Ahnung und Gegenwart* – Hoffmann, *Kater Murr* – Mörike, *Maler Nolten* – Keller, *Der grüne Heinrich* – Stifter, *Der Nachsommer* – Raabe, *Stopfkuchen* – Fontane, *Effi Briest*. 423 S. UB 8418

Georg Büchner

Dantons Tod – Lenz – Leonce und Lena – Woyzeck. 218 S. UB 8415

Fontanes Novellen und Romane

Vor dem Sturm – Grete Minde – L'Adultera – Schach von Wuthenow – Unterm Birnbaum – Irrungen, Wirrungen – Quitt – Effi Briest – Frau Jenny Treibel – Der Stechlin – Mathilde Möhring. 304 S. UB 8416

Dramen des Naturalismus

Hauptmann, *Vor Sonnenaufgang* – Sudermann, *Die Ehre* – Holz / Schlaf, *Die Familie Selicke* – Hauptmann, *Die Weber* – Schlaf, *Meister Oelze* – Hauptmann, *Der Biberpelz* – Halbe, *Der Strom* – Hauptmann, *Die Ratten*. 216 S. UB 8412

Brechts Dramen

Grundzüge der Brechtschen Dramen- und Theatertheorie – *Baal – Leben des Galilei – Mutter Courage und ihre Kinder – Der gute Mensch von Sezuan – Der kaukasische Kreidekreis*. 188 S. UB 8813

Romane des 20. Jahrhunderts. Band 1

H. Mann, *Der Untertan* – Th. Mann, *Der Zauberberg* – Kafka, *Der Proceß* – Hesse, *Der Steppenwolf* – Döblin,

Berlin Alexanderplatz – Musil, *Der Mann ohne Eigenschaften* – Kästner, *Fabian* – Broch, *Die Schlafwandler* – Roth, *Radetzkymarsch* – Seghers, *Das siebte Kreuz* – Jahnn, *Fluß ohne Ufer.* 400 S. UB 8808

Romane des 20. Jahrhunderts. Band 2

Doderer, *Die Strudlhofstiege* – Koeppen, *Tauben im Gras* – Andersch, *Sansibar oder der letzte Grund* – Frisch, *Homo faber* – Grass, *Die Blechtrommel* – Johnson, *Mutmassungen über Jakob* – Böll, *Ansichten eines Clowns* – S. Lenz, *Deutschstunde* – Schmidt, *Zettels Traum* – Handke, *Der kurze Brief zum langen Abschied.* 301 S. UB 8809

Thomas Mann, Romane und Erzählungen

Buddenbrooks – Tristan – Tonio Kröger – Der Tod in Venedig – Der Zauberberg – Mario und der Zauberer – Joseph und seine Brüder – Lotte in Weimar – Das Gesetz – Doktor Faustus – Bekenntnisse des Hochstaplers Felix Krull. 360 S. UB 8810

Franz Kafka, Romane und Erzählungen

Das Urteil – Die Verwandlung – Der Verschollene – Der Proceß – Vor dem Gesetz – In der Strafkolonie – Ein Bericht für eine Akademie – Ein Landarzt – Auf der Galerie – Der Kübelreiter – Das Schloß – Ein Hungerkünstler. 320 S. UB 8811

Hermann Hesse, Romane

Unterm Rad – Demian – Siddhartha –Der Steppenwolf – Narziß und Goldmund – Das Glasperlenspiel. 175 S. UB 8812

Philipp Reclam jun. Stuttgart